Un retour à l'amour

Du même auteur
aux Éditions J'ai lu

UN RETOUR À LA PRIÈRE
N° 7772

LA GRÂCE ET L'ENCHANTEMENT
N° 9585

LE CHANGEMENT
N° 9976

MARIANNE
WILLIAMSON

Un retour à l'amour

Réflexions sur les principes énoncés dans *Un cours sur les miracles*

« N'aie pas peur, et que les miracles illuminent le monde. »

Traduit de l'anglais (États-Unis)
par Ivan Stennhout

Collection dirigée
par Ahmed Djouder

Titre original :
A RETURN TO LOVE
Publié en accord avec Harper Collins Publishers, Inc.

REMERCIEMENTS

Il m'a fallu beaucoup de temps pour écrire ce livre, et de nombreuses personnes m'ont aidée à l'achever.

Al Lowman, mon agent littéraire, a été un ange à la fois pour moi et pour mon livre. C'est à cause de lui que je l'ai commencé et c'est à cause de lui que je l'ai terminé. Andrea Cagan a beaucoup contribué aussi à lui donner sa forme définitive. Elle a fait de la révision une forme d'art. Beaucoup d'autres méritent aussi mes remerciements. Connie Church, Jeff Hammond et Freddie Weber m'ont tous aidée en ce qui concerne l'écriture. Merci à Carol Cohen et à tous les autres qui, chez Harper Collins, ont eu confiance en moi depuis longtemps. J'éprouve une gratitude profonde et durable envers mes amis Rich Cooper, Minda Burr, Carrie Williams, Norma Ferarra, Valerie Lippencott, David Kessler et Dan Stone. Merci aussi à Howard Rochestie, Steve Sager, Victoria Pearman, Ana Coto, Tara Shannon et Bruce Bierman.

Merci aussi à toutes les personnes qui, depuis les huit dernières années, ont assisté à mes conférences et à mes ateliers.

Merci à mes parents pour tout ce qu'ils m'ont donné, et à ma fille pour cette indicible douceur qu'elle apporte à ma vie.

PRÉFACE

J'ai grandi dans une famille juive de la petite bourgeoisie, fortement marquée par la magie et les frasques d'un père excentrique. Quand j'ai eu treize ans, en 1965, il m'a amenée à Saigon pour me montrer la guerre. La guerre du Vietnam commençait à faire rage et il voulait que je voie de mes propres yeux les trous d'obus. Il ne voulait pas laisser le complexe militaro-industriel m'influencer au point de me convaincre que la guerre était correcte.

Mon grand-père était très religieux. Parfois, j'allais à la synagogue avec lui le samedi matin. Quand l'arche s'ouvrait pendant le service, il s'inclinait et se mettait à pleurer. Et je pleurais aussi, mais j'ignore si c'était dû à quelque embryonnaire ferveur religieuse, ou si c'était simplement pour faire comme lui.

J'ai suivi mon premier cours de philosophie au collège et j'ai décidé alors que Dieu était une béquille inutile. Quel était ce Dieu qui laissait mourir des enfants de faim, me disais-je, qui laissait des êtres humains souffrir du cancer et qui avait permis que l'Holocauste se produise ? La foi innocente de l'enfant et le pseudo-intellectualisme de l'étudiante de seconde année de collège se heurtaient de plein front. J'écrivis à Dieu une lettre de rupture. J'étais déprimée en l'écrivant, mais j'avais le sentiment que je devais l'écrire parce que j'étais trop instruite maintenant pour croire en Dieu.

Pendant mes années de collège, la plupart des choses que j'ai apprises de mes professeurs n'avaient absolument rien à voir avec le programme académique. J'ai quitté l'école pour me lancer dans la culture des légumes, mais je ne me souviens pas en avoir jamais cultivé. Il y a beaucoup de choses pendant ces années-là dont je suis incapable de me souvenir. Comme beaucoup de gens à l'époque – fin des années 1960, début des années 1970, j'étais plutôt extravagante. Chaque porte que les normes conventionnelles barraient d'un « non » semblait devoir s'ouvrir sur quelque lascif plaisir qu'il me fallait expérimenter. Tout ce qui semblait scandaleux, j'avais une folle envie de le faire. Et d'habitude, je le faisais.

Je ne savais que faire de ma vie, même si je me rappelle que mes parents me suppliaient de faire *quelque chose*. J'allais de liaison en liaison, de travail en travail, de ville en ville, à la recherche d'une identité ou d'un but, de l'impression que ma vie débouchait finalement sur quelque chose. Je savais que j'avais du talent, mais j'ignorais dans quel domaine. Je savais que j'étais intelligente, mais j'étais trop débridée pour appliquer mon intelligence à ma réalité quotidienne. Je suivis plusieurs thérapies, mais sans grand effet. Je sombrais toujours plus profondément dans mes habitudes névrotiques et cherchais du soulagement dans la nourriture, les drogues, les autres, dans tout ce que je pouvais trouver pour me distraire de moi-même. J'essayais toujours d'agir de façon à ce qu'il se passe quelque chose dans ma vie, mais rien ne se passait, sauf le drame que je créais autour de tout ce qui ne se passait pas.

J'avais, pendant toutes ces années, un immense dégoût de moi-même, et il augmentait à chacune de mes crises. À mesure qu'augmentait mon désarroi, je m'intéressais de plus en plus à la philosophie : orientale, occidentale, universitaire, ésotérique, Kierkegaard, le Yi King, l'existentialisme, la théologie radicale chrétienne de la mort-de-Dieu, le bouddhisme et le reste. J'avais toujours le sentiment que quelque ordre cosmique mystérieux réglait toutes les choses, mais je ne parvenais jamais à m'imaginer comment cet ordre s'appliquait à ma propre vie.

Un jour, j'étais assise et je fumais de la marijuana avec mon frère. Il me dit que tout le monde me trouvait bizarre. « Comme si tu étais atteinte d'une sorte de virus », dit-il. Je me souviens avoir eu envie de bondir hors de moi. Je me sentais comme une extraterrestre. J'avais souvent l'impression que la vie était un club privé et que tout le monde, sauf moi, en détenait le mot de passe. J'avais l'impression que les autres connaissaient un secret que j'ignorais, mais je ne voulais rien leur demander parce que je ne voulais pas qu'ils sachent que je ne savais pas.

À vingt-cinq ans, ma vie était un gâchis total.

Je pensais que les autres, exactement comme moi, mouraient aussi à l'intérieur d'eux-mêmes mais qu'ils ne pouvaient ou ne voulaient pas en parler. Je continuais de penser qu'il y avait quelque chose de très important dont personne ne parlait. J'étais incapable de le formuler mais j'étais convaincue que quelque chose de fondamental manquait au monde. Pourquoi tout le monde pensait-il que ce jeu stupide de « réussir dans la vie » – et qu'en réalité j'étais mal à l'aise de ne savoir jouer – était notre seule raison d'être ?

Un jour, en 1977, je tombai sur une série de livres bleus au lettrage doré, posés sur une table à café chez quelqu'un à New York. Je lus l'introduction. Voici le texte :

> « *Voici un cours sur les miracles. C'est un cours obligatoire. Seul le moment où tu le suis relève de ta volonté. Libre arbitre ne veut pas dire que tu puisses établir le programme. Cela veut dire seulement que tu peux choisir ce que tu désires suivre à un moment donné. Le Cours ne vise pas à enseigner la signification de l'amour, qui est au-delà de ce qui peut s'enseigner. Il vise cependant à enlever ce qui bloque dans la conscience la présence de l'amour, ton héritage naturel.* »

Sur le coup, j'étais perplexe, et trouvai même le texte un peu prétentieux. Je continuai à lire et remarquai la terminologie chrétienne dans tous ces ouvrages. Elle m'exaspéra. J'avais étudié la théologie chrétienne à l'école, mais je m'en étais tenue intellectuellement loin. Je sentais qu'elle avait peut-être maintenant une signification plus personnelle. Je remis les livres sur la table.

Une autre année se passa avant que je les reprenne – une autre année de détresse. Et un moment donné, j'étais prête. J'étais si déprimée cette fois-là que je ne remarquai même pas la terminologie. Je sus immédiatement cette fois-là que le Cours avait quelque chose de très important à m'enseigner. Il recourait à des termes traditionnellement chrétiens, mais les utilisait d'une façon résolument non traditionnelle, non-religieuse. J'étais frappée, comme la plupart des lecteurs, par la profonde autorité de cette voix. Ces livres répondaient à des questions que je commençais à croire insolubles. Ils parlaient de Dieu en termes psychologiques intelligents, mettaient mon intelligence à contribution et ne l'insultaient jamais. Cela peut paraître un peu cliché, mais j'avais le sentiment de me retrouver chez moi.

Le message fondamental du Cours semblait : *relaxez-vous*. J'étais surprise parce que j'avais toujours associé la relaxation à la résignation. Je m'attendais à ce qu'on m'explique comment me battre, ou à ce qu'on combatte à ma place, et voilà que le livre suggérait de renoncer complètement au combat. J'étais surprise mais tellement soulagée. Depuis longtemps, je soupçonnais n'être pas faite pour me battre dans la vie.

Ce livre n'a pas été, pour moi, un livre de plus. Il a été mon professeur personnel, mon chemin hors de l'enfer. J'ai su presque immédiatement, en commençant à lire le Cours et à pratiquer les exercices du Livre d'exercices, que les changements qu'ils induisaient en moi étaient positifs. Je me sentais heureuse. J'avais l'impression de commencer à m'apaiser. Je commençais à me comprendre moi-même, à entrevoir pourquoi mes relations interpersonnelles avaient été si douloureuses, pourquoi je ne pouvais jamais supporter rien longtemps, pourquoi je haïssais mon corps. Et, le plus important, je commençais à être persuadée de pouvoir changer. Étudier le Cours suscita en moi beaucoup d'espoir et libéra une énorme énergie, énergie qui jusque-là, jour après jour, était devenue plus sombre et plus autodestructrice.

Le Cours est un programme d'auto-apprentissage de psychothérapie spirituelle en trois volumes. Il ne revendique pas le monopole de Dieu. Il énonce des thèmes spirituels universels. Il n'existe qu'une seule vérité dite de différentes manières, et le Cours n'est qu'une voie parmi de nombreuses voies. Si c'est la vôtre, vous le saurez. Pour moi, le Cours a été d'une importance capitale, à la fois au plan intellectuel, émotionnel et psychologique. Il m'a libérée d'une terrible souffrance émotionnelle.

Je voulais la « *conscience de la présence de l'amour* » dont traitait le livre, et les cinq années suivantes, j'ai étudié passionnément le Cours. Comme le disait ma mère à l'époque, je « le dévorais comme on dévore un menu ». En 1983, j'ai commencé à partager ma compréhension du Cours avec un petit groupe de personnes à Los Angeles. Le groupe a grossi. Depuis lors, le public à mes conférences a considérablement augmenté, en Amérique comme à l'étranger. J'ai pu constater à quel point cet enseignement était valable pour toutes sortes de personnes à travers le monde.

Un retour à l'Amour se fonde sur ce que j'ai appris dans *Un cours sur les miracles*. Mon livre traite de certains des principes de base du Cours, tel que je les comprends et les applique aux problèmes quotidiens.

Un retour à l'Amour traite de la pratique de l'amour. L'amour est une force, et non pas une faiblesse, et la réponse quotidienne aux problèmes auxquels nous sommes confrontés. Comment l'amour peut-il être une solution pratique ? Ce livre est conçu pour servir de guide à l'application miraculeuse de l'amour, le baume qui guérit toutes les blessures. Que la douleur psychique soit due aux relations interpersonnelles, aux problèmes de santé, de carrière ou à autre chose, l'amour est une force puissante. Il est le traitement, la Réponse.

Les Nord-Américains ne sont pas très portés sur la philosophie. Mais nous sommes très forts sur l'action, une fois que nous avons compris la raison d'agir. Dès que nous comprenons pourquoi l'amour est tellement nécessaire à la guérison du monde, un changement se produit dans notre vie intérieure et extérieure.

Je prie pour que ce livre puisse être utile à quelqu'un. Je l'ai écrit en ouvrant grand mon cœur. J'espère que vous le lirez, l'esprit ouvert.

Marianne WILLIAMSON
Los Angeles, Californie

INTRODUCTION

Quand nous sommes venus au monde, nous étions parfaitement programmés. Nous avions une tendance naturelle à ne voir que l'amour. Nous avions l'imagination créatrice et fertile, et savions comment nous en servir. Nous vivions dans un monde beaucoup plus riche que celui dans lequel nous vivons aujourd'hui, un monde rempli d'enchantements et du sens du miraculeux.

Que s'est-il produit ? Pourquoi, après un certain âge, l'enchantement a-t-il disparu ?

Parce qu'on nous a appris à mettre l'accent ailleurs. On nous a appris à penser d'une manière qui n'est pas naturelle. On nous a appris une très mauvaise philosophie, une vision du monde contraire à qui nous sommes.

On nous a inculqué des idées de compétition, de combat, de maladie, de ressources limitées, de restriction, de culpabilité, de mal, de mort, de manque et de deuil. On a commencé à penser ces choses, et donc on a commencé à les connaître. On nous a inculqué que les diplômes, la réussite, l'argent, le travail bien fait étaient plus importants que l'amour. On nous a inculqué que nous étions séparés des autres, que nous devions nous battre pour avancer, que nous n'étions pas assez bons tels que nous étions. On nous a appris à voir le monde comme les autres le voient. C'est comme si on nous avait donné un somnifère. Dès l'instant où nous sommes nés, on a commencé à nous rebattre les oreilles avec une conception du monde non fondée sur l'amour.

Nous sommes nés avec l'amour. Et nous avons appris la peur. Le voyage spirituel consiste à répudier – à désapprendre – la peur et à accepter le retour de l'amour dans notre cœur. L'amour est un fait essentiel de l'existence. Il est notre ultime réalité, notre ultime but sur terre. En être véritablement conscient, expérimenter l'amour en soi et dans les autres, voilà le sens de la vie.

Le sens ne réside pas dans les objets. Le sens est en nous. Tenir à tout ce qui n'est pas amour – l'argent, la voiture, la maison, le prestige – c'est aimer des choses qui ne peuvent nous aimer en retour ; c'est chercher un sens à ce qui n'en a pas. L'argent, en soi, ne signifie rien. Les choses matérielles, en soi, ne signifient rien. Non qu'elles soient mauvaises. Elles ne sont rien.

Nous sommes ici pour cocréer avec Dieu, en élargissant le règne de l'amour. Toute vie vouée à autre chose est dépourvue de sens, contraire à notre nature et, au bout du compte, douloureuse. Tout se passe alors comme si l'on était égaré dans un univers parallèle et noir où l'on aime plus les choses que les êtres. Nous surévaluons ce que nos sens physiques perçoivent et sous-évaluons ce que nous savons vrai dans notre cœur.

L'amour ne se voit pas avec nos yeux physiques, ne s'entend pas avec nos oreilles physiques. Les sens physiques ne peuvent le percevoir ; c'est une autre vision qui perçoit l'amour. Les métaphysiciens l'appellent le Troisième œil ; l'ésotérisme chrétien l'appelle la vision du Saint-Esprit ; d'autres l'appellent le Moi supérieur, mais l'amour requiert, peu importe comment on le désigne, une « façon de voir » différente de celle à laquelle nous sommes habitués – un savoir et un mode de pensée différents. L'amour est le savoir intuitif de nos cœurs, un « par-delà le monde » auquel nous aspirons tous secrètement. Et le souvenir ancien de cet amour nous hante tous tout le temps et nous fait signe d'y revenir.

L'amour n'est pas matériel. L'amour est énergie. Il est une sensation que l'on éprouve dans un lieu, une situation, vis-à-vis d'une personne. L'argent est incapable de l'acheter. Les relations sexuelles ne le garantissent pas. L'amour n'a rien à voir avec le monde physique, mais il peut quand même s'exprimer. On vit l'amour dans la gentillesse, le don, l'indulgence, la compassion, la paix, la joie, l'acceptation, le parti pris de ne pas juger, le partage et l'intimité.

La peur est notre manque d'amour partagé, notre enfer individuel et collectif ; un monde qui nous écrase de l'intérieur et de l'extérieur, et qui trompeusement tend à nous faire croire que l'amour n'a pas de sens. Quand la peur s'exprime, elle prend la forme de la colère, de l'abus, de la maladie, de la douleur, de la cupidité, de la dépendance, de l'égoïsme, de l'obsession, de la corruption, de la violence et de la guerre.

L'amour est en nous. Rien ne peut le détruire, mais il est parfois caché. Le monde que nous avons connu existe toujours, enseveli loin dans nos esprits. J'ai lu un jour un livre merveilleux intitulé *Les Brumes d'Avalon*. Les brumes d'Avalon sont une allusion mythique à la légende du Roi Arthur. Avalon est une île magique cachée derrière d'épais et impénétrables brouillards. À moins que ces brouillards ne se dissipent, il n'y a pas moyen de naviguer jusqu'à l'île. Mais à moins de croire que l'île existe, les brouillards ne se dissipent pas.

Avalon symbolise un monde situé par-delà le monde qui se voit avec nos yeux physiques. L'île représente le côté miraculeux des choses, le domaine enchanté que nous connaissions quand nous étions enfants. Notre moi d'enfant est le niveau le plus profond de notre être. Il est ce que nous sommes réellement, et le réel ne disparaît pas. La vérité ne cesse pas d'être la vérité, juste parce que nous n'y prenons plus garde. L'amour se couvre simplement de nuages ou se cache derrière les brouillards de l'esprit.

Avalon est le monde que nous connaissions quand nous étions encore connectés à notre douceur, notre innocence, notre esprit : le même monde que celui que nous voyons à présent, mais auquel l'amour donnait forme et que nous interprétions avec douceur, espoir, confiance et avec le sens de l'émerveillement. Il est facile de retrouver ce monde-là parce que nous avons le choix de nos perceptions. Les brouillards se dissipent quand nous croyons qu'Avalon se cache derrière la brume.

Et c'est exactement ça un miracle : une façon de dissiper les brouillards, un changement de perception, un retour à l'Amour.

PREMIÈRE PARTIE

La théorie

Chapitre 1

L'enfer

« L'enfer n'a pas de place dans un monde dont la beauté peut être si sublime et si englobante que seul un pas le sépare du Ciel. »

1. LES TÉNÈBRES

« Le voyage dans les ténèbres a été long et cruel et tu t'y es profondément engagé. »

Ma génération n'a jamais grandi. Le problème n'est pas que nous soyons une génération perdue, indifférente, narcissique ou matérialiste. Le problème est que nous sommes terrifiés.

Beaucoup d'entre nous savent qu'ils ont ce qui est nécessaire : l'apparence, l'instruction, le talent, les références. Mais en certains domaines nous sommes paralysés. Ce qui nous bloque n'est pas extérieur à nous mais intérieur. Notre oppression est interne. Le gouvernement ne nous opprime pas, ni la faim ni la pauvreté. Nous n'avons pas peur d'être envoyés en Sibérie. Nous avons peur, point final. Notre peur est diffuse. Nous avons peur que la relation que nous vivons ne soit pas la bonne ou bien nous avons peur qu'elle le soit. Nous avons peur que les autres ne nous aiment pas ou bien nous avons peur qu'ils nous aiment. Nous avons peur de l'échec et nous avons peur de la réussite. Nous avons peur de mourir jeune et nous avons peur de vieillir. Nous avons plus peur de la vie que de la mort.

On pourrait croire qu'empêtrés dans nos chaînes émotionnelles comme nous le sommes, nous éprouvions une certaine compassion envers nous-mêmes, mais nous ne l'éprouvons pas. Nous sommes simplement dégoûtés de nous-mêmes parce que nous pensons que nous devrions être meilleurs. Parfois, nous commettons l'erreur de croire que les autres ont moins de peurs que nous, avec pour seul effet de nous effrayer encore plus. Peut-être savent-ils quelque chose que nous ignorons. Peut-être nous manque-t-il un chromosome.

C'est devenu la mode, ces temps-ci, de rejeter sur ses parents la responsabilité d'à peu près tout. Nous nous imaginons que c'est leur faute si nous nous respectons si peu. S'ils avaient été différents, nous saurions nous aimer nous-mêmes. Mais à y regarder de plus près, peu importe le tort que nos parents nous ont fait, il n'est rien comparé à celui que nous nous faisons nous-mêmes. Il est peut-être vrai que votre mère vous a répété sans cesse : « Tu ne seras jamais capable de faire ça, mon chéri. » Mais à présent c'est nous qui nous répétons à nous-mêmes : « Tu es stupide. Tu rates tout. Tu ne fais rien comme il faut. Je te déteste. » Les parents ont peut-être été mauvais, mais nous sommes malveillants.

Notre génération a glissé dans le tourbillon à peine camouflé du dégoût de soi. Et nous cherchons toujours, parfois désespérément, à nous en sortir, ou bien en essayant de croître ou bien en essayant de fuir. Un diplôme de plus fera peut-être l'affaire, ou ce nouvel emploi, ce séminaire, ce thérapeute, cette nouvelle relation, cette diète ou ce projet. Mais trop souvent la médecine ne guérit pas et nos chaînes deviennent simplement plus lourdes et plus oppressantes. De nombreuses personnes dans de nombreuses villes vivent le même drame. Nous commençons à réaliser que quelque part, nous sommes le problème, mais nous ne savons pas comment le solutionner. Nous ne sommes pas assez forts pour passer outre à nous-mêmes. Nous sabordons tout, faisons tout avorter : nos carrières, nos relations, même nos enfants. Nous buvons. Nous prenons de la drogue. Nous voulons dominer. Nous avons des obsessions. Nous sommes codépendants. Nous mangeons trop. Nous nous cachons. Nous attaquons. Peu importe la forme que prend la dysfonction, les manières d'exprimer à quel point nous nous haïssons sont multiples.

Et la haine s'exprime toujours. L'énergie émotionnelle doit trouver un exutoire, et la haine de soi est une émotion puissante. Dirigée vers l'intérieur, elle devient notre enfer personnel : la dépendance, l'obsession, la compulsion, la dépression, la violence dans les relations interpersonnelles, la maladie. Dirigée vers l'extérieur, elle devient notre enfer collectif : la violence, la guerre, le crime, l'oppression. Mais il s'agit toujours de la même chose : l'enfer aussi a plusieurs demeures.

Je me rappelle avoir eu, il y a de nombreuses années, une image à l'esprit qui me faisait terriblement peur. Je voyais une petite fille douce et innocente. Elle était vêtue d'un tablier d'organdi parfaitement blanc et pleurait, le dos contre un mur. Une femme malveillante, hystérique n'arrêtait pas de la frapper au cœur avec son couteau. J'avais le sentiment que ces deux personnages étaient moi, qu'ils existaient comme forces psychiques dans mon esprit. Au fil des années, j'avais de plus en plus peur de la femme au couteau. Elle était active dans mon système. Elle était totalement hors de contrôle, et j'avais l'impression qu'elle voulait me tuer.

Quand j'étais au fond du désespoir, je cherchais toutes sortes de moyens de sortir de mon enfer personnel. Je lisais des livres qui expliquaient que c'était notre esprit qui créait notre expérience, que le cerveau était un bio-ordinateur qui manufacturait tout ce que nous lui programmions avec nos pensées. Je lisais : « Pensez réussite et vous réussirez », « Attendez-vous à échouer et vous échouerez. » Mais peu importe à quel point je m'efforçais de changer mes pensées, je revenais toujours aux pensées les plus douloureuses. J'avais des périodes de rémission : je travaillais à acquérir une attitude plus positive, j'essayais de me prendre en mains et je rencontrais un nouvel homme ou obtenais un nouvel emploi. Mais je retombais toujours dans les mêmes comportements et finissais toujours par me trahir moi-même : je me comportais comme une garce avec l'homme ou je sabotais mon travail. Je perdais dix livres, puis les regagnais en cinq minutes, terrifiée de me sentir belle. La seule chose plus effrayante que de ne pas parvenir à attirer l'attention des hommes était de parvenir à l'attirer beaucoup. L'ornière du sabotage était profonde et automatique. J'étais capable, bien sûr, de changer mes pensées mais pas de façon permanente. Et il n'existe qu'un désespoir pire que « Mon Dieu, j'ai échoué » ; c'est « Mon Dieu, j'ai *encore* échoué ! »

Mes pensées douloureuses étaient mes démons. Les démons sont insidieux. Grâce à diverses techniques thérapeutiques, je comprenais très bien mes névroses, mais cela ne suffisait pas nécessairement à les exorciser. Les déchets ne s'en allaient pas ; ils se complexifiaient. Je savais expliquer mes faiblesses avec une telle lucidité que les autres pensaient : « Elle connaît, de toute évidence, tellement bien sa façon d'agir qu'elle *ne* recommencera *plus*. »

Mais, hélas, oui ! je recommençais. Confesser ma façon d'agir n'était qu'un moyen d'attirer l'attention. Ensuite, je me déchaînais ou adoptais si vite et si facilement quelque attitude choquante que personne, et moi moins que les autres, n'était plus capable de m'arrêter avant que je n'aie complètement gâché une situation. Je disais exactement les mots qu'il fallait pour que l'homme me quitte, ou me frappe, ou pour me faire congédier, ou pire. À l'époque, je n'aurais jamais pensé demander un miracle.

D'abord, j'ignorais ce qu'était un miracle. Je plaçais le miracle dans la catégorie des détritus pseudo-mystico-religieux. Je ne savais pas, avant de lire *Un cours sur les miracles*, qu'il est raisonnable de demander un miracle. Je ne savais pas qu'un miracle n'est qu'un changement de perception.

Un jour, j'ai assisté à une réunion d'un groupe d'entraide dont la philosophie de réhabilitation, calquée sur celle des Alcooliques anonymes, comprend douze étapes dans la guérison. Les gens réunis demandaient à Dieu de leur enlever leur envie de boire. Aucune dysfonction particulière ne m'avait jamais poussée trop loin. Ce n'était ni l'alcool ni la drogue qui m'enfonçait ; mais ma personnalité en général, cette femme hystérique dans ma tête. Mon négativisme me détruisait autant que l'alcool détruit un alcoolique. J'étais passée maître dans l'art de trouver ma propre veine jugulaire. Tout se passait comme si j'avais développé une dépendance à ma propre douleur. Y avait-il moyen de demander à Dieu de m'aider ? Je me disais qu'exactement comme dans tout autre comportement de dépendance, un pouvoir plus grand que le mien pourrait peut-être modifier les choses. Ni mon intellect ni ma volonté n'y étaient parvenus. Comprendre ce qui m'était arrivé quand j'avais trois ans n'avait pas suffi à me libérer. Les problèmes qui, je croyais, finiraient par disparaître à la longue, ne faisaient qu'empirer d'année en année. Je ne m'étais pas développée émotionnellement comme j'aurais dû, et je le savais. D'une certaine façon, tout se passait comme si, très profond dans mon cerveau, des fils électriques avaient été mal raccordés. Comme beaucoup de personnes de ma génération et de ma culture, j'avais déraillé des années auparavant et je n'avais jamais grandi. Nous avons vécu la plus longue post-adolescence de l'histoire du monde. Comme les victimes de chocs émotionnels, il faut que nous reculions un peu pour pouvoir avancer. Il faut que quelqu'un nous enseigne les données de base.

En ce qui me concerne, même dans le plus profond pétrin, j'avais toujours pensé que j'étais capable de m'en sortir toute seule. J'étais assez jolie, ou assez brillante, ou assez talentueuse, ou assez intelligente – et si rien d'autre ne marchait, je pouvais toujours appeler mon père et lui demander de l'argent. Mais finalement je me suis enfoncée dans de tels problèmes que j'ai su que j'avais besoin d'une aide plus grande que celle que je pouvais moi-même me donner. Aux réunions du groupe d'entraide, j'avais souvent entendu répéter qu'une force plus grande que la mienne pouvait faire pour moi ce que je ne pouvais faire moi-même. Il ne restait que cela, il ne restait personne d'autre à appeler. Ma peur était devenue si grande que j'étais plutôt contente de dire : « Mon Dieu, s'il te plaît, aide-moi. »

2. LA LUMIÈRE

« *La lumière est en toi.* »

J'ai donc vécu ce moment dramatique, grandiose, d'inviter Dieu à entrer dans ma vie. C'était terrifiant au début, mais ensuite je me suis habituée à l'idée.

Par la suite, rien ne s'est vraiment passé comme je l'avais prévu. Je pensais que les choses allaient s'améliorer ; comme si ma vie était une maison et que Dieu viendrait y faire une formidable restauration – de nouveaux volets peut-être, un joli portique, une nouvelle toiture. Mais plutôt, à peine avais-je donné ma maison à Dieu qu'Il se mit à la fracasser avec un énorme boulet de démolition. « Désolé, ma petite, semblait-Il dire. Il y avait des fissures dans les fondations, sans parler de tous les rats dans la chambre à coucher. J'ai pensé qu'il valait mieux rebâtir à neuf. »

J'avais lu l'histoire de personnes qui s'étaient abandonnées à Dieu et avaient ensuite éprouvé le sentiment d'une profonde paix qui leur tombait comme un manteau sur les épaules. J'ai éprouvé la même chose, mais à peine pendant une minute et demie. Après, j'ai eu l'impression d'avoir été inculpée. Cela ne m'a pas détournée de Dieu, mais plutôt m'a amenée à respecter Son intelligence. Cela signifiait qu'Il comprenait mieux la situation que je ne l'avais pressenti. Si j'avais été Dieu, je me serais fait inculper aussi. Je me sentis plus reconnaissante qu'irritée. J'avais désespérément besoin d'aide.

Il faut d'habitude une certaine quantité de désespoir avant d'être prêt à en appeler à Dieu. Quand s'est posée la question de ma reddition spirituelle, je n'y ai pas sérieusement pensé, pas vraiment sérieusement, avant d'être complètement à genoux. J'étais dans un tel pétrin que plus rien ni personne ne pouvaient plus m'en sortir.

La femme hystérique en moi était folle de rage et l'enfant innocente était coincée le dos au mur. Je me sentais brisée. J'avais franchi la ligne de démarcation entre être-dans-la-détresse-mais-toujours-capable-de-fonctionner-normalement et la déroute totale. J'eus ce que l'on appelle communément une dépression nerveuse.

Les dépressions nerveuses sont parfois des méthodes de transformation spirituelle profondément sous-estimées. Elles réussissent à coup sûr à capter l'attention de celui qui en souffre. J'ai vu des personnes avoir de petites mini-dépressions année après année, et s'arrêter chaque fois juste avant de comprendre. Je pense avoir eu de la chance : la mienne s'est produite d'un seul coup. Les choses qu'elle m'a apprises, je ne les oublierai jamais. Quelque douloureuse qu'ait été l'expérience, je la considère à présent comme une étape importante, et peut-être nécessaire, dans ma progression vers une vie plus heureuse.

D'abord, j'étais profondément humiliée. Je voyais très clairement que *« de moi-même, je ne suis rien »*. On continue jusqu'à ce que cela se produise, d'essayer d'utiliser tous les vieux trucs, ceux qui n'ont jamais marché mais dont on persiste à croire qu'ils marcheront la prochaine fois. Quand on en a assez et qu'on n'est plus capable d'y recourir, alors on envisage la possibilité qu'il existe peut-être un meilleur moyen. C'est alors que l'esprit s'ouvre et que Dieu y pénètre.

J'ai eu l'impression, pendant toutes ces années, que mon crâne avait explosé, comme s'il avait volé en milliers de petits éclats dans l'espace. Très lentement, les éclats se sont rassemblés de nouveau. Et pendant que mon cerveau émotionnel était tellement exposé, c'est comme si le filage électrique en avait été refait, comme s'il avait subi une sorte de chirurgie psychique. J'avais l'impression de devenir quelqu'un de différent.

De nombreuses personnes, sans nécessairement l'avouer à leurs proches, ont senti un jour leur cerveau s'ouvrir et craquer. Ces temps-ci, le phénomène n'est pas inhabituel. Les gens se fracassent contre tellement de murs aujourd'hui : socialement, biologiquement, psychologiquement et émotionnellement. Mais ce n'est pas une mauvaise nouvelle. En un sens, c'est bon. À moins que les genoux finissent pas fléchir, on se contente de jouer à vivre, et quelque part on a peur parce qu'on sait qu'on ne fait que jouer. Le moment de la reddition n'est pas celui de la fin de la vie. Il est son commencement.

Mais le moment de cet eurêka – cet appel à Dieu – n'est pas tout. Il n'ouvre pas définitivement les portes du Paradis. On vient simplement d'entreprendre l'escalade. Mais on sait qu'on ne tourne plus en rond au pied de la montagne, sans jamais aboutir nulle part, en rêvant du sommet et sans avoir la moindre idée sur la façon d'y parvenir. Pour de nombreuses personnes, il faut que les choses aillent très mal avant qu'un changement ne se produise. Quand on atteint vraiment le fond, il se produit une enivrante libération. On admet qu'il existe dans l'univers un pouvoir plus grand que le sien et qui peut faire pour soi ce que l'on n'est pas capable de faire. Et tout à coup le dernier recours semble une très bonne idée.

Quelle ironie ! On passe sa vie entière à résister au concept qu'il existe quelqu'un quelque part de plus brillant que soi, puis tout à coup on est tellement soulagé de savoir que c'est vrai. Tout à coup, on perd son orgueil et on demande de l'aide.

Et voilà ce que signifie offrir à Dieu sa reddition.

Chapitre 2

Dieu

« *Tu es en Dieu.* »

1. DIEU EST LE ROC

« *Il n'y a pas de moment, pas de lieu, pas d'état où Dieu soit absent.* »

J'ai eu dans ma vie des moments, et encore aujourd'hui, même si c'est maintenant plus l'exception que la règle, où je me suis sentie submergée par la tristesse. Quelque chose ne se passait pas comme je l'aurais voulu, ou bien j'étais en conflit avec quelqu'un, ou j'avais peur de ce qui allait arriver ou de ce qui n'allait pas arriver. La vie, dans ces moments-là, est parfois tellement douloureuse, et l'esprit entreprend une interminable quête pour trouver ce qui permettrait de se sentir mieux ou qui pourrait changer la situation.

Dans *Un Cours sur les miracles*, j'ai appris que ce changement que nous recherchons vraiment se trouve dans notre tête. Les événements sont en perpétuel mouvement. Un jour, ils sont favorables ; le lendemain, on en est la victime. Un jour, tout se passe en douceur ; le lendemain, règne le chaos. Un jour, on a l'impression d'être quelqu'un de bien ; le lendemain, on se sent totalement nul. Ces changements dans la vie se produiront toujours ; ils font partie de l'expérience humaine. Ce qui peut changer par contre, ce sont nos perceptions. Et ce changement dans nos perceptions est le sens des miracles.

Il y a, dans la Bible, une histoire où Jésus explique que nous avons le choix de construire notre maison sur le sable ou sur le roc. Quand notre maison est construite sur le sable, les pluies et les vents peuvent la démolir. Quand notre maison est construite sur le roc, elle est solide et résistante et les tempêtes même sont incapables de la détruire.

Notre stabilité émotive est notre maison. Une maison construite sur le sable, cela veut dire que notre sentiment de bien-être se fonde sur des choses passagères et des humeurs changeantes. Au moindre coup de téléphone décevant, nous nous écroulons ; une tempête et la maison s'effondre. Une maison construite sur le roc, cela veut dire que nous sommes moins vulnérables aux drames passagers. Notre stabilité repose sur quelque chose de plus persistant que la température qu'il fait – quelque chose de fort et de permanent. Une maison construite sur le roc, cela veut dire que nous nous en remettons à Dieu.

Je ne m'étais jamais rendu compte que s'en remettre à Dieu, c'était s'en remettre à l'amour. J'avais entendu dire que Dieu est amour, mais je n'en avais jamais vraiment compris le sens.

En commençant à étudier *Un cours sur les miracles*, j'ai découvert les choses suivantes à propos de Dieu :

Il est l'amour en nous.
Il dépend entièrement de nous de « Le suivre », c'est-à-dire de penser avec amour.
Quand nous choisissons d'aimer, ou permettons à notre esprit d'être avec Dieu, alors la vie est merveilleuse. Quand nous nous détournons de l'amour, la douleur s'installe.

Donc, quand nous pensons avec Dieu, la vie est tranquille. Quand nous pensons sans Lui, la vie est douloureuse. Et c'est le choix mental que nous opérons à chaque instant de chaque jour.

2. L'AMOUR EST DIEU

« L'amour ne conquiert pas toutes les choses mais il les rectifie. »

Le véritable amour est une façon radicale de voir, un écart majeur par rapport à l'orientation psychologique qui régit le monde. Et si l'idée semble menaçante, ce n'est pas parce qu'elle est petite ; au contraire, c'est parce qu'elle est d'une telle ampleur.

Pour beaucoup de personnes, Dieu est une idée qui fait peur. Demander l'aide de Dieu ne semble pas vraiment réconfortant si nous pensons qu'Il nous est extérieur ou qu'Il est capricieux ou qu'Il aime juger. Mais Dieu est amour et Il habite en nous. Nous avons été créés à Son image, pareils à Son esprit. Nous sommes des extensions de Son amour, des Fils de Dieu. Le Cours affirme que nous avons un « *problème d'auteur* ». Nous pensons être les auteurs de Dieu, plutôt que de nous rendre compte qu'Il est notre auteur. Au lieu d'accepter que nous sommes les êtres aimants qu'Il a créés, nous avons pensé avec arrogance que nous étions capables de nous créer nous-mêmes, et ensuite de créer Dieu. Nous nous sommes formé un Dieu à *notre* image. Parce que *nous* sommes vindicatifs et portés à juger, nous avons projeté ces traits sur Lui. Mais Dieu reste qui Il est et a toujours été : Il est l'énergie, la pensée de l'amour inconditionnel. Il est incapable de penser avec colère ou de juger. Il est pitié et compassion et totale acceptation. Nous l'avons oublié et, ce faisant, nous avons oublié qui nous étions nous-mêmes.

J'ai commencé à réaliser que prendre l'amour au sérieux transformerait complètement ma façon de penser. *Un Cours sur les miracles* se qualifie d'« *entraînement de l'esprit* » dans l'abandon d'un système de pensée fondé sur la peur pour le remplacer par un système de pensée fondé sur l'amour. Aujourd'hui, plus de dix ans après avoir commencé à étudier *Un Cours sur les miracles*, mon esprit est loin d'être la pierre de touche de la sainte perception. Je ne prétends vraiment pas réussir toujours à envisager toutes les situations de ma vie dans une perspective d'amour, du moins pas spontanément. Mais je suis certaine d'une chose cependant : quand j'y parviens, ma vie va merveilleusement bien. Et quand je n'y parviens pas, les choses bloquent.

S'en remettre à Dieu, c'est s'en remettre à l'amour. Et c'est très difficile quand on pense que la reddition est un acte de vaincu. La reddition est passive. On pense qu'on est faible de se rendre. Mais la passivité dans un sens spirituel est une force, la seule façon de nous débarrasser de notre agressivité. Notre agressivité n'est pas mauvaise. À maints égards, elle est notre créativité. L'esprit qui s'écarte de Dieu a oublié comment enregistrer l'amour avant d'aller se promener dans le monde. La fonction de l'esprit est d'expérimenter l'amour. Sans amour, il n'y a pas de sagesse. Sans amour, on peut être actif mais on est hystérique.

S'abandonner à Dieu signifie lâcher prise et simplement aimer. En affirmant, dans une situation donnée, que l'amour est notre priorité, nous actualisons le pouvoir de Dieu. Ce n'est pas une métaphore ; c'est un fait. Nous utilisons littéralement notre esprit pour cocréer avec Lui. Par une décision mentale – une reconnaissance consciente de l'importance de l'amour et notre volonté de l'expérimenter – nous « en appelons à un pouvoir supérieur ». Nous renonçons à nos schémas mentaux normaux et habituels et permettons qu'un mode de perception différent, plus doux, les remplace. C'est cela laisser un pouvoir plus grand que soi diriger notre vie.

Quand nous comprenons que Dieu est amour, il n'est pas difficile de comprendre que suivre Dieu signifie simplement suivre les impératifs de l'amour. L'obstacle qu'il faut surmonter ensuite est de savoir s'il est vraiment sage de se conformer à ce que dicte l'amour. La question n'est plus : « Qu'est-ce que Dieu ? » La question est : « Qu'est-ce que l'amour ? »

L'amour est énergie. Nous ne percevons peut-être pas l'amour avec nos sens physiques mais nous sommes d'habitude capables de dire si nous le ressentons ou non. Très peu de personnes sentent assez d'amour dans leur vie. Le monde est devenu un lieu sans amour. Il nous est même difficile d'imaginer un monde dans lequel nous nous aimerions toujours tous les uns les autres. Il n'y aurait plus de guerre parce que nous ne nous battrions plus. Il n'y aurait plus de famine parce que nous nourririons les autres. Il n'y aurait plus de catastrophe écologique parce que nous nous aimerions tellement nous-mêmes, aimerions tellement nos enfants et notre planète que nous ne voudrions plus la détruire. Il n'y aurait plus aucune espèce de préjugés, d'oppression ou de violence. Il n'y aurait plus de douleur. Il n'y aurait plus que la paix.

La plupart d'entre nous sont violents – pas nécessairement physiquement, mais émotivement. Nous avons été élevés dans un monde où l'amour n'est pas une priorité, et quand l'amour est absent, la peur s'installe. La peur est à l'amour ce que la nuit est au jour. C'est un terrible manque de ce dont nous avons besoin pour survivre. La peur est la racine de tout mal. Et le problème du monde.

Quand on ne cajole pas les bébés, ils deviennent autistiques, et même meurent. On accepte que les enfants aient besoin d'amour, mais à quel âge cesse-t-on d'en avoir besoin ? Jamais. Nous avons autant besoin d'amour pour vivre heureux que d'oxygène pour simplement vivre. Ce n'est pas si mystérieux, en réalité. Sans amour, la terre n'est simplement pas ce lieu magnifique où vivre.

3. SEUL L'AMOUR EST RÉEL

« *Dieu n'est pas l'auteur de la peur. Tu l'es.* »

Le problème de l'humanité, c'est qu'elle s'est éloignée de Dieu, éloignée de l'amour. Selon *Un cours sur les miracles*, cette séparation d'avec Dieu s'est produite il y a des millions d'années. Mais l'importante révélation, le point crucial du Cours, est qu'en réalité la séparation n'a jamais vraiment eu lieu.

L'introduction d'*Un cours sur les miracles* affirme :

« Le Cours peut se résumer très simplement ainsi :
Rien de réel ne peut être menacé.
Rien d'irréel n'existe.
En cela réside la paix de Dieu. »

Et cela signifie ceci :

1. L'amour est réel. Il est une création éternelle et rien ne peut le détruire.
2. Tout ce qui n'est pas amour est illusion.
3. Souvenez-vous-en et vous serez en paix.

Je soutiens qu'*Un cours sur les miracles* dit que seul l'amour est réel : « *L'opposé de l'amour est la peur, mais ce qui embrasse tout ne peut pas avoir d'opposé.* » Quand nous pensons avec amour, nous cocréons littéralement avec Dieu. Et quand nous ne pensons pas avec amour – puisque seul l'amour est réel – alors nous ne pensons pas du tout. Nous hallucinons. Et c'est ça, le monde : une hallucination collective dans laquelle la peur semble plus réelle que l'amour. La peur est une illusion. Nous *imaginons* littéralement notre folie, notre paranoïa, notre anxiété et nos traumatismes. Non qu'ils n'existent pas pour nous en tant qu'humains ni qu'on n'ait pas besoin d'en être conscients pour être capables de s'en défaire, mais ils ne remplacent pas l'amour en nous. Ces sentiments sont littéralement de mauvais rêves. C'est comme si l'esprit s'était séparé en deux et qu'une partie était restée en contact avec l'amour tandis que l'autre sombrait dans la peur. La peur fabrique une sorte d'univers parallèle dans lequel l'irréel semble plus important que le réel.

Un cours sur les miracles définit le péché comme « *une perception sans amour. La façon de sortir du péché ou de la peur est d'ouvrir l'esprit à l'amour.* » L'amour dissipe le péché ou la peur comme la lumière dissipe les ténèbres. Le passage de la peur à l'amour est un miracle. Il n'arrange pas les choses sur le plan terrestre ; il s'attaque à la source réelle de nos problèmes, toujours située au niveau de la conscience.

Les pensées sont pareilles à des données programmées dans un ordinateur, enregistrées sur l'écran de nos vies. Si on n'aime pas ce que l'on voit à l'écran, il ne sert à rien de s'en approcher et d'essayer de l'effacer. La pensée est la Cause ; l'expérience est l'Effet. Si vous n'aimez pas les effets sur votre vie, il faut changer la nature de votre pensée.

L'amour dans l'esprit produit l'amour dans la vie. Voilà le sens du Ciel.

La peur dans l'esprit produit la peur dans la vie. Voilà le sens de l'Enfer.

Nos problèmes terrestres ne sont en réalité que les symptômes du véritable problème, qui est toujours un manque d'amour. Le miracle, un passage de la peur à l'amour, se produit au plan de l'invisible. Il transforme le monde au niveau Causal. Tout le reste n'est qu'un palliatif temporaire, une injection mais pas la guérison, un traitement du symptôme mais pas une cure.

Dire : « Mon Dieu, s'il te plaît, aide-moi » signifie « Mon Dieu, corrige ma façon de penser ». « Délivre-moi de l'enfer » signifie « Délivre-moi de mes pensées insensées ». Dieu Lui-même ne violera pas la loi de la Cause et de l'Effet, la loi la plus fondamentale de notre conscience, établie pour notre protection. Tant que nous suivons la Règle d'or, nous sommes en sécurité.

Adam et Ève ont été heureux jusqu'au jour où elle a mangé le fruit de « l'arbre de la connaissance du bien et du mal ». Cela veut dire que tout était parfait jusqu'au moment où ils ont commencé à juger – à ouvrir parfois leur cœur et parfois à le fermer. « Je t'aime si tu fais ceci, mais je ne t'aime pas si tu fais cela. » Fermer son cœur détruit la paix intérieure et est contraire à notre véritable nature. Cela nous pervertit, nous transforme en êtres différents de ce pour quoi nous avons été créés.

Freud définit la névrose comme une séparation d'avec le Moi, et c'est ainsi. Le vrai Moi est l'amour qui est en nous. Il est « l'enfant de Dieu ». Le Moi rempli de peur est un imposteur. Le retour à l'amour est le grand drame cosmique, le voyage personnel qui conduit de la prétention au Moi, de la douleur à la paix intérieure.

C'est donc ainsi que cela peut se passer – en tout cas, c'est ainsi que cela s'est passé pour moi. Je m'étais mise dans un terrible pétrin et j'avais besoin d'un miracle, un médicament céleste, une cure radicale. J'avais demandé à Dieu de reprogrammer mon ordinateur mental. J'avais prié. « Mon Dieu, s'il te plaît, aide-moi. Guéris mes perceptions. Chaque fois que mon esprit s'est écarté de l'amour – si j'ai voulu contrôler, manipuler, si j'ai été cupide, ambitieuse pour moi-même, si j'ai utilisé mon corps et mes ressources sans amour – dans tout ce que j'ai pu faire, je suis prête à ce que mon esprit soit guéri. Amen. » Formidable. L'univers allait entendre ma prière, et « Bang ! » j'aurais mon miracle. Des relations interpersonnelles plus saines, le pardon et le reste.

Mais ensuite j'étais retombée dans la même façon de penser qui, la première fois, m'avait mise à genoux, et j'avais répété les mêmes comportements. Je m'étais de nouveau embarquée dans quelque catastrophe émotive, et de nouveau je me retrouvais à genoux, et de nouveau je demandais à Dieu de m'aider, et de nouveau je retrouvais la santé mentale et la paix.

Au bout du compte, après plusieurs répétitions de ce scénario conflictuel, je me suis dit : « Marianne, la prochaine fois que tu seras à genoux, pourquoi ne pas simplement y *rester* ? » Pourquoi ne restons-nous pas dans la sphère de la solution, plutôt que de retomber toujours dans celle du problème ? Pourquoi ne pas chercher un niveau de conscience dans lequel nous ne nous *créons* pas tout le temps des problèmes ? Il ne faut plus se contenter de demander un nouveau travail, une nouvelle relation ou un nouveau corps. Demandons un monde nouveau. Demandons une nouvelle vie.

Quand j'étais complètement à terre et savais finalement ce que signifie se sentir sincèrement mortifiée, je m'attendais presque à ressentir la colère de Dieu. Mais, à la place, c'est comme si je l'entendais dire doucement : « On peut commencer maintenant ? »

Jusque-là, je me cachais de mon amour, et donc je résistais à ma propre vie. Le retour à l'amour n'est pas la fin de l'aventure de la vie. C'est le véritable commencement, le retour à votre réelle identité.

Chapitre 3

Vous

« *La Pensée que Dieu a de toi est comme une étoile, immuable dans un ciel éternel.* »

1. LE VOUS PARFAIT

« *Encore une fois – rien de ce que tu fais ou penses, que tu souhaites ou fabriques n'est nécessaire pour établir ta valeur.* »

Vous êtes un enfant de Dieu. Vous avez été créé dans un éclair aveuglant de créativité, une pensée primale au moment où Dieu s'est prolongé Lui-même dans l'amour. Tout ce que vous avez rajouté depuis est inutile.

Quand on demandait à Michel-Ange comment il créait une sculpture, il répondait que la statue existait déjà dans le marbre. Dieu Lui-même avait créé la Pietà, David, Moïse. Le travail de Michel-Ange, tel que l'artiste le concevait, consistait à enlever l'excédent de marbre qui recouvrait la création de Dieu.

Et il en va de même de vous. Vous n'avez pas besoin de créer un vous parfait : Dieu l'a déjà créé. Le vous parfait est l'amour en vous. Votre travail consiste à permettre au Saint-Esprit d'enlever les pensées de peur qui recouvrent votre vous parfait, exactement de la même façon qu'un excédent de marbre recouvrait la statue parfaite de Michel-Ange.

Se rappeler que l'on fait partie de Dieu, que l'on est aimé et digne d'amour, n'est pas de l'arrogance. Mais de l'humilité. Penser que l'on puisse être autre chose, voilà l'arrogance, parce que cela implique que l'on est autre chose qu'une création de Dieu.

L'amour est immuable, et c'est la raison pour laquelle vous l'êtes aussi. Rien de ce que vous avez jamais fait ou pourrez jamais faire ne ternira votre perfection au regard de Dieu. À Ses yeux, vous avez du mérite à cause de ce que vous êtes, et non pas à cause de ce que vous faites. Ce que vous faites ou ne faites pas ne détermine pas votre valeur essentielle – peut-être votre développement, mais pas votre valeur. C'est pourquoi Dieu vous approuve et vous accepte totalement, exactement comme vous êtes. Qu'y aurait-il en vous qu'Il ne pourrait aimer ? Vous n'avez pas été créé dans le péché ; vous avez été créé dans l'amour.

2. L'ESPRIT DIVIN

> « *Dieu a Lui-même éclairé ton esprit et garde ton esprit éclairé de Sa Lumière parce que Sa Lumière est ce qu'est ton esprit.* »

Le psychologue Carl Jung a énoncé le concept d'« inconscient collectif », une structure mentale innée englobant les formes universelles de pensée de toute l'humanité. D'après Jung, si vous descendez assez profondément dans votre esprit et assez profondément dans le mien, il existe un niveau qui nous est commun à tous. Le Cours va plus loin encore ; si vous descendez assez profondément dans votre esprit et assez profondément dans le mien, vous trouverez le *même esprit*. Le concept d'un esprit divin, un esprit du « Christ », est l'idée qu'au cœur de nous-mêmes, nous ne sommes pas seulement identiques mais en réalité un seul et même être. « Le Fils unique engendré par le Père » ne réfère pas à quelqu'un d'autre, mais à nous. Cela veut dire que nous le sommes tous. Nous sommes tous ce « Fils unique ».

Nous sommes comme les rayons d'une roue : nous irradions tous du même centre. Si l'on nous définit en fonction de notre position par rapport à la jante, nous semblons séparés et distincts les uns des autres. Mais si l'on nous définit en fonction de notre point de départ, de notre source – le centre de la roue – nous sommes une identité partagée. Si vous descendez assez profondément dans votre esprit et assez profondément dans le mien, l'image est la même : au plus profond, nous sommes amour.

Le mot Christ est un terme psychologique. Aucune religion n'a le monopole de la vérité. Le mot Christ réfère au rayon commun d'amour divin, le cœur et l'essence même de tout esprit humain.

L'amour dans l'un de nous est l'amour dans nous tous. « *Il n'y a réellement aucun lieu où Dieu s'arrête et tu commences* » ; aucun point où vous finissez et où je commence. L'amour est énergie, un continuum infini. Votre esprit se prolonge dans le mien et dans celui de tous les autres. Il n'est pas confiné à votre corps.

Un cours sur les miracles nous compare à des « *rayons de soleil* » qui pensent être séparés du soleil, ou à des vagues qui pensent être séparées de l'océan. Tout comme un rayon de soleil ne peut se séparer du soleil et qu'une vague ne peut se séparer de l'océan, nous ne pouvons nous séparer les uns des autres. Nous faisons tous partie d'une vaste mer d'amour, d'un seul indivisible esprit divin. Cette vérité concernant notre identité réelle ne change pas ; nous l'oublions simplement. Nous nous identifions au concept d'un petit moi séparé, plutôt qu'à l'idée d'une réalité que nous partageons avec tous.

Vous n'êtes pas ce que vous pensez être. Cela vous plaît-il ? Vous n'êtes pas vos diplômes, vos références, votre curriculum vitae, votre maison. Nous ne sommes pas du tout ces choses-là. Nous sommes des êtres saints, les cellules individuelles du corps du Christ. *Un cours sur les miracles* nous rappelle que le soleil continue à briller et l'océan à se gonfler, oublieux du fait qu'une fraction de leur identité a oublié ce qu'elle était. Nous sommes ce que Dieu a voulu que nous soyons. Nous sommes tous un, nous sommes l'amour lui-même.

« Accepter le Christ » est un simple changement de perception personnelle. Nous nous réveillons du rêve que nous sommes des créatures finies, isolées et nous reconnaissons que nous sommes de glorieux esprits, infiniment créateurs. « *Nous nous réveillons du rêve que nous sommes faibles et acceptons que le pouvoir de l'univers est en nous.* »

Je me suis rendu compte, il y a de nombreuses années, que je devais effectivement être très puissante pour être capable avec tant de constance de gâcher tout ce que je touchais, partout où j'allais. Je me suis dit qu'il devait y avoir moyen d'appliquer le même pouvoir mental, alors empêtré dans la névrose, d'une façon plus positive. La tendance de loin la plus courante actuellement en psychologie consiste à analyser l'obscurité de façon à parvenir à la lumière, avec l'idée qu'en se concentrant sur ses névroses – leurs origines et leurs dynamiques – on est capable de s'en défaire. Les religions orientales affirment que si nous poursuivons Dieu, tout ce qui n'est pas authentiquement nous-mêmes disparaîtra. Poursuivez la lumière, et l'obscurité disparaîtra. Se concentrer sur le Christ, c'est se concentrer sur la bonté et la puissance latentes en nous afin de les amener à se réaliser et à s'exprimer. On obtient dans la vie ce sur quoi on se concentre. Se concentrer sans cesse sur les ténèbres nous mène, en tant qu'individus et en tant que société, plus loin dans les ténèbres. Se concentrer sur la lumière nous mène à la lumière.

« J'accepte le Christ en moi » signifie « J'accepte que la beauté en moi est ce que je suis vraiment. Je ne suis pas ma faiblesse. Je ne suis pas ma colère. Je ne suis pas mon étroitesse d'esprit. Je suis beaucoup, beaucoup plus. Et je consens à ce que l'on me rappelle qui je suis vraiment ».

3. L'EGO

« *L'ego est littéralement une pensée effrayante.* »

On nous apprenait quand nous étions enfants à être de « bons » petits garçons, de « bonnes » petites filles, ce qui impliquait bien entendu que nous ne l'étions pas déjà. On nous apprenait que nous étions un « bon » garçon, une « bonne » petite fille quand nous faisions le ménage de notre chambre ou quand nous avions de bonnes notes à l'école. Très peu d'entre nous ont appris qu'ils étaient *essentiellement* bons. Très peu d'entre nous ont eu le sentiment d'être inconditionnellement approuvés, d'être précieux à cause de ce qu'ils *étaient*, et non à cause de ce qu'ils *faisaient*. Et ce n'est pas parce que nous avons été élevés par des monstres. Nous avons été élevés par des personnes qui ont elles-mêmes été élevées comme nous. Dans certains cas, les personnes qui nous aimaient le plus étaient celles qui estimaient de leur devoir de nous apprendre à nous battre.

Pourquoi ? Parce que le monde est dur, tel qu'il est, et ils voulaient que nous y fassions bonne figure. Nous devions devenir aussi fous que le monde, sinon nous n'aurions eu aucune chance de nous y intégrer. Il fallait réussir, obtenir un diplôme, fréquenter Harvard. Et le plus étrange : nous n'avons pas appris la discipline dans la même perspective, mais beaucoup plus comme un bizarre déplacement du sentiment de notre pouvoir dépossédé de nous-mêmes et remis à des sources extérieures. Nous avons perdu le sens de notre propre pouvoir. Et nous avons appris la peur, la peur de n'être pas corrects si nous étions qui nous étions.

La peur ne favorise pas l'apprentissage. Elle nous gauchit. Elle nous retarde. Elle nous rend névrotiques. Et, à l'adolescence, beaucoup d'entre nous étaient déjà complètement tordus. Les personnes qui ne nous aimaient pas et celles qui nous aimaient invalidaient constamment notre amour, nos cœurs, notre « moi » réel. Dans cette absence d'amour, nous avons commencé lentement mais sûrement à perdre tous nos moyens.

Il y a des années, je me suis dit que je n'avais pas à me soucier du diable. Je me rappelle avoir pensé qu'il n'existait pas de force maléfique qui régnait sur la planète. Tout cela, m'étais-je dit, se passait dans ma tête. Puis, j'ai réalisé que ce n'était pas une bonne nouvelle. Puisque chaque pensée crée l'expérience, il n'existait pas pire place où cela pouvait se passer. S'il est vrai qu'il n'existe aucun diable réel, avide de s'emparer de nos âmes, nos esprits peuvent avoir tendance – une tendance étonnamment forte – à percevoir sans amour.

Comme on nous a inculqué depuis que nous sommes enfants que nous sommes des êtres finis, séparés, il est très difficile de revenir à l'amour. L'amour ressemble à un vide qui menace de nous engloutir parce que, en un sens, il est effectivement un vide et il nous engloutit effectivement. Il engloutit notre petit moi, le sentiment solitaire de notre disparité. Et comme ce sentiment de disparité est le sentiment de notre identité, nous avons l'impression de mourir si nous le perdons. Ce qui meurt, c'est l'esprit de peur afin que l'amour en nous ait une chance de respirer.

Dans la terminologie du Cours, tout le réseau de nos perceptions de peur, qui toutes découlent de cette fausse opinion originelle de notre séparation d'avec Dieu et de notre séparation les uns d'avec les autres, s'appelle l'ego. Le mot ego n'a pas le même sens ici que dans la psychologie moderne. Il a l'acception que les anciens Grecs lui donnaient : la notion d'un moi petit et séparé. C'est une fausse opinion de nous-mêmes, un mensonge sur notre véritable identité. Même si ce mensonge est notre névrose, et que vivre ce mensonge est une terrible anxiété, il est fascinant de constater à quel point nous résistons quand vient le temps de guérir cette déchirure.

La pensée séparée de l'amour est une création fondamentalement perverse. C'est notre propre pouvoir tourné contre nous-mêmes. Quand l'esprit se détourna pour la première fois de l'amour – quand *« le Fils de Dieu oublia de rire »* – tout un monde illusoire vint à naître. *Un cours sur les miracles* appelle ce moment notre *« détour dans la peur »* ou *« séparation de Dieu »*.

L'ego possède une pseudo-vie qui lui est propre, et comme toute forme de vie, il lutte farouchement pour sa survie. Quelque inconfortable que puisse être notre vie, quelque douloureuse ou désespérée parfois, la vie que nous vivons est la vie que nous connaissons, et nous

nous accrochons à l'ancien plutôt que d'essayer du neuf. La plupart d'entre nous, pour une raison ou une autre, en ont assez d'eux-mêmes. Mais nous nous accrochons avec une ténacité incroyable à ce dont, dans nos prières, nous demandons d'être délivrés. L'ego, comme un virus informatique, attaque le système central. Il semble nous désigner un univers noir parallèle, le royaume de la peur et de la douleur qui n'existe pas en réalité mais qui semble exister. Lucifer, avant la chute, était le plus bel ange du Paradis. L'ego est notre amour de soi transformé en haine de soi.

L'ego, comme un champ de force gravitationnel, s'est constitué pendant des éternités de pensées de peur et nous éloigne de l'amour qui est dans nos cœurs. L'ego est notre pouvoir mental tourné contre nous-mêmes. Il est intelligent, comme nous, et sait bien parler, comme nous, et il manipule, comme nous. Vous souvenez-vous de ce diable à la langue d'argent ? L'ego n'arrive pas pour nous dire : « Bonjour, je suis ce qui te dégoûte de toi-même. » L'ego n'est pas stupide, parce nous ne le sommes pas non plus. Il dit plutôt quelque chose du genre : « Bonjour, je suis ton moi adulte, mûr, rationnel. Je vais t'aider à trouver ce qu'il y a de meilleur. » Ensuite, il nous conseille de ne nous occuper que de nous-mêmes, sans nous soucier des autres. Il nous enseigne l'égoïsme, la cupidité, le jugement et la mesquinerie. Mais n'oubliez pas : nous ne sommes qu'un. Ce que nous donnons aux autres, nous nous le donnons à nous-mêmes. Ce que nous refusons aux autres, nous nous le refusons à nous-mêmes. Chaque fois que nous choisissons la peur plutôt que l'amour, nous nous empêchons de connaître le Paradis. Dans la mesure où nous abandonnons l'amour, nous sentons que l'amour nous abandonne.

4. LE SAINT-ESPRIT

« *Le Saint-Esprit est l'appel au réveil et à la joie.* »

Le libre arbitre signifie que nous sommes libres de penser ce que nous voulons. « *Aucune pensée n'est neutre. Il n'existe rien de tel qu'une vaine pensée. Toute pensée crée une forme à quelque niveau.* »

Assumer la responsabilité de nos vies signifie, dès lors, assumer la responsabilité de nos pensées. Et prier Dieu de « sauver » nos vies signifie Le prier de nous sauver de nos pensées négatives.

Quand la première, très ancienne, pensée de peur s'est pensée, Dieu a guéri l'erreur. Amour parfait, Il corrige toute faute dès l'instant où elle se commet. Il ne pouvait nous forcer à revenir à l'amour parce que l'amour ne s'obtient pas par la force. Mais l'amour crée l'alternative. L'alternative de Dieu à la peur s'appelle le Saint-Esprit.

Le Saint-Esprit est la réponse de Dieu à l'ego. Il est le lien de « *communication éternelle qu'a Dieu avec ses fils séparés* », un pont qui ramène à des pensées clémentes, « *le Grand Transformateur de perception* » de la peur en amour. Souvent, on qualifie le Saint-Esprit de « Consolateur ». Dieu ne s'introduit pas de force dans nos pensées, ce serait violer notre libre arbitre. Mais le Saint-Esprit est une force de la conscience en nous qui « nous délivre de l'Enfer », ou de la peur, chaque fois que nous le lui demandons consciemment. Le Saint-Esprit travaille avec nous au niveau Causal et transforme nos pensées de peur en pensées d'amour. Il est toujours utile d'en appeler à lui. Créé par Dieu, il est partie intégrante de l'ordinateur. Il se présente à nous sous de multiples formes : depuis une conversation avec un ami jusqu'à un cheminement spirituel conscient ; depuis les paroles d'une chanson jusqu'à une excellente thérapie. Le Saint-Esprit est l'inexorable pulsion vers la complétude qui existe en nous, peu importe à quel point nous sommes désorientés ou perdus. Quelque chose en nous aspire toujours à ce que nous revenions chez nous, et ce quelque chose, c'est Lui.

Le Saint-Esprit nous guide vers une perception différente de la réalité, une perception fondée sur l'amour. Cette correction de notre perception s'appelle le Rachat. Dans toute situation, le seul manque est notre propre conscience de l'amour. En demandant l'aide du Saint-

Esprit, nous exprimons notre volonté de percevoir différemment. Nous renonçons à nos propres interprétations et opinions, et demandons qu'elles soient remplacées par les Siennes. Quand nous souffrons, nous prions : « Mon Dieu, je suis disposé à voir ceci autrement. » Dans une situation donnée, s'en remettre à Dieu signifie Lui remettre nos *pensées* concernant cette situation. Ce que nous donnons à Dieu, Il nous le rend renouvelé par la vision du Saint-Esprit. Certains pensent que si nous nous abandonnons à Dieu, nous renonçons à notre responsabilité personnelle. Au contraire. Nous assumons l'ultime responsabilité d'une situation en assumant la responsabilité de ce que nous en pensons. Nous sommes suffisamment responsables pour savoir que, laissés à nos propres modèles mentaux, nous réagirons instinctivement par la peur. Nous sommes assez responsables pour demander de l'aide.

Certains pensent qu'en appeler à Dieu signifie inviter à intervenir dans notre vie une force susceptible de tout régler. En vérité, cela signifie inviter dans notre vie tout ce qui nous oblige à croître – et croître est parfois très compliqué. L'objectif de la vie est de croître jusqu'à la perfection. Quand nous en appelons à Dieu, tout ce qui parvenait à nous fâcher se met en branle. Pourquoi ? Parce que le lieu où la colère remplace l'amour est aussi notre limite. Toute situation qui nous fâche est une situation dans laquelle nous ne sommes pas encore capables d'aimer inconditionnellement. C'est le travail du Saint-Esprit d'attirer notre attention sur cela et de nous aider à aller plus loin.

Les zones où nous nous sentons bien sont des espaces limités où nous estimons qu'il est *facile* d'aimer. C'est le travail du Saint-Esprit de ne pas tenir compte des zones où nous nous sentons bien et de les défoncer. Nous n'atteindrons pas le sommet de la montagne avant de nous sentir bien dans *toutes* les zones. L'amour n'est pas amour avant d'être amour inconditionnel. Et nous ne connaîtrons pas notre véritable identité avant de connaître notre parfait amour.

Pour assurer notre cheminement vers l'illumination, *« le Saint-Esprit a un programme fortement individualisé pour chacun »*. Il peut utiliser à Ses fins chacune de nos rencontres, chaque circonstance de notre vie. Il est Celui qui traduit notre moi cosmique parfait et notre déraison terrestre. Il pénètre l'illusion et nous conduit par-delà l'illusion. Il se sert de l'amour pour créer plus d'amour et Il répond à *« la peur comme à un appel à l'amour »*.

L'Holocauste, pas plus que le sida, n'est la volonté de Dieu. L'un et l'autre sont le produit de la peur. Quand nous invitons le Saint-Esprit dans ce genre de situation, Il les utilise comme raisons et comme occasions de croître au niveau même de l'amour profond capable de les extirper de la terre. L'Holocauste et le sida nous mettent au défi d'aimer plus profondément que nous n'avons jamais aimé.

Si nous voulons vraiment une réponse morale à l'Holocauste, nous faisons tout en notre pouvoir pour créer un monde dans lequel l'Holocauste ne pourra plus jamais se produire. Comme tout être pensant le sait, Hitler n'a pas agi seul. Il n'aurait jamais pu faire ce qu'il a fait sans l'aide de milliers de personnes qui, même si elles ne partageaient pas sa vision démoniaque, n'avaient pas la force morale de lui dire non. Qu'est-ce que le Saint-Esprit nous amènerait à faire aujourd'hui ? Même si nous ne sommes pas capables de garantir qu'un autre Hitler ne naîtra pas, nous sommes capables de créer un monde dans lequel, même si un Hitler apparaissait, il y aurait tellement d'amour que personne ne l'écouterait ni ne conspirerait avec lui.

La voie spirituelle, dès lors, est simplement le voyage qui consiste à vivre nos vies. Tout le monde chemine sur une voie spirituelle, mais la plupart ne le savent pas. Le Saint-Esprit est une force dans nos esprits. Il connaît notre véritable nature d'êtres parfaitement aimants – une nature que nous avons oubliée. Il entre avec nous dans le monde de la peur et de l'illusion, et utilise nos expériences pour nous rappeler qui nous sommes. Il y réussit en nous montrant qu'il existe un objectif d'amour dans tout ce que nous pensons et faisons. Il révolutionne le sentiment de notre raison d'être sur la terre. Il nous enseigne à considérer que l'amour est notre seule fonction. Tout ce que nous faisons dans notre vie sert, ou est interprété, soit par l'ego soit par le Saint-Esprit. L'ego se sert de tout pour nous enfoncer dans l'anxiété. Le Saint-Esprit se sert de tout pour nous conduire à la paix intérieure.

5. LES ÊTRES ILLUMINÉS

« *L'illumination n'est qu'une simple reconnaissance, nullement un changement.* »

Le Saint-Esprit a complètement guéri l'esprit de certaines personnes qui ont vécu sur la terre, et peut-être de certaines personnes qui y vivent encore. Ces personnes ont accepté le Rachat. Dans toutes les religions, il y a des saints ou des prophètes qui ont accompli des miracles. Quand l'esprit retourne à Dieu, il devient un réceptacle de Son pouvoir. Le pouvoir de Dieu transcende les lois de ce monde. Les saints et les prophètes, en acceptant le Rachat, ont actualisé le Christ en eux. Ils ont été purifiés de toutes les pensées de peur et seul l'amour a subsisté dans leur esprit. On appelle ces êtres purifiés les Illuminés. La lumière signifie la compréhension. Les illuminés « comprennent ».

Les illuminés n'ont rien que nous n'ayons pas. Ils ont en eux l'amour parfait, nous aussi. La différence est qu'ils n'ont rien d'*autre*. Les êtres illuminés – « *Jésus et les autres – existent dans un état qui est seulement potentiel pour le reste de nous* ». L'esprit du Christ est la perspective de l'amour inconditionnel. Nous avons, vous et moi, l'esprit du Christ en nous, autant que l'avait Jésus. La différence entre lui et nous est que nous sommes tentés de le nier. Il a dépassé cela. Chacune de ses pensées, chacun de ses actes naissait de l'amour. L'amour inconditionnel, ou le Christ en lui, est « *la vérité qui nous rend libres* » parce qu'elle est la perspective qui nous sauve de nos propres pensées de peur.

Jésus et les autres maîtres illuminés sont nos grands frères sur le chemin de l'évolution. Selon les lois de l'évolution, une espèce se développe dans une direction donnée jusqu'à ce que ce développement ne soit plus adapté à sa survie. À ce stade, une mutation se produit. Même si la mutation n'affecte pas la majorité des membres d'une espèce, elle représente le mode d'évolution le mieux adapté à la survie de l'espèce. Les descendants de ces mutants sont ceux qui survivront.

Notre espèce a de grands problèmes parce qu'elle se bat trop. Nous nous battons contre nous-mêmes, nous nous battons les uns contre les autres, contre notre planète, contre Dieu. Nos actes régis par la peur menacent notre survie. Une personne qui est complètement amour est comme un mutant sur le chemin de l'évolution : un être qui place l'amour au premier rang et qui crée donc le contexte dans lequel les miracles se produisent. Au bout du compte, c'est la seule chose *intelligente* à faire ; la seule orientation qui contribuera à notre survie.

Les mutants, les êtres illuminés, nous montrent à tous comment évoluer. Ils indiquent le chemin. Indiquer le chemin et être une béquille sont deux choses différentes. Certains disent qu'ils n'ont pas besoin d'une béquille comme Jésus. Mais Jésus n'est pas une béquille ; il est un enseignant. Celui qui veut devenir écrivain lit les classiques. Celui qui veut composer de la grande musique écoute la musique composée par les grands musiciens du passé. Si vous étudiez pour devenir peintre, c'est une bonne idée d'étudier les grands maîtres. Si Picasso entrait dans la pièce où vous apprenez à dessiner et disait : « Bonjour, j'ai un peu de temps... aimerais-tu que je te donne quelques conseils ? » Diriez-vous *non* ?

Il en va de même avec les maîtres spirituels : Jésus, Bouddha ou tout être illuminé. Ils ont été des génies du cœur et de l'esprit, exactement comme Beethoven a été un génie de la musique, ou Shakespeare un génie des mots. Pourquoi ne pas apprendre d'eux, ne pas suivre leur exemple, ne pas étudier le bien qu'ils ont fait ?

Un cours sur les miracles se sert de la terminologie chrétienne traditionnelle, mais de façon non traditionnelle. Des mots comme Christ, Saint-Esprit, rédemption, Jésus, etc. sont utilisés dans un sens psychologique plutôt que religieux. À titre d'étudiante et d'enseignante d'*Un cours sur les miracles*, j'ai appris que de nombreuses personnes étaient réticentes vis-à-vis des termes chrétiens. En tant que Juive, je pensais que seuls les Juifs avaient un problème avec le mot Jésus. Mais je me trompais. Il n'y a pas que les Juifs qui deviennent nerveux à la mention de son nom. Prononcez le mot Jésus devant un groupe de chrétiens modérés, et il y a de fortes chances qu'ils soient aussi réticents que n'importe qui d'autre.

Je comprends pourquoi. Comme le dit le Cours, « *il a été fabriqué d'amères idoles de celui qui ne voulait être qu'un frère pour le monde* ». Les termes chrétiens ont servi si souvent à créer et à perpétuer la culpabilité que de nombreuses personnes qui réfléchissaient ont décidé de les rejeter totalement. Dans beaucoup de cas, le problème est pire pour les Chrétiens que pour les Juifs. Aux enfants juifs, en général, on n'apprend pas la terminologie chrétienne, tandis que, pour beaucoup d'enfants chrétiens, ces mots sont chargés de culpabilité, de punition et de peur de l'enfer.

Les mots ne sont que des mots, et on peut toujours en trouver de nouveaux pour remplacer ceux qui dérangent. Dans le cas de Jésus, il est plus difficile de lui substituer un autre mot. Son nom est Jésus. Il ne sert à rien de prétendre qu'il s'appelait Herbert. En rejetant automatiquement Jésus, à cause de ce que certains chrétiens traditionalistes ont fait de son nom et en son nom, de nombreuses personnes ont jeté le bébé avec l'eau du bain. Du point de vue d'*Un cours sur les miracles* et d'autres ouvrages ésotériques de philosophie christique, elles ont rejeté les documents disponibles à cause de leur phraséologie. Elles sont tombées dans un piège mental que les Alcooliques anonymes appellent « mépriser avant d'étudier ».

Il y a des années, j'assistais à un dîner à New York. La conversation à table portait sur un roman récemment publié. Quelqu'un me demanda si je l'avais lu. Je ne l'avais pas lu, mais j'en avais lu une critique dans le *New York Times*. Je mentis et répondis : « Oui. » Je me consternais moi-même. Je n'avais pas lu le livre, mais j'avais assez d'informations pour faire semblant, pendant un moment, de l'avoir lu. J'étais disposée à laisser l'opinion de quelqu'un d'autre remplacer la mienne.

Je repensai à l'incident, pendant que je me demandais si oui ou non je devais lire un autre livre qui traitait de Jésus – en l'occurrence *Un cours sur les miracles*. Je n'avais rien appris à propos de lui quand j'étais enfant. On m'avait simplement dit : « Nous ne lisons pas ces choses, ma chérie. » Mais les Juifs ont également la réputation d'encourager le développement intellectuel de leurs enfants. On m'avait appris – même si personne n'aurait pu le penser le soir de ce fameux repas – à lire et à penser par moi-même – et c'est ce que j'ai fait. D'après moi, *Un cours sur les miracles* n'insiste pas sur Jésus. « Même si les livres viennent de lui, il est clair que vous pouvez être un étudiant très avancé dans le Cours et ne pas du tout vous apparenter personnellement à lui. »

Le Cours comprend vos réticences mais n'essaie pas de les éviter. Le temps est venu d'une révolution majeure dans notre compréhension de la philosophie christique, et plus particulièrement dans notre compréhension de Jésus. La religion chrétienne n'a pas le monopole du Christ ni de Jésus lui-même. Chaque génération doit redécouvrir sa vérité.

Qui est Jésus ? Il est le symbole personnel du Saint-Esprit. Après avoir été totalement guéri par le Saint-Esprit, Il est devenu un avec Lui. Il n'est pas le seul visage du Saint-Esprit. Il est *un* visage. Dans l'expérience de la montagne, il est assurément à l'un des plus hauts sommets, mais cela ne veut pas dire qu'il soit le seul là-haut.

Jésus a vécu dans un monde de peur et n'a perçu que l'amour. Le Saint-Esprit, et non l'ego, guidait chacun de ses actes, chacun de ses mots, chacune de ses pensées. C'était un être complètement purifié. Penser à lui, c'est penser, et donc en appeler d'abord au parfait amour en nous.

Jésus est parvenu à actualiser totalement l'esprit du Christ. Alors Dieu lui a donné le pouvoir de nous aider à y parvenir tous à l'intérieur de nous-mêmes. Comme il le dit, dans le Cours : « *Je suis chargé du processus de Rachat.* » En partageant la même vision des choses que Dieu, il est *devenu* cette vision. Il nous voit chacun comme Dieu nous voit – innocents et parfaits, aimants et dignes d'être aimés – et il nous enseigne à nous voir nous-mêmes de la même façon. Voilà comment il nous mène hors de l'enfer et nous conduit au ciel. Voir avec ses yeux, c'est racheter nos erreurs de perception. Voilà le miracle qu'il accomplit dans nos vies, la lumière mystique qui s'allume dans nos âmes. Nos esprits ont été créés comme autels voués au Fils de Dieu. Il représente le Fils de Dieu. L'adorer équivaut à adorer cette potentialité d'amour parfait qui réside en nous tous.

Les contes de fée sont des allusions mystiques au pouvoir du moi intérieur, transmises de génération en génération. Ce sont des histoires de transformation. Des contes comme Blanche Neige et la Belle au bois dormant sont des métaphores de la relation entre l'ego et l'esprit divin. La méchante sorcière, l'ego, peut endormir en nous la Belle au bois dormant ou le Christ, mais ne peut jamais les détruire. Ce que Dieu a créé est indestructible. La chose la plus destructrice dont la méchante sorcière soit capable est de nous jeter un sort, d'endormir la beauté. Et c'est ce qu'elle fait. Mais l'amour en nous ne meurt pas ; il s'endort simplement pour très longtemps. Dans tous les contes de fée, le Prince arrive. Son baiser nous rappelle qui nous sommes et pourquoi nous sommes là. Le Prince charmant est le Saint-Esprit, et Il vient, sous diverses apparences et vêtu différemment, nous réveiller par Son amour. Quand il semble que tout espoir soit perdu, quand le mal paraît avoir finalement triomphé, notre Sauveur apparaît et nous prend dans ses bras. Il possède de nombreux visages, et l'un d'eux est celui de Jésus. Jésus n'est ni une idole ni une béquille. Il est notre grand frère. Il est un cadeau.

Chapitre 4

L'abandon

« Car entre les mains de Dieu nous reposons sans trouble. »

1. LA FOI

« Il n'est de problème en aucune situation que la foi ne résolve. »

Qu'arriverait-il si nous croyions vraiment que Dieu existe – un ordre bienfaisant qui règle les choses, une force qui les maintient, sans intervention de notre contrôle conscient ? Qu'arriverait-il si nous pouvions voir, dans notre vie quotidienne, cette force à l'œuvre ? Qu'arriverait-il si nous croyions qu'elle nous aime, se préoccupe de nous et nous protège ? Qu'arriverait-il si nous croyions que nous pouvons nous permettre de nous relaxer ?

Le corps physique est toujours actif, un ensemble de mécanismes tellement merveilleusement conçus et tellement efficaces que nos efforts humains ne sont jamais parvenus à les égaler. Notre cœur bat, nos poumons respirent, nos oreilles entendent, nos cheveux poussent. Et nous n'avons rien à faire pour qu'ils fonctionnent – ils fonctionnent simplement. Les planètes tournent autour du soleil, les graines deviennent des fleurs, les embryons deviennent bébés, sans que nous n'ayons à intervenir. Leur mouvement est intégré à un système naturel. Vous et moi faisons partie intégrante de ce système aussi. Nous pouvons laisser diriger nos vies par la même force qui fait pousser les fleurs – ou bien nous pouvons les diriger nous-mêmes.

Avoir confiance en la force qui régit l'univers est la foi. La foi n'est pas aveugle, elle est visionnaire. La foi, c'est croire que l'univers est de notre côté et que l'univers sait ce qu'il fait. La foi est la conscience psychologique de l'existence d'une force du bien constamment à l'œuvre partout. Nos tentatives pour diriger cette force ne font qu'interférer avec elle. Si nous sommes disposés à nous relaxer dans cette force, nous lui permettons de travailler pour nous. Sans la foi, nous tentons frénétiquement de contrôler ce que nous n'avons pas à contrôler et de régler ce qu'il n'est pas en notre pouvoir de régler. Ce que nous essayons de contrôler se débrouille mieux sans nous et ce que nous essayons de régler, nous ne pouvons pas de toute façon le régler. Sans la foi, nous perdons du temps.

Les lois qui régissent les phénomènes physiques sont objectives et perceptibles. Prenez la gravité, par exemple, ou la loi de la thermodynamique. Vous n'avez pas exactement foi en la loi de la gravité, mais vous savez simplement qu'elle existe.

Les phénomènes non physiques ont également des lois objectives et perceptibles. Ces deux ensembles de lois – celles qui régissent les mondes intérieur et extérieur – sont parallèles.

À l'extérieur, l'univers supplée à notre survie physique. La photosynthèse dans les plantes et le plancton océanique produit l'oxygène dont nous avons besoin pour respirer. Il est important de respecter les lois qui régissent l'univers physique parce que les violer menace notre survie. Quand nous polluons les océans et détruisons la vie végétale, nous détruisons le système qui supplée à nos besoins et donc nous nous détruisons nous-mêmes.

À l'intérieur, l'univers aussi supplée à notre survie – au plan émotionnel et psychologique. L'équivalent interne de l'oxygène, de ce dont nous avons besoin pour survivre, est l'amour. Les relations humaines existent pour produire l'amour. Quand nous polluons nos relations par des pensées dépourvues d'amour, ou quand nous les détruisons ou les faisons avorter par des attitudes dépourvues d'amour, nous menaçons notre survie émotionnelle.

Les lois de l'univers décrivent donc simplement la façon dont les choses se passent. Ces lois ne sont pas inventées ; elles sont découvertes. Elles ne dépendent pas de notre foi. Croire en elles indique seulement que nous les comprenons. Violer ces lois ne relève pas d'un manque de bonté, juste d'un manque d'intelligence. Nous respectons les lois de la nature pour survivre. Et quelle est la plus haute loi interne ? Nous aimer les uns les autres. Parce que si nous ne nous aimons pas, nous mourrons tous. Aussi sûrement qu'un manque d'oxygène nous tue, un manque d'amour nous tue aussi.

2. LA RÉSISTANCE

« L'état sans foi n'est pas un manque de foi mais foi en rien. »

Un cours sur les miracles nous dit qu'*« une personne sans foi n'existe pas »*. La foi est un aspect de la conscience. Nous avons soit foi en la peur ou foi en l'amour, foi dans le pouvoir du monde ou foi dans le pouvoir de Dieu.

On nous a appris que c'était notre rôle d'adulte responsable d'être actif, d'avoir un comportement masculin : de s'activer à trouver du travail, de prendre le contrôle de notre vie, d'attraper le taureau par les cornes. On nous a appris que c'était notre pouvoir. Nous nous pensons puissants parce que nous réussissons et non pas à cause de ce que nous sommes. Et nous nous retrouvons dans une situation sans issue : nous nous sentons incapables de réussir à moins d'avoir déjà réussi.

Si quelqu'un nous suggère de nous laisser porter par le courant, de ne pas trop s'en faire, nous devenons vraiment hystériques. Déjà, nos performances sont médiocres, pour autant que nous puissions en juger. Alors, la dernière chose que nous puissions imaginer serait de devenir encore plus passifs que nous ne le sommes déjà.

L'énergie passive possède en soi son propre type de puissance. Le pouvoir individuel résulte d'un équilibre des forces masculine et féminine. L'énergie passive sans énergie active devient paresse, mais l'énergie active sans énergie passive devient tyrannie. Une surdose d'énergie masculine, agressive est machiste, manipulatrice, déséquilibrée et non naturelle. Le problème est qu'on nous a appris à respecter l'énergie agressive. On nous a appris que la vie était faite pour des quarts-arrière de football américain. Nous donnons dès lors priorité à notre conscience masculine qui est dure quand la conscience féminine ne la tempère pas. C'est la raison pour laquelle nous sommes, chacun de nous, à la fois homme et femme. Nous avons créé une mentalité de combat. Nous nous battons toujours pour quelque chose : pour le travail, l'argent, les relations, pour sortir d'une relation, pour perdre du poids, pour ne plus boire, pour amener les autres à comprendre, pour les amener à rester, pour les amener à partir, et cetera et cetera. Nous ne baissons jamais les armes.

Le lieu d'abandon, le lieu féminin en nous est passif. Il ne *fait* rien. Le processus de spiritualisation – chez l'homme aussi bien que chez la femme – est un processus de féminisation, un apaisement de l'esprit. C'est cultiver le magnétisme personnel.

Si vous avez de la poussière de fer et que vous voulez la disposer en une forme qui soit jolie, vous pouvez y parvenir de deux façons différentes : soit, avec vos doigts, tenter de la disposer en petites lignes très belles et fines, soit acheter un aimant. L'aimant attirera la poussière de fer. Il symbolise notre conscience féminine, celle qui exerce son pouvoir par l'attraction plutôt que par l'activité.

Cet aspect féminin, attirant, réceptif de notre conscience est l'espace de l'abandon mental. Dans la philosophie taoïste, le « yin », le principe féminin, représente les forces de la terre, tandis que le « yang », le principe masculin, représente l'esprit. Quand on réfère à Dieu comme à un « Il », alors toute l'humanité devient « Elle ». Ce n'est pas une question homme-femme. Référer à Dieu comme à un principe masculin n'empiète en rien sur les convictions féministes. Notre moi féminin est aussi important que notre moi masculin.

La relation correcte entre le principe masculin et le principe féminin est une relation dans laquelle le féminin s'abandonne au masculin. S'abandonner n'est ni une faiblesse ni une perte. C'est une non-résistance puissante. L'ouverture et la réceptivité de la conscience humaine permettent à l'esprit d'insuffler nos vies, de leur donner un sens et une direction. En termes de philosophie christique, Marie symbolise en nous le féminin fécondé par Dieu. La femme permet le processus. Elle est comblée en s'y abandonnant. Ce n'est pas une faiblesse de sa part ; c'est une force. Le Christ sur terre est paterné par Dieu et materné par notre humanité. Le lien mystique entre l'humain et le divin donne naissance à notre Moi supérieur.

3. RENONCER AUX RÉSULTATS

« *Tu ne perdras jamais ton chemin, car Dieu te conduit.* »

Quand on s'abandonne à Dieu, on s'abandonne à quelque chose de plus grand que soi – à un univers qui sait ce qu'il fait. Quand on cesse de vouloir contrôler les événements, ils reviennent à l'ordre naturel des choses, un ordre qui fonctionne. On se repose quand un pouvoir plus grand que le nôtre prend la relève, et fait un travail infiniment meilleur que celui que nous aurions pu faire. On apprend à avoir confiance au fait que le pouvoir qui régit les galaxies est capable de traiter des circonstances relativement futiles de nos vies.

S'abandonner signifie, par définition, renoncer à se préoccuper des résultats. Quand on s'abandonne à Dieu, on se défait du souci de savoir comment les choses extérieures évolueront et on se préoccupe plus de ce qui arrive à l'intérieur.

L'expérience de l'amour est un choix, une décision mentale de considérer que l'amour, toujours, est le seul objectif réel et la seule valeur. Jusqu'au moment d'opérer ce choix, on continue d'aspirer à des résultats qui, pensons-nous, nous rendrons plus heureux. Mais nous avons tous obtenu des choses dont nous pensions qu'elles nous rendraient heureux, pour constater au bout du compte qu'elles ne faisaient pas du tout notre bonheur. Cette quête de tout ce qui n'est pas amour, cette poursuite de biens extérieurs qui, pensons-nous, nous satisferont et seront la source de notre bonheur – voilà l'exacte signification de l'idolâtrie. L'argent, le sexe, le pouvoir ou toute autre satisfaction terrestre n'apportent qu'un soulagement temporaire à une douleur existentielle de peu d'importance.

« Dieu » signifie amour, et « volonté » signifie pensée. La volonté de Dieu, dès lors, est pensée d'amour. Si Dieu est la source de tout bien, alors l'amour en nous est la source de tout bien. Quand nous aimons, nous nous plaçons automatiquement dans un contexte où nos attitudes et notre comportement amènent les événements à se dérouler au plus haut niveau de bien possible pour tous ceux qui y sont impliqués. Nous ne savons pas toujours comment les choses se passeront, mais nous n'avons pas besoin de le savoir. Dieu fera Sa part si nous faisons la nôtre. Notre seule tâche, dans quelque situation que ce soit, consiste à nous défaire de notre résistance à l'amour. Ce qui arrive ensuite dépend de Lui. Nous Lui avons abandonné le contrôle. Nous Le laissons mener. Nous avons foi : Il sait comment.

Il existe un mythe : certaines personnes auraient plus la foi que d'autres. Il serait plus juste de dire qu'en certains domaines, certains se sont plus abandonnés que d'autres. Nous abandonnons à Dieu d'abord, bien sûr, les choses auxquelles nous ne tenons pas trop. Certains n'ont pas objection à lui abandonner leurs objectifs professionnels, mais il n'est pas question de lui abandonner une liaison amoureuse romantique, ou l'inverse peut-être. Tout ce à quoi nous ne tenons pas tellement – parfait ! – Dieu peut l'avoir. Mais si c'est vraiment, vraiment important, nous préférons y voir nous-mêmes. En vérité, plus quelque chose nous importe, plus il est important de le remettre à Dieu. Ce que nous Lui abandonnons est aussi ce qui recevra le plus de soins. Placer quelque chose entre les mains de Dieu, c'est le mettre mentalement sous la protection et le confier aux bons soins de l'univers. Nous en occuper nous-mêmes signifie nous agripper sans cesse, nous cramponner, manipuler. Nous ne cessons d'ouvrir le four pour vérifier si le pain cuit, ce qui n'a pour autre effet que de l'empêcher de cuire.

Quand nous sommes vraiment attachés aux résultats, nous avons tendance à renoncer difficilement à contrôler les choses. Mais comment déterminer quel résultat serait bon dans une situation où nous ne savons pas ce qui se produira demain ? Que demandons-nous ? Au lieu de : « Mon Dieu, s'il te plaît, fais que je trouve un amoureux ou, s'il te plaît, donne-moi ce travail », nous disons : « Mon Dieu, mon désir, ma priorité est la paix intérieure. Je veux expérimenter l'amour. J'ignore ce qui me l'amènera. Je laisse les résultats de cette situation entre Tes mains. J'ai confiance en Ta volonté. Que Ta volonté soit faite. Ainsi soit-il. »

Je pensais que je ne pouvais pas me permettre de me relaxer parce que Dieu était occupé à des choses plus importantes que ma vie. Je me suis finalement rendu compte que Dieu n'est pas capricieux. Il est amour impersonnel pour toute vie. Ma vie ne Lui est ni plus ni moins précieuse que celle de quiconque. S'abandonner à Dieu est accepter le fait qu'Il nous aime et pourvoit à nos besoins parce qu'Il aime et pourvoit aux besoins de toute vie. L'abandon ne nous enlève pas notre pouvoir ; il le renforce. Dieu est simplement l'amour en nous ; retourner à Lui, c'est retourner à nous-mêmes.

4. LA VIE ABANDONNÉE À DIEU

« Saint Enfant de Dieu, quand apprendras-tu que seule la sainteté peut te contenter et te donner la paix ? »

Se relaxer, sentir l'amour dans son cœur et dans toute situation mettre l'accent sur l'amour, voilà ce que signifie l'abandon spirituel. Il nous transforme. Nous devenons des êtres plus profonds, plus attirants.

Il existe dans le bouddhisme zen, un concept appelé « l'esprit du zen » ou « l'esprit du néophyte ». Selon ce concept, l'esprit doit être comme un bol de riz vide. S'il est plein, l'univers ne peut le remplir. S'il est vide, il y a place pour recevoir. Quand nous pensons avoir déjà une conception des choses, nous ne pouvons plus apprendre. Une idée authentique ne peut pénétrer un esprit qui n'est pas ouvert à la recevoir. L'abandon est la façon de vider l'esprit.

Dans la tradition christique, c'est ce que signifie « devenir un petit enfant ». Les petits enfants ne pensent pas qu'ils connaissent le sens des choses. Ils savent qu'ils ne savent pas. Ils demandent aux personnes plus âgées, plus sages de leur expliquer. Nous sommes pareils à des enfants qui ne savent pas, mais qui pensent savoir.

Le sage ne prétend pas connaître ce qu'il est impossible de connaître. « Je ne sais pas », dans certains cas, renforce le pouvoir. Quand nous abordons une situation sans la connaître, quelque chose en nous la *connaît*. Avec notre esprit conscient *« nous cédons le pas pour qu'un pouvoir supérieur en nous puisse s'avancer et nous montrer le chemin »*.

Nous avons besoin de moins faire semblant et de plus de véritable charisme. Le mot charisme était originellement un terme religieux. Il signifiait « de l'esprit » ou « inspiré ». C'est laisser la lumière de Dieu briller à travers nous, une flamme que l'argent ne peut pas acheter, une invisible énergie qui produit de visibles effets. Lâcher prise, simplement aimer, n'est pas disparaître derrière le mur. Tout au contraire, c'est briller vraiment, laisser son propre soleil briller.

Nous sommes ainsi conçus. Nous sommes conçus pour briller. Voyez les petits enfants. Ils sont exceptionnels avant de commencer à *essayer* d'être ceci ou cela, parce qu'ils attestent du pouvoir de l'authentique humilité. C'est aussi ce qui explique « la chance du néophyte ». Quand on vit une situation dont on ne connaît pas les règles, on ne prétend pas pouvoir tout prévoir, et on ne sait pas encore ce à quoi il faut prendre garde. Cela détend l'esprit et il crée alors en puisant dans son propre pouvoir supérieur. Les situations s'enclenchent et les lumières s'allument simplement parce que l'esprit s'est ouvert à l'amour. On est sorti de ses propres modèles de comportement.

L'amour est un mode vainqueur, une vibration qui attire et engendre le succès. Quand on pense qu'il est difficile de réussir, cela devient difficile effectivement. Réussir dans la vie n'implique pas de tensions négatives. Il ne faut pas se battre tout le temps. Quand on y réfléchit bien, « prendre le taureau par les cornes » serait très dangereux. En fait, la tension de l'ambition limite notre capacité de réussir. Elle nous maintient, émotivement et physiquement, dans un état de contraction. Elle semble nous donner de l'énergie mais en réalité ne nous en donne pas ; elle est le sucre blanc de la santé mentale : on plane pendant un bref moment, puis on s'écrase. Cultiver le repos mental, ou l'abandon, est comme se nourrir sainement. On ne sent pas d'impulsion immédiate mais, à la longue, une nourriture saine fournit beaucoup plus d'énergie.

Cela ne veut pas dire rester dans la position du lotus toute la journée. Il arrive encore que l'on s'énerve, mais avec plus de douceur. Beaucoup de personnes associent la vie spirituelle à un film de série B, mais Dieu ne débarrasse pas nos vies de tout leur côté dramatique. Il les débarrasse seulement des drames *mesquins*. Il n'existe rien de plus important qu'une véritable croissance personnelle. Rien n'est plus authentiquement passionnant que des garçons qui deviennent de véritables hommes ou des filles qui deviennent de véritables femmes.

Quelque chose de fascinant se produit quand on s'abandonne à aimer simplement. On se fond dans un autre monde, le règne d'un pouvoir qui est déjà en nous. Le monde change quand nous changeons. Le monde s'adoucit quand nous nous adoucissons. Le monde nous aime quand nous choisissons d'aimer le monde.

S'abandonner signifie décider d'arrêter de combattre le monde, et commencer à l'aimer. C'est se libérer en douceur de la douleur. Mais se libérer n'est pas se couper de tout ; c'est « *se fondre doucement en ce que nous sommes réellement* ». Nous enlevons notre armure et découvrons le pouvoir du Christ en nous. *Un cours sur les miracles* nous dit que « *bien que nous pensions que sans l'ego tout ne serait que chaos, l'opposé est vrai. Sans l'ego, tout serait amour.* »

On nous demande simplement de changer de priorité, de percevoir les choses avec plus de douceur. C'est tout ce dont Dieu a besoin. Un simple moment d'abandon sincère, un moment où l'amour importe plus que tout le reste et où nous savons que rien d'autre n'importe. En retour de cette ouverture, Il nous donne Son pouvoir qui émane de très loin en nous. Nous recevons Son pouvoir de partager, de guérir toutes les blessures, d'éveiller tous les cœurs.

Chapitre 5

Les miracles

« Ta sainteté inverse toutes les lois du monde. Elle est au-delà de toute restriction de temps, d'espace, de distance et de limites de quelque sorte que ce soit. »

1. LE PARDON

« La culpabilité fond devant le rayonnement glorieux du royaume et, transformée en bonté, ne sera jamais plus ce qu'elle était. »

« Les miracles se produisent naturellement comme des expressions d'amour. » Ils reflètent un changement dans notre façon de penser. Ils se produisent quand nous laissons le pouvoir de l'esprit s'appliquer aux processus de la guérison et de la correction.

La guérison prend de multiples formes. Un miracle peut être un changement dans la condition matérielle, telle la guérison d'une maladie. Dans d'autres cas, c'est un changement psychologique ou émotif. Le miracle n'est pas tellement un changement de situation objectif – même si cela se produit souvent – mais un changement dans la façon de *percevoir* une situation. Ce qui change, essentiellement, est la façon dont nous gardons l'expérience dans notre esprit – la façon d'expérimenter l'expérience.

Le monde anecdotique humain, toute notre concentration sur le comportement et les choses qui nous sont extérieures, est un monde d'illusion, un voile qui cache un monde plus réel, un rêve collectif. Un miracle n'est pas une redistribution des rôles dans le rêve. Un miracle, c'est se réveiller du rêve.

En demandant des miracles, nous visons un objectif pratique : un retour à la paix intérieure. Nous ne demandons pas que change rien d'extérieur à nous, mais quelque chose en nous. Nous cherchons une orientation plus douce à la vie.

L'ancienne physique newtonienne affirmait que les choses possèdent une réalité objective distincte de la perception que nous en avons. La physique quantique, et particulièrement le Principe d'incertitude de Heisenberg, révèle qu'en même temps que change notre perception d'un objet, l'objet lui-même change. La science de la religion est en réalité la science de la conscience. En bout de ligne, toute création s'exprime par l'esprit. *Un cours sur les miracles* nous dit que notre principal instrument pour changer le monde est notre faculté de « *changer d'esprit au sujet du monde* ».

La pensée est le niveau créateur des choses. Changer notre pensée est ce qui, en définitive, renforce le plus notre pouvoir. Même si la décision de choisir l'amour à la place de la peur est une décision humaine, le changement radical qu'elle introduit dans toutes les dimensions de notre vie est un cadeau de Dieu. Les miracles sont une « *intercession au nom de notre sainteté* » qui vient d'un système de pensée qui dépasse le nôtre. En présence de l'amour, les lois qui régissent l'ordre normal des choses sont transcendées. La pensée n'est plus limitée, elle apporte une expérience qui n'est plus limitée.

Nous héritons des lois qui gouvernent le monde en lequel nous croyons. Si nous pensons que nous sommes des êtres de ce monde, alors les lois de la peur et de la mort qui régissent ce monde nous régirons. Si nous croyons que nous sommes les enfants de Dieu, dont le vrai foyer se trouve dans le royaume de la pleine conscience au-delà de ce monde, nous trouverons alors que nous ne sommes « *pas soumis à d'autres lois que celles de Dieu* ».

Notre perception de nous-mêmes détermine notre comportement. Si nous pensons que nous sommes des créatures petites, limitées, inadéquates, alors nous nous comportons en créatures petites, limitées, inadéquates, et l'énergie que nous irradions le reflète, quels que soient nos actes. Si nous pensons que nous sommes de magnifiques créatures, que nous disposons d'infiniment d'amour et de pouvoir à distribuer, alors nous nous comportons en créatures magnifiques. L'énergie qui émane de nous reflète l'état de notre conscience.

« *Les miracles en eux-mêmes ne sont pas consciemment dirigés.* » Ils sont les effets involontaires d'une personnalité aimante, une force invisible qui émane de quelqu'un dont l'intention consciente est de donner et de recevoir l'amour. En nous défaisant des peurs qui bloquent l'amour en nous, nous devenons les instruments de Dieu. Nous devenons ceux par qui Ses miracles arrivent.

Dieu est amour. Il grandit sans cesse, alimente et crée de nouveaux modèles de comportement pour exprimer et conquérir la joie. Quand, nous concentrant sur l'amour, nous permettons à nos esprits d'être les véhicules ouverts par lesquels Dieu s'exprime, nos vies deviennent la toile sur laquelle cette joie s'exprime. Voilà le sens de notre vie. Nous sommes les représentations physiques d'un principe divin. Être sur terre pour servir Dieu signifie être sur terre pour aimer.

Nous n'avons pas été jetés au hasard sur un océan de pierres. Nous avons une mission : sauver le monde par le pouvoir de l'amour. Le monde a désespérément besoin d'être soigné, comme un oiseau qui s'est brisé une aile. Les gens le savent et des millions d'entre eux ont prié.

Dieu nous a entendus. Il nous a envoyé de l'aide. Il vous a envoyés.

Devenir un travailleur en miracles signifie participer à un mouvement de résistance spirituelle qui revitalise le monde, participer à une révolution des valeurs du monde au niveau le plus profond. Cela ne veut pas dire qu'il faut le crier sur tous les toits. Les résistants français n'allaient pas voir les officiers allemands qui occupaient Paris pour leur dire : « Bonjour, je m'appelle Jacques. Je fais partie de la Résistance. » De la même façon, vous ne racontez pas aux gens qui n'ont aucune idée de ce dont vous parlez : « Je suis changé. Je travaille pour Dieu maintenant. Il m'a envoyé pour guérir les choses. Le monde est sur le point de changer radicalement. » Les travailleurs en miracles apprennent à être réservés. Il est important de savoir, au sujet de la sagesse spirituelle, que des paroles prononcées au mauvais moment, au mauvais endroit ou devant la mauvaise personne, risquent de faire passer celui qui les prononce pour un fou plus que pour un sage.

Le Cours parle du plan de Dieu pour sauver le monde : « *le plan des enseignants de Dieu* ». Le plan appelle les enseignants de Dieu à guérir le monde par le pouvoir de l'amour. Cet enseignement n'a pas grand-chose à voir avec la communication verbale, et tout à voir avec une qualité d'énergie humaine. « *Enseigner, c'est démontrer.* » Pour devenir enseignant de Dieu, il suffit de choisir de le devenir. « *Ils viennent de partout dans le monde. Ils viennent de toutes les religions et d'aucune religion. Ce sont ceux qui ont répondu.* » Le dicton : « *Beaucoup d'appelés, mais peu d'élus* » signifie que « *tous sont appelés mais peu se soucient d'écouter* ». L'appel de Dieu est universel. Il s'adresse à tout esprit tout le temps. Mais tout le monde ne choisit pas de faire attention à l'appel de son propre cœur. Nous en sommes très conscients : les voix hurlantes, frénétiques du monde extérieur couvrent facilement la petite voix tranquille de l'amour qui est en nous.

Notre travail d'enseignant de Dieu, si nous choisissons d'accepter de l'être, consiste à rechercher constamment en nous une plus grande capacité d'amour et de pardon. Nous y parvenons par une « *mémoire sélective* », décision consciente de ne se souvenir que des pensées d'amour et de lâcher prise des pensées de peur. Voilà le sens du pardon. Le pardon est une pierre angulaire capitale de la philosophie d'*Un cours sur les miracles*.

Comme de nombreux termes traditionnels utilisés dans le Cours, il a ici un sens résolument non traditionnel.

Traditionnellement, on pense qu'il faut pardonner à ceux qui se sentent coupables. Mais le Cours enseigne que nous avons pour fonction de nous rappeler qu'il n'*existe* aucune culpabilité chez personne, parce que seul l'amour est réel. Notre fonction consiste à voir, par-delà l'illusion de culpabilité, l'innocence qui se cache. « *Pardonner consiste tout simplement à ne se souvenir que des pensées d'amour que tu as adressées dans le passé et de celles qui te furent adressées.* » Tout le reste doit être oublié. On nous demande d'élargir notre perception, de dépasser les erreurs que nos perceptions physiques nous révèlent – les actes ou les paroles d'autrui – et d'y percevoir cette sainteté que seul le cœur révèle. En réalité, donc, il n'y a rien à pardonner. La notion traditionnelle de pardon – celle que *Le Chant de la prière* appelle « *le pardon pour détruire* » est alors un acte de jugement, l'arrogance de quelqu'un qui se considère meilleur qu'un autre, ou peut-être aussi pécheur que lui, ce qui est encore une mauvaise perception et encore arrogance de l'ego.

Comme tous les esprits sont interreliés, quiconque corrige sa perception soigne aussi quelque part l'esprit collectif de l'espèce entière. La pratique du pardon est notre contribution la plus importante à la guérison du monde. Des gens en colère ne peuvent créer une planète pacifique. Cela m'amuse de penser à quel point je me fâchais quand quelqu'un refusait de signer mes pétitions pour la paix.

Le pardon est un travail à plein temps, parfois très difficile. Peu d'entre nous réussissent toujours, mais faire l'effort est notre plus noble vocation, la seule véritable chance qu'a le monde de recommencer. Seul un pardon radical permet de se défaire complètement du passé, aussi bien dans les relations interpersonnelles que dans les drames collectifs.

2. VIVRE DANS LE PRÉSENT

« *Tout ton passé a disparu, sauf sa beauté, et il ne reste rien qu'une bénédiction.* »

Dieu existe dans l'éternité. Le présent est le seul point de rencontre entre l'éternité et le temps. « Le présent est le seul temps qui existe. » Un miracle est un changement de mode de pensée : l'esprit passe de ce qu'il a fait dans le passé ou ferait dans l'avenir à ce qu'il se sent libre de faire ici et maintenant. Un miracle, c'est se défaire de l'asservissement intérieur. Notre capacité de resplendir est fonction de notre capacité d'oublier le passé et d'oublier le futur. Voilà pourquoi les petits enfants resplendissent tellement. Ils ne se rappellent pas le passé et ne tiennent pas compte de l'avenir. Devenons des petits enfants pour que le monde puisse finalement grandir.

Un des exercices du Livre d'exercices du Cours s'intitule : « *Le passé est terminé. Il ne peut point me toucher.* » Pardonner au passé est une étape importante pour expérimenter les miracles. Le seul sens que puisse avoir quoi que ce soit dans le passé, c'est de nous avoir amenés au point où nous sommes, et en tant que tel il devrait être honoré. La seule chose réelle du passé est l'amour que nous avons donné et l'amour que nous avons reçu. Tout le reste est illusion. Le passé est une idée dans notre esprit. Tout le passé est littéralement dans l'esprit. Le Cours enseigne : « *Donne le passé à Celui qui peut te faire changer d'esprit à son sujet.* » Abandonner le passé au Saint-Esprit, c'est demander de ne garder en tête que les pensées utiles, les pensées d'amour concernant le passé, et se défaire du reste.

Il reste alors le présent, le seul temps où les miracles se produisent. « *Nous plaçons le passé aussi bien que l'avenir entre les mains de Dieu.* » L'assertion biblique selon laquelle « les temps seront révolus » signifie qu'un jour nous vivrons entièrement dans le présent, sans que ni le passé ni l'avenir ne nous obsèdent plus.

À tout moment, l'univers nettoie notre ardoise ; la création de Dieu ne retient rien contre nous. Le problème est que nous ne le croyons pas. Demandons le pardon, non pas à « *Dieu qui ne nous a jamais condamnés* », mais à nous-mêmes pour tout ce que nous pensons avoir fait et ne pas avoir fait. Donnons-nous la permission de recommencer à neuf.

On vit tous des situations où l'on souhaite n'avoir pas fait quelque chose qu'on a fait ou avoir fait quelque chose qu'on n'a pas fait, des moments de la vie, récents ou anciens, qui donnent quand on y pense envie de rentrer sous terre. La prière à la page 83 du Texte original est une des techniques les plus libératrices qu'offre *Un cours sur les miracles*. Elle donne instruction à l'univers de réparer nos erreurs :

> « ... *pour défaire, le premier pas est de reconnaître que tu as activement décidé à tort et que tu peux tout aussi activement décider autrement. Sois très ferme envers toi là-dessus et reste pleinement conscient du fait que le processus qui défait et qui ne vient pas de toi, est néanmoins en toi parce que Dieu l'y a placé. Ton rôle est simplement de faire retourner ta pensée au point où l'erreur fut commise et de la remettre en paix au Rachat. Dis-toi ce qui suit aussi sincèrement que tu le pourras en te souvenant que le Saint-Esprit répondra pleinement à ta moindre invitation :*
> « *Je dois avoir décidé à tort parce que je ne suis pas en paix.*
> « *J'ai pris la décision moi-même, mais je peux aussi décider autrement.*
> « *Je désire décider autrement parce que je désire être en paix.*
> « *Je ne me sens pas coupable parce que le Saint-Esprit défera toutes les conséquences de ma mauvaise décision si je Le laisse faire.*
> « *Je choisis de Le laisser faire en Lui permettant de décider en faveur de Dieu pour moi.* »

Et voilà ! Il s'agit d'un cours sur les *miracles*, et non pas d'un cours sur la manière de déménager les meubles. « *Les miracles inversent les lois physiques. Le temps et l'espace sont sous le commandement du Saint-Esprit.* »

En ce qui concerne l'avenir, le Cours souligne que nous n'avons aucun moyen de savoir ce qui se passera demain, après-demain ou dans cinq ans. Seul l'ego spécule sur le lendemain. Au ciel, « *nous plaçons notre avenir entre les mains de Dieu* ». Le Saint-Esprit ramène nos esprits à la foi et à la confiance totales : si nous vivons aujourd'hui, le cœur complètement ouvert, le lendemain saura s'occuper tout seul de lui-même. Comme Jésus l'a dit, dans le Sermon sur la Montagne : « Ne vous inquiétez donc pas du lendemain : demain s'inquiétera de lui-même. »

« *L'ego base sa perception de la réalité sur ce qui est arrivé dans le passé, transporte ces perceptions dans le présent et crée ainsi un avenir identique au passé.* » Quand on a le sentiment d'avoir failli dans le passé, les pensées concernant l'avenir se fondent sur ces perceptions. On vit alors dans le présent en essayant de compenser pour le passé. Comme cette perception est fondamentale, on recrée les mêmes conditions dans l'avenir. « *Le passé, le présent et le futur ne sont pas continus, à moins que tu n'y imposes une continuité.* » Dans le présent, nous avons l'occasion de briser cette continuité entre le passé et l'avenir en demandant au Saint-Esprit d'intervenir. Voilà le miracle. Nous désirons une vie qui ne soit pas tachée par quelque noirceur du passé et comme nous « *avons droit aux miracles* », nous avons droit à cette pleine libération. Voilà ce que signifie dire que Jésus nous lave de tous nos péchés. Il nous débarrasse complètement de toutes nos pensées dépourvues d'amour. Nous renonçons à juger qui que ce soit ou quoi que ce soit qui appartient au passé. Nous renonçons à toute fixation qui nous donne envie de nous emparer de l'avenir.

Le monde de l'ego est un monde de perpétuel changement, de hauts et de bas, de noirceur et de lumière. Le ciel est un royaume de paix perpétuelle. Il est la prise de conscience d'une réalité qui se trouve par-delà le changement. « *Et le Ciel ne changera pas, car naître au saint présent, c'est se sauver du changement.* »

Le monde que le Saint-Esprit nous révèle est un monde situé par-delà ce monde, un monde que nous révèle une perception différente. Nous mourons à un monde afin de pouvoir naître à un autre. « *Renaître, c'est lâcher prise du passé et contempler le présent sans condamnation.* » Le monde temporel n'est pas le monde réel, et le monde éternel est notre véritable demeure. Nous sommes en route pour y arriver. Nous sommes féconds de possibilités.

3. LA RÉSURRECTION

« *Ta résurrection est ton réveil.* »

Le but de notre vie est de donner naissance à ce que nous avons de meilleur en nous.

Le Christ est venu comme un petit enfant parce que le symbole du nouveau-né est le symbole d'un être dont l'innocence n'est gâchée ni par l'histoire passée ni par la culpabilité. L'enfant Christ en nous n'a pas d'histoire. Il est le symbole d'une personne qui reçoit une nouvelle chance. La seule façon de guérir les blessures du passé consiste à leur pardonner et à s'en défaire. Le travailleur en miracles considère que le but de sa vie est de servir au pardon de l'humanité – de nous éveiller de notre sommeil collectif.

Le Cours dit : « *Pourtant la Bible raconte qu'un profond sommeil s'empara d'Adam, et nulle part n'y a-t-il de référence quant à son réveil.* » Jusqu'à présent, il n'y a pas eu de « *réveil global* ». Nous sommes tous capables de contribuer à une renaissance globale dans la mesure où nous nous permettons d'être réveillés de nos rêves personnels de séparation et de culpabilité, de nous défaire de notre passé et d'accepter une nouvelle vie dans le présent. Seul notre réveil personnel peut réveiller le monde. On est incapable de donner ce que l'on n'a pas.

Il nous a tous été assigné un espace dans le jardin, un coin de l'univers qu'il nous appartient de transformer. Notre coin d'univers est notre vie – nos relations, notre maison, notre travail, les circonstances ordinaires de notre existence – exactement telle qu'elle est. Chaque situation dans laquelle nous nous retrouvons est une occasion, parfaitement planifiée par le Saint-Esprit, d'enseigner l'amour plutôt que la peur. Quel que soit le système d'énergie dont nous participons, notre travail est de le guérir – de purifier les formes de pensée en purifiant la nôtre. Ce ne sont jamais les circonstances qu'il faut changer – c'est *nous*. La prière n'est pas demander à Dieu de changer notre vie, mais plutôt Lui demander de nous changer, nous.

Voilà le plus grand miracle et, au bout du compte, le seul : s'éveiller d'un rêve de séparation et devenir différent. Les êtres humains se tracassent toujours de ce qu'ils *font* : ai-je réussi assez de choses, ai-je écrit le meilleur scénario, créé la plus puissante entreprise ? Mais un autre grand roman, un autre grand film ou une autre formidable aventure commerciale ne sauveront pas le monde. Il ne sera sauvé que par l'apparition d'êtres humains au grand cœur.

Un vase est conçu pour contenir de l'eau. Si l'on y verse plus d'eau qu'il ne peut contenir, il débordera. Il en va de même pour nos personnalités. Le pouvoir de Dieu, particulièrement à notre époque, se déverse en nous vite et rapidement. Si notre réceptacle, notre véhicule – notre canal humain – n'est pas adéquatement préparé par la dévotion et un profond respect envers la vie, alors le pouvoir même qui devrait nous sauver, nous détruit. Notre créativité, au lieu d'accroître notre pouvoir personnel, nous rend alors hystériques. Le pouvoir créateur – Dieu en nous – est une arme à double tranchant : reçu avec la grâce, il nous bénit ; sans la grâce, il nous rend fous. C'est pourquoi tant de créateurs se sont tournés vers l'usage destructeur de drogues : pour atténuer l'expérience de la réception du pouvoir de Dieu plutôt que pour la raffermir. L'arrivée en nous du pouvoir de Dieu, dans une culture qui ne possède pas de nom pour ce pouvoir et qui ne sait pas reconnaître une authentique expérience spirituelle, nous a fait tellement peur que, pour n'avoir pas à en ressentir l'effet réel, nous

nous sommes précipités sur les drogues ou l'alcool. Nous devions être dans un état second pour avoir le courage d'affirmer ce que nous vivions.

« *Tout le monde a droit aux miracles,* dit *Un cours sur les miracles, mais la purification est d'abord nécessaire.* » Les impuretés – mentales ou chimiques – polluent le système et désacralisent l'autel en nous. Notre véhicule alors n'est plus capable de vivre l'expérience de Dieu. Les eaux de l'esprit déferlent en nous, mais le vase se fendille. Il ne faut pas travailler sur l'affluence du pouvoir – l'amour de Dieu se déverse en nous aussi vite que nous sommes capables de le recevoir – mais il faut travailler à nous préparer à le recevoir.

Un cours sur les miracles nous compare à des gens qui se trouveraient dans une pièce très éclairée et garderaient les doigts devant les yeux en se plaignant qu'il y fasse sombre. La lumière est venue mais nous ne la voyons pas. Nous ne nous rendons pas compte que le présent est toujours l'occasion de recommencer à neuf, un moment rempli de lumière. Nous réagissons à la lumière comme s'il s'agissait de ténèbres, et la lumière alors devient ténèbres. Parfois, nous réalisons seulement après coup que nous avons reçu une autre chance dans la vie, une nouvelle relation, autre chose. Comme nous étions trop occupés à réagir au passé, nous avons raté la chance d'expérimenter quelque chose de radicalement neuf.

Si nous sommes véritablement honnêtes envers nous-mêmes, nous savons que notre problème n'est pas un manque d'occasion de réussir. Dieu accroît toujours nos possibilités. Nous recevons une multitude de chances, mais nous avons tendance à les saborder. Nos énergies conflictuelles sabotent tout. Demander de connaître quelqu'un ou demander un nouveau travail n'est pas particulièrement utile si nous nous engageons dans la nouvelle situation comme nous étions engagés dans la précédente. À moins de nous guérir de nos démons internes, de nos habitudes mentales de peur, nous transformons chaque situation en drame douloureux, exactement comme nous l'avons toujours fait. Chacun de nos actes s'imprègne de l'énergie que nous avons mise à le poser. Si nous sommes frénétiques, la vie sera frénétique. Si nous sommes tranquilles, la vie sera tranquille. Notre objectif dans chaque situation doit donc être la paix intérieure. Notre état interne détermine notre expérience de la vie ; nos expériences ne déterminent pas notre état interne.

Le terme crucifixion signifie l'énergie de la peur, le mode de pensée limité, négatif de l'ego, et la façon dont cet ego cherche toujours à limiter, à contredire, à invalider l'amour. Le terme résurrection signifie l'énergie de l'amour qui transcende la peur en s'y substituant. Le pardon est la fonction d'un travailleur en miracles. En accomplissant notre fonction, nous devenons les canaux de la résurrection.

Dieu et l'homme forment l'équipe créatrice la plus parfaite. Dieu est comme l'électricité. Si une maison est raccordée au réseau électrique, mais qu'aucune prise ni ampoule n'y est installée, à quoi sert l'électricité ? Si Dieu est l'électricité, nous sommes Ses lampes. La grosseur de la lampe, sa forme ou son design n'ont pas d'importance. Ce qui importe, c'est qu'elle soit branchée. Notre identité, nos talents n'importent pas. Ce qui importe, c'est que nous soyons disposés à Le servir. Notre volonté, notre conviction nous donnent un pouvoir miraculeux. Les serviteurs de Dieu portent l'empreinte de leur Maître.

Des ampoules sans électricité n'éclairent pas, et l'électricité sans ampoules n'éclaire pas non plus. Ensemble, par contre, elles chassent les ténèbres.

4. LA MATURITÉ COSMIQUE

> « *Enfant de Dieu, tu fus créé pour créer le bien, le beau et le saint.* »

En devenant de plus purs canaux de la lumière de Dieu, nous développons un appétit pour la douceur qu'il est possible de trouver en ce monde. L'objectif d'un travailleur en miracles n'est pas de combattre le monde qui est, mais de créer un monde qui pourrait être.

Traiter le symptôme d'un problème n'est pas vraiment le traiter. Prenons les bombes atomiques, par exemple. Si nous travaillons tous très fort, si nous signons assez de pétitions et élisons de nouveaux politiciens, il est possible de bannir la bombe. Mais si nous ne nous débarrassons pas de la haine dans nos cœurs, quel est le bien ? Nos enfants ou les enfants de nos enfants, s'ils portent toujours en eux la peur et le conflit, fabriqueront une force destructrice plus puissante que la bombe.

Tout dans l'univers physique participe, selon la façon dont l'esprit l'utilise, du voyage dans la peur ou du voyage de retour à l'amour. Ce que nous vouons à l'amour sert les objectifs de l'amour. Nous travaillons dans le cadre de l'illusion terrestre, aux plans politique, social, environnemental, etc., mais nous admettons que la réelle transformation du monde ne provient pas de nos actes, mais de la conscience de nos actes. Nous gagnons simplement du temps, en fait, pour donner à une réelle transformation des énergies globales la chance de se produire.

L'objectif du travailleur en miracles est spirituellement magnifique, mais il n'est pas personnellement grandiose. L'événement cosmique supérieur n'est pas *votre* carrière, *votre* argent ni aucune de vos expériences terrestres. Votre carrière est importante, certes, comme votre argent, vos talents, votre énergie et vos relations interpersonnelles. Mais ils sont importants dans la mesure où ils sont voués à Dieu et destinés à servir Ses fins. En extirpant l'immature préoccupation pour son petit moi personnel, on transcende l'égoïsme et on atteint à la maturité cosmique.

Jusqu'au moment d'atteindre cette maturité cosmique, nous nous livrons aux enfantillages. Nous nous tracassons au sujet du remboursement de notre prêt-auto, de notre plan de carrière, de notre chirurgie esthétique, de nos insignifiantes blessures. Au même moment, les situations politiques nous mènent au désastre et le trou dans la couche d'ozone s'agrandit chaque jour. L'enfantillage se préoccupe de choses insignifiantes au point de perdre de vue l'essentiel.

Il existe une différence entre l'enfantillage et être comme un enfant. Être comme un enfant implique de la spiritualité, comme dans la tendresse, et un profond non-savoir qui nous ouvre à de nouvelles impressions. Être comme un enfant, c'est se voir enfant dans les bras de Dieu, apprendre à Lui céder le pas et Lui laisser montrer le chemin.

Dieu n'est pas séparé de nous. Il est l'amour dans nos esprits. Tout problème, intérieur ou extérieur, provient d'une séparation d'avec l'amour. Trente-cinq mille personnes meurent de faim chaque jour sur terre, mais il n'y a pas de pénurie de nourriture. La question n'est pas : « Quel Dieu laisserait des enfants mourir de faim ? » mais plutôt : « Quels humains laissent des enfants mourir de faim ? » Un travailleur en miracles remet le monde à Dieu. Il opère un changement conscient et choisit un mode de vie axé sur l'amour. Quand nous attendons avec une résignation cynique que le monde s'écroule, nous faisons partie du problème, pas de la solution. Nous devons reconnaître que pour Dieu *« il n'y a aucun ordre de difficulté dans les miracles »*. L'amour guérit toutes les blessures. Aucun problème n'est trop petit au regard de Dieu, et aucun n'est si énorme qu'Il ne puisse le régler.

Tous les systèmes dans le monde – social, politique, économique, biologique – sont en train de s'écrouler sous le poids de notre propre cruauté. Sans miracles, on pourrait penser que la fête est finie, qu'il est déjà trop tard pour sauver le monde. Beaucoup sont persuadés que le monde se dirige vers une catastrophe inévitable et majeure. Toute personne qui réfléchit sait que le monde est engagé dans une spirale descendante. Un objet en mouvement continue toujours dans la même direction. Seule une force contraire plus puissante peut la changer. Les miracles sont cette force contraire. Quand l'amour atteindra une masse critique et qu'assez de gens penseront miracle, le monde changera radicalement.

Nous sommes à la onzième heure. Le Cours dit que ce que nous apprenons ne dépend pas de nous, mais bien la façon de l'apprendre : dans la joie ou dans la douleur. Nous *apprendrons* à nous aimer les uns les autres, mais il dépend entièrement de nous de l'apprendre dans la douleur ou dans la paix. Si nous nous entêtons sur le chemin des ténèbres et déclenchons une guerre nucléaire, même s'il ne reste après la déflagration que cinq personnes sur la planète, ces cinq personnes auront compris ce qu'il faut comprendre. Elles se regarderont les unes les autres et diront : « Essayons de nous entendre. » Mais nous sommes capables, si nous le voulons, d'éviter le scénario d'une apocalypse nucléaire. Beaucoup d'entre nous ont déjà souffert leur propre apocalypse. Il est inutile de la revivre tous ensemble une nouvelle fois. Nous avons le choix : comprendre tout de suite ou comprendre plus tard. Savoir que nous avons un choix, c'est comprendre le monde en adulte véritable.

Après que Dorothée eut achevé son dramatique voyage jusqu'à Oz, la bonne fée lui dit qu'il lui suffisait de claquer trois fois les talons et de répéter : « Je veux rentrer à la maison », « Je veux rentrer à la maison », « Je veux rentrer à la maison. » Il n'avait servi à rien de traîner si longtemps sur la route de briques jaunes. Dorothée, fâchée j'en suis sûre, demanda : « Pourquoi ne me l'as-tu pas dit ? » La fée lui répondit : « Tu ne m'aurais pas crue ! »

Dans les tragédies grecques antiques, il existe un mécanisme très fréquent, appelé le « Deus ex machina », élément important de l'information archétypale. L'intrigue se noue jusqu'à son désastreux paroxysme et alors, exactement quand tout espoir semble perdu, un dieu apparaît et dénoue la crise. Au dernier moment, quand les choses semblent au pire, Dieu a *effectivement* tendance à apparaître. Non parce qu'Il possède un sens de l'humour un peu sadique et qu'Il attend que nous soyons totalement désespérés avant de nous montrer sa force, mais parce que, avant d'être complètement désespérés, nous ne nous soucions pas de penser à Lui. Pendant tout ce temps, nous pensions que nous L'attendions. Alors qu'en fait, c'était Lui qui nous attendait.

5. LA RENAISSANCE

« Voici ce qui est signifié par "Les faibles hériteront de la terre : ils s'en empareront littéralement à cause de leur force. »

Il est temps d'atteindre notre objectif : vivre sur terre et ne penser que les pensées du ciel. *« Ainsi le Ciel et la Terre deviendront un. Ils n'existeront plus comme deux états séparés. »*

La pensée miraculeuse n'est pas toujours facile parce que la peur imprègne nos schémas mentaux. Quand notre colère, notre jalousie, notre douleur semblent plantées dans le cœur et qu'il paraît impossible de s'en défaire, comment pouvons-nous produire un miracle ? En demandant au Saint-Esprit de nous aider.

Le Cours dit que nous pouvons faire beaucoup de choses, mais s'il est une chose que nous ne puissions pas faire, c'est d'invoquer le Saint-Esprit en vain. On nous a dit que *« nous ne demandons pas trop à Dieu ; en fait, nous demandons trop peu »*. Chaque fois que nous nous sentons perdus, hagards, effrayés, il nous suffit de L'appeler à l'aide. Son aide ne prendra peut-être pas la forme que nous escomptions, la pensée que nous souhaitions, mais elle viendra, et nous la reconnaîtrons à la façon dont nous nous sentirons. En dépit de tout, nous nous sentirons en paix.

Nous pensons qu'il existe différentes catégories dans la vie, comme l'argent, la santé, les relations, puis, pour certains d'entre nous, une autre catégorie appelée « la vie spirituelle ». Mais seul l'ego catégorise. Il ne se passe en réalité qu'un seul drame : notre éloignement de Dieu, et notre rapprochement. Nous rejouons simplement le même drame de différentes façons.

Le Cours nous dit que *« nous pensons avoir beaucoup de problèmes différents, mais nous n'en avons qu'un seul »*. Nier l'amour est le seul problème. Aimer est la seule solution. L'amour guérit tous nos rapports – à l'argent, au corps, au travail, à la sexualité, à la mort, à nous-mêmes et aux autres. Grâce au miraculeux pouvoir du pur amour, nous nous défaisons de notre histoire passée et recommençons à neuf.

Si nous considérons les principes miraculeux comme des jouets, ils seront des jouets dans notre vie. Mais si nous les considérons comme l'expression de la puissance de l'univers, c'est aussi ce qu'ils seront. Le passé est passé. Peu importe qui nous sommes, d'où nous venons, ce qu'a dit Maman, ce qu'a fait Papa, quelles erreurs nous avons commises, quelles maladies nous avons ou à quel point nous nous sentons déprimés. L'avenir peut se reprogrammer tout de suite. Et pour cela, pas besoin d'un autre séminaire, d'un autre diplôme, d'une autre vie ou de l'approbation de quelqu'un d'autre. Tout ce que nous avons à faire, c'est demander un miracle et lui permettre de se produire, non pas d'y résister. Un nouveau commencement, une vie différente du passé sont possibles. Nos relations interpersonnelles seront renouvelées. Notre carrière professionnelle sera renouvelée. Notre corps sera renouvelé. Notre planète sera renouvelée. Et ainsi s'accomplira la volonté de Dieu, sur la terre comme au Ciel. Pas demain, tout de suite. Pas ailleurs, ici. Non par la douleur, mais par la paix. Ainsi soit-il. Amen.

DEUXIÈME PARTIE

La pratique

Chapitre 6

Les relations

« Le temple du Saint-Esprit n'est pas un corps mais un esprit. »

1. LA SAINTE RENCONTRE

« Souviens-toi que toute rencontre constitue une rencontre sainte. Tu te verras comme tu vois autrui. Tu te traiteras comme tu le traites. Ce que tu penses de lui, tu le penseras de toi. N'oublie jamais cela, car tu te trouveras ou tu te perdras en lui. »

Avant de lire *Un cours sur les miracles*, j'avais étudié beaucoup d'autres ouvrages spirituels et philosophiques. J'avais l'impression qu'ils m'aidaient à gravir l'immense escalier qui menait à la cathédrale géante dans mon esprit mais, au sommet des marches, la porte était fermée à clé. Le Cours m'a donné la clé qui permet d'ouvrir la porte. La clé, très simplement, ce sont les autres.

Le ciel, selon le Cours, n'est ni une condition ni un lieu, mais plutôt *« la conscience d'une parfaite unité »*. Comme le Père et le Fils sont un, aimer l'un, c'est aimer l'autre. L'amour de Dieu n'est pas extérieur à nous. Un vers d'une chanson de l'opéra *Les Misérables* dit : « Aimer quelqu'un d'autre, c'est voir le visage de Dieu » Le « visage du Christ » est l'innocence et l'amour cachés derrière les masques que nous portons tous ; voir ce visage, le toucher, l'aimer en nous-mêmes et dans les autres, c'est expérimenter Dieu. C'est notre divine humanité. C'est le sommet que nous cherchons tous.

Dans chaque relation, à chaque instant, nous enseignons l'amour ou la peur. Si nous montrons de l'amour aux autres, nous apprenons que nous sommes nous-mêmes dignes d'amour et nous apprenons à aimer plus profondément. Si nous montrons de la peur ou du négativisme, nous apprenons à nous condamner nous-mêmes et à avoir peur devant la vie. Nous apprenons toujours ce que nous avons choisi d'enseigner. « Les idées ne quittent pas leur source », et c'est pourquoi nous faisons toujours partie de Dieu et nos idées font toujours partie de nous. Si je choisis de bénir quelqu'un, je finirai toujours par me sentir béni moi-même. Si je projette de la culpabilité sur quelqu'un, je finirai toujours par me sentir coupable.

Les relations interpersonnelles accélèrent notre cheminement vers Dieu. Quand nous nous abandonnons au Saint-Esprit, quand Il commande nos perceptions, nos rencontres deviennent de saintes rencontres avec le Fils parfait de Dieu. *Un cours sur les miracles* dit que toute personne que nous rencontrons nous crucifie ou nous sauve, selon ce que nous avons nous-mêmes choisi d'être pour elle. Insister sur la culpabilité de l'autre nous enfonce plus profondément les aiguilles du dégoût de nous-mêmes dans notre propre peau. Insister sur son innocence nous libère. Comme « *aucune pensée n'est neutre* », chaque relation nous fait pénétrer plus profondément dans le Ciel ou nous enfonce plus profondément en Enfer.

2. LE PARDON DANS LES RELATIONS

«*Le pardon supprime ce qui se dresse entre toi et ton frère.* »

Un Cours sur les miracles se vante d'être un Cours pratique à but pratique : atteindre la paix intérieure. Le pardon est la clé de la paix intérieure parce qu'il est un procédé mental qui transforme nos pensées de peur en pensées d'amour. Notre perception des autres devient souvent le champ de bataille où le désir de l'ego de juger combat le désir du Saint-Esprit d'accepter les autres tels qu'ils sont. L'ego est le grand détecteur de fautes. Il cherche les fautes en nous et dans les autres. Le Saint-Esprit cherche notre innocence. Il nous voit tous comme nous sommes réellement, et puisque nous sommes les parfaites créations de Dieu, Il aime ce qu'Il voit. Les endroits de nos personnalités où nous avons tendance à dévier de l'amour ne sont pas nos fautes, ce sont nos blessures. Dieu ne veut pas nous punir, mais nous guérir. Et c'est ainsi qu'Il veut que nous considérions les blessures des autres.

Le pardon est « *une mémoire sélective* » – décision consciente de se concentrer sur l'amour et de lâcher prise du reste. Mais l'ego est implacable – il est « *capable au mieux de suspicion, au pire de venimosité* ». Il présente les arguments les plus subtils et les plus insidieux pour chasser les autres de notre cœur. La pierre angulaire de l'enseignement de l'ego est : « Le Fils de Dieu est coupable ». La pierre angulaire de l'enseignement du Saint-Esprit est : « Le Fils de Dieu est innocent ».

Le travailleur en miracles invite consciemment le Saint-Esprit à participer à toutes Ses relations et à nous délivrer les uns les autres de la tentation de juger et de trouver la faute. Nous Lui demandons de nous sauver de la tentation de condamner. Nous Lui demandons de nous révéler l'innocence dans l'autre, pour pouvoir la voir en nous.

« Mon Dieu, je T'abandonne cette relation » signifie « Mon Dieu, permets-moi de voir l'autre avec Tes yeux. » En acceptant le Rachat, nous demandons de voir comme Dieu voit, de penser comme Dieu pense, d'aimer comme Dieu aime. Nous demandons qu'Il nous aide à voir dans l'autre son innocence.

Un jour, je passais mes vacances en Europe avec ma famille. Ma mère et moi faisions d'énormes efforts pour bien nous entendre, mais n'y parvenions pas. Les vieux schémas d'attaque et de défense surgissaient continuellement entre nous. Elle voulait une fille plus conservatrice et je voulais une mère plus éclairée. Je ne cessais d'ouvrir le Cours pour y trouver aide et inspiration mais, à mon grand chagrin, il me semblait que je l'ouvrais toujours à la même page. Je lisais : « *Pense honnêtement à ce que tu as pensé et que Dieu n'aurait pas pensé, et à ce que tu n'as pas pensé et à quoi Dieu voudrait que tu penses.* » En d'autres termes, où mes pensées ne s'alignaient-elles pas sur celles de Dieu ? Cela m'exaspérait. Je voulais que le livre m'aide à conforter mes sentiments de défense. Et certainement pas qu'il me dise que la seule erreur était une erreur dans ma façon de penser.

Finalement, parcourant du regard la place Saint-Marc à Venise, je regardai attentivement ma mère et me dis : « C'est vrai... Dieu ne pense pas à elle en se disant : Sophie-Anne, quelle garce ! » Tant que je choisis de la voir « garce », tant que je ne suis pas disposée à renoncer à insister sur ses erreurs, il m'est impossible d'être en paix parce que je ne partage pas la perception de Dieu. Dès que je le compris, je me débarrassai de ma tension et de ma fixation sur ce que je percevais comme étant sa faute. Et dès lors, la situation se mit à changer. Miraculeusement, ma mère devint plus gentille avec moi, et moi plus gentille avec elle.

Il est facile de pardonner à ceux qui ne nous ont jamais fâchés. Pourtant, les personnes qui nous fâchent sont nos plus importants professeurs. Elles nous montrent les limites de notre capacité de pardon. « *Retenir des griefs est une attaque contre le plan de Dieu pour le salut.* » Décider de nous débarrasser de tout grief envers les autres, c'est décider de nous voir nous-mêmes tels que nous sommes réellement, car chaque fois que nous permettons à quelque chose d'occulter la perfection d'un autre, nous occultons aussi notre propre perfection.

Il est parfois très difficile de se défaire de sa perception de la culpabilité de quelqu'un quand on sait, selon toutes les normes de l'éthique, de la morale et de l'intégrité, qu'on a raison de le trouver coupable. Mais le Cours demande : « *Préfères-tu avoir raison ou être heureux ?* »

Si vous jugez un frère, vous avez tort même si vous avez raison. À certains moments, j'ai trouvé très difficile de renoncer à juger quelqu'un ; je protestais mentalement : « Mais j'ai *raison* ». J'avais l'impression que renoncer à juger équivalait à cautionner sa conduite. Je me disais : « Il faut bien que *quelqu'un*, sur terre, respecte les principes. Si nous pardonnons toujours tout, alors toutes les normes d'excellence disparaîtront ! »

Mais Dieu n'a pas besoin que nous jouions la police de l'univers. Montrer quelqu'un du doigt ne l'aide pas à changer. Au contraire, percevoir la faute de quelqu'un ne contribue qu'à le faire perdurer dans la faute. Quand nous montrons quelqu'un du doigt, au sens propre ou au sens figuré, nous perdons la capacité de corriger son erreur. La compassion et le pardon ont beaucoup plus de chance de le guérir. La personne sera moins sur la défensive et plus disposée à se corriger. La plupart d'entre nous avons conscience d'avoir tort quelque part. Nous agirions différemment si nous savions comment. Nous n'avons pas besoin, à ce stade-là, que l'on nous attaque ; nous avons besoin d'aide. Le pardon instaure un nouveau contexte, un contexte dans lequel il est plus facile de changer.

Pardonner, c'est choisir de voir les autres tels qu'ils sont *dans le présent*. Quand nous sommes fâchés contre quelqu'un, nous sommes fâchés contre ce qu'il a pu dire ou faire avant. Mais ce n'est pas ce qu'il est. Les relations renaissent quand nous nous défaisons de nos perceptions du passé de notre frère. « *En amenant le passé dans le présent nous créons un futur juste comme le passé.* » En laissant aller le passé, nous faisons de la place pour les miracles.

Attaquer un frère, c'est rappeler son passé coupable. Choisir d'affirmer la culpabilité d'un frère, c'est choisir d'expérimenter plus de culpabilité. L'avenir se programme dans le présent. Laisser aller le passé, c'est se rappeler que, dans le présent, mon frère est innocent. Accepter quelqu'un sur la foi de ce qu'on sait être sa vérité, indépendamment du fait qu'il soit ou non lui-même en contact avec cette vérité, est un acte de miséricorde et de générosité.

Seul l'amour est réel. Rien d'autre n'existe. Si quelqu'un se conduit sans amour, c'est la peur – indépendamment de son négativisme (sa colère ou le reste) – qui détermine son comportement et, en réalité, il n'existe pas. Il hallucine. On lui pardonne, dès lors, parce qu'il n'y a rien à lui pardonner. Le pardon, c'est savoir discerner entre ce qui est réel et ce qui ne l'est pas.

Les gens qui se comportent sans amour ont oublié qui ils sont. Ils se sont endormis au Christ en eux. La tâche du travailleur en miracles est de rester éveillé. Nous choisissons de ne pas nous endormir et de ne pas rêver de la culpabilité de notre frère. Et ainsi nous est donné le pouvoir de l'éveiller.

Pollyanna est une travailleuse en miracles exemplaire. L'ego le sait, et c'est pourquoi notre culture l'invalide sans cesse. Elle est entrée dans une situation où tous étaient méchants depuis des années. Elle a choisi de ne pas voir la méchanceté. Elle avait foi en ce qui se trouvait par-delà. Elle a élargi sa perception par-delà ce que ses sens physiques lui révélaient, jusqu'à la vérité de tout être humain. Les comportements des gens n'avaient pas d'importance. Pollyanna avait foi en l'amour. Elle savait qu'il existait par-delà les peurs de tous. Et c'est ainsi qu'elle amena leur amour à s'exprimer. Elle exerça le pouvoir du pardon. En peu de temps, tout le monde devint gentil et tout le monde devint heureux ! Chaque fois que quelqu'un me dit : « Marianne, tu es une Pollyanna », je pense en moi-même : « Si seulement j'en avais le pouvoir. »

3. RENONCER À JUGER

« Le jugement n'est pas un attribut de Dieu. »

Un cours sur les miracles nous dit que chaque fois que nous pensons attaquer quelqu'un, c'est comme si nous tenions une épée au-dessus de sa tête. L'épée, par contre, ne tombe pas sur lui, mais sur nous. Comme toute pensée est pensée qui nous concerne nous-mêmes, condamner les autres, c'est donc nous condamner nous-mêmes.

Comment ne pas juger ? Essentiellement, en réinterprétant ce que nous jugeons. *Un cours sur les miracles* décrit la différence entre péché et erreur : « *Un péché serait quelque chose de si mal que Dieu serait fâché contre nous.* » Mais comme il nous est impossible de changer notre nature profonde, Dieu n'a rien contre quoi pouvoir se fâcher. Seul l'amour est réel. Rien d'autre n'existe. « *Le Fils de Dieu ne peut pas pécher. Nous pouvons faire des fautes* », c'est sûr, et manifestement nous en faisons. Mais quand Il voit nos erreurs, Dieu a envie de nous guérir. Nous avons concocté l'idée d'un Dieu de colère et de châtiment parce que nous sommes nous-mêmes en colère et parce que nous punissons. Mais nous sommes créés à l'image de Dieu, et non pas inversement. Comme extensions de Dieu, nous sommes nous-mêmes l'esprit de compassion et, dans nos justes esprits, nous ne cherchons pas à juger mais à guérir. Nous guérissons par le pardon. Quand quelqu'un agit sans amour – quand il nous engueule, nous ment ou nous vole – il a perdu contact avec son essence. Il a oublié qui il était. Mais tout ce que quiconque fait, dit le Cours, est « *amour, appel à l'amour* ». Si quelqu'un nous traite avec amour, alors bien sûr l'amour est la réponse adéquate. Si quelqu'un nous traite avec frayeur, alors il faut y voir un appel à l'amour.

Le système pénitentiaire américain illustre la différence philosophique et pratique entre le choix de percevoir le péché et celui de percevoir l'erreur. Nous considérons les criminels comme des coupables et cherchons à les punir. Mais tout ce que nous faisons aux autres, c'est à nous-mêmes que nous le faisons. Les statistiques prouvent douloureusement que nos prisons sont des écoles de crime ; un très grand nombre de délits sont commis par d'ex-détenus. En punissant les autres, nous finissons par nous punir nous-mêmes. Cela signifie-t-il qu'il faille pardonner à un violeur, lui dire que nous comprenons qu'il a eu une mauvaise journée et le renvoyer chez lui ? Bien sûr que non. Il faut demander un miracle. Un miracle serait, ici, cesser de percevoir les prisons comme des maisons de châtiment et les percevoir comme des centres de réhabilitation. Quand nous changeons consciemment l'objectif des prisons et quand nous passons de la peur à l'amour, nous libérons d'infinies possibilités de guérison.

Le pardon est pareil à un art martial de la conscience. Dans l'Aïkido et dans d'autres arts martiaux, on esquive la force de l'assaillant plutôt que d'y résister. L'énergie de l'attaque se retourne alors comme un boomerang contre l'assaillant. Notre force consiste à ne pas réagir. Le pardon procède de la même façon. Quand nous contre-attaquons – et la défense est une forme d'attaque – nous prenons l'initiative d'une guerre que personne ne peut gagner. Comme le manque d'amour n'est pas réel, il ne nous affecte pas, ni nous-mêmes ni les autres. Le problème, bien sûr, est que nous pensons qu'il nous affecte. En cherchant un miracle, nous cessons de participer aux batailles de la vie. Nous demandons d'être élevés au-dessus de ces batailles. Le Saint-Esprit nous rappelle que la bataille n'est pas réelle.

« La vengeance m'appartient, a dit le Seigneur » signifie : « Renoncez à l'idée de vengeance. » Dieu contrebalance tout le mal, mais non par l'attaque, par le jugement ou par le châtiment. Contrairement à ce que nous pensons quand nous sommes submergés d'émotions qui nous portent à juger, une colère juste n'existe pas. Quand j'étais petite, je me chamaillais avec mon frère ou ma sœur. Ma mère, quand elle revenait à la maison, était mécontente de nos disputes. L'un de nous disait toujours : « C'est lui (ou elle) qui a commencé ». En réalité, peu importe « qui a commencé ». Que vous preniez l'initiative d'attaquer ou que vous réagissiez à l'attaque, vous êtes instrument de l'attaque, et non de l'amour.

Il y a quelques années, lors d'un cocktail, je participai à une discussion très vive sur la politique étrangère des États-Unis. Plus tard, ce soir-là, j'eus une sorte de rêve éveillé. Un monsieur m'apparut et me dit :

— Excusez-moi, Mme Williamson, mais nous pensons que nous devons vous le dire : Dans le registre cosmique, vous êtes classée au rang des faucons et non des colombes.

J'étais outrée.

— Pas du tout, répliquai-je avec indignation. Je suis totalement pour la paix. Je suis une authentique colombe.

— Je crains que non, dit-il. Je regarde nos livres et voilà, c'est écrit clairement : Marianne Williamson, belliciste. Vous êtes en guerre contre Ronald Reagan, contre Caspar Weinberger, contre la CIA, en fait contre tout l'establishment de la défense américaine. Non, je suis navré. Vous êtes assurément un faucon.

Je compris qu'il avait raison. J'avais exactement autant de missiles dans ma tête que Ronald Reagan en avait dans la sienne. Je pensais qu'il avait tort de juger les communistes, mais je pensais avoir raison de le juger, lui. Pourquoi ? Parce que j'avais *raison*, évidemment.

Pendant des années, j'ai été une femme de gauche en colère avant de me rendre compte qu'une génération en colère est incapable d'instaurer la paix. Chacun de nos actes est imbu de l'énergie avec laquelle nous le faisons. Comme l'a dit Gandhi : « Nous devons être le changement ». L'ego ne veut pas que nous nous rendions compte que les premiers fusils dont nous devons nous débarrasser sont ceux que nous avons dans la tête.

4. LE CHOIX DE L'AMOUR

« *Choisir l'ego, c'est choisir la culpabilité ; choisir le Saint-Esprit, c'est choisir la non-culpabilité.* »

L'ego insiste toujours sur ce qu'on a fait de mal. Le Saint-Esprit insiste toujours sur ce qu'on a fait de bien. Le Cours compare l'ego à un chien qui fouille les ordures pour en retirer toute bribe d'évidence de la culpabilité de notre frère et qui la dépose aux pieds de son maître. Le Saint-Esprit, de la même façon, envoie ses propres messagers chercher l'évidence de l'innocence de notre frère. L'important est de décider ce que nous voulons voir, avant de le voir. Nous recevons ce que nous demandons. « *La projection fait la perception.* » Nous pouvons trouver – et en fait, nous *trouverons* – tout ce que nous recherchons dans la vie. Le Cours dit que nous pensons connaître assez une personne pour savoir si elle est digne ou non d'être aimée, mais qu'à moins de l'aimer nous ne pourrons jamais la comprendre. Cheminer spirituellement implique que nous assumions consciemment la responsabilité de ce que nous choisissons de percevoir : la culpabilité ou l'innocence d'un frère. Nous voyons l'innocence d'un frère quand nous décidons de ne rien *vouloir* voir d'autre. Les êtres humains ne sont pas parfaits – c'est-à-dire qu'ils n'expriment pas extérieurement leur perfection interne. Il ne dépend que de nous de choisir de mettre l'accent sur ce qui dans leur personnalité est coupable, ou de mettre l'accent sur l'innocence de leur âme.

Ce que nous pensons être la culpabilité des autres est, en fait, leur peur. Tout négativisme découle de la peur. Si quelqu'un est en colère, c'est qu'il a peur. Si quelqu'un est brutal, c'est qu'il a peur. Si quelqu'un est manipulateur, c'est qu'il a peur. Si quelqu'un est cruel, c'est qu'il a peur. Il n'existe aucune peur que l'amour ne soit pas capable de dissiper. Il n'existe aucun négativisme que le pardon ne soit pas capable de transformer.

Les ténèbres sont essentiellement absence de lumière et la peur est essentiellement absence d'amour. Il est impossible de se débarrasser des ténèbres en cognant dessus à coups de bâton de base-ball, parce qu'il n'y a rien sur quoi cogner. Pour dissiper les ténèbres, il faut allumer la lumière. De la même façon, pour dissiper la peur, il ne faut pas se battre : il faut remplacer la peur par l'amour.

Choisir l'amour n'est pas toujours facile. L'ego ne veut pas renoncer à ses réactions de peur. C'est ici qu'intervient le Saint-Esprit. Ce n'est pas notre affaire de changer nos propres perceptions, mais bien de nous rappeler de Lui demander qu'Il les change pour nous.

Disons que votre mari vous ait quittée pour une autre femme. Vous ne pouvez changer les autres, pas plus que vous ne pouvez demander à Dieu de les changer. Mais vous pouvez demander de voir différemment la situation. Vous pouvez demander la paix. Vous pouvez demander au Saint-Esprit de changer vos perceptions. Si vous renoncez à juger votre mari et l'autre femme, le miracle est que cette douleur qui vous tient au ventre commence à s'estomper.

L'ego, dans cette situation, vous dira sans doute que vous ne trouverez jamais la paix, sauf si votre mari revient. Mais les circonstances extérieures ne déterminent pas la paix. La paix jaillit du pardon. La douleur ne naît pas de l'amour que les autres nous refusent, mais de l'amour que nous leur refusons. Dans un cas de ce genre, nous avons l'impression que c'est le comportement de l'autre qui nous blesse. Mais, en réalité, parce que l'autre nous a fermé son cœur, nous lui avons fermé le nôtre, et ce qui nous blesse est notre propre refus d'aimer. C'est pourquoi le miracle est un changement de pensée : la volonté de garder le cœur ouvert, indépendamment de ce qui se passe à l'extérieur de soi.

Un miracle est toujours possible dans n'importe quelle situation parce que personne ne peut décider à notre place comment interpréter nos propres expériences. « *Il n'y a que deux émotions : l'amour et la peur.* » Nous pouvons interpréter la peur comme un appel à l'amour. Les travailleurs en miracles, dit le Cours, sont généreux parce qu'il est de leur intérêt de l'être. Nous donnons une chance aux autres pour pouvoir rester en paix nous-mêmes.

L'ego prétend que nous pouvons projeter notre colère sur les autres et ne pas la ressentir nous-mêmes, mais comme tous les esprits sont continus, tout ce que nous projetons sur les autres, nous le ressentons aussi. Nous fâcher contre quelqu'un peut nous soulager un moment, mais au bout du compte toute la peur et toute la culpabilité nous reviennent. Si nous jugeons l'autre, l'autre nous jugera aussi – et même s'il ne nous juge pas, *nous aurons l'impression qu'il nous juge !*

À vivre dans ce monde, nous avons appris à réagir instinctivement de façon non naturelle, à toujours nous précipiter sur la colère, la paranoïa, les réflexes de défense ou sur quelque autre forme de peur. Une pensée non naturelle nous paraît naturelle, et une pensée naturelle nous paraît non naturelle.

Un cours sur les miracles ne nous enseigne pas à cacher notre colère sous une couche de peinture rose et à prétendre qu'elle n'existe pas. Ce qui psychologiquement n'a pas de sens n'en a pas non plus spirituellement. Nier ou supprimer une émotion n'a pas de sens. Vous ne dites pas : « Je ne suis pas en colère, non vraiment je ne le suis pas. Je suis à la page 140 d'*Un cours sur les miracles* et je ne me fâche plus jamais », alors qu'intérieurement vous bouillez. Le Saint-Esprit nous dit : « N'essayez pas de vous purifier vous-même avant de venir. Je suis le purificateur. » Un jour, en m'en allant donner une conférence, je me mis à penser à quelqu'un contre qui j'étais fâchée. Je m'efforçai de cacher rapidement cette pensée, comme si elle n'était pas assez sainte pour moi, surtout à un tel moment. Puis, j'eus l'impression d'entendre une voix dans ma tête qui disait : « Hé, je suis ton ami. Tu te souviens ? » Le Saint-Esprit ne me jugeait pas pour ma colère, Il était là pour m'aider à la dépasser.

Il ne faut pas oublier la raison d'être du Saint-Esprit. On ne nie pas qu'on est fâché, mais en même temps on admet que tous nos sentiments découlent d'une façon de penser dépourvue d'amour, et on est disposé à guérir ce manque d'amour. Croître n'est jamais mettre l'accent sur ce qui sert de leçon à autrui, mais uniquement sur ce qui nous sert de leçon à nous-mêmes. Nous ne sommes pas les victimes du monde extérieur. Même s'il est dur de le croire parfois, nous sommes toujours responsables de notre façon de voir les choses. Il n'y aurait pas de sauveur s'il n'y avait pas besoin d'en avoir. Il se produit bien sûr, en ce monde, des choses qui empêchent pratiquement d'aimer – des choses cruelles, horribles – mais le Saint-Esprit est en nous pour accomplir l'impossible. Il fait pour nous ce que nous sommes incapables de faire pour nous-mêmes. Il nous prête Sa force, et quand Son esprit se joint au nôtre, la pensée de l'ego est chassée.

Mais nous devons rester conscients de nos sentiments d'ego pour pouvoir nous en défaire. « *Il ne peut chasser de ses rayons ce que tu gardes caché, car tu ne le Lui as pas offert et Il ne peut te le prendre.* » Le Saint-Esprit violerait notre libre arbitre s'Il changeait nos schémas mentaux sans que nous ne le Lui demandions. Mais si nous Lui demandons de les changer, Il les change. Si nous sommes en colère, ou fâchés pour quelque raison que ce soit, on nous demande de dire : « Je suis en colère, mais je ne suis pas disposé à l'être. Je suis disposé à voir autrement cette situation. » Nous demandons au Saint-Esprit d'intervenir dans une situation et de nous la montrer sous un jour différent.

Un jour, je me faisais poser des ongles de porcelaine, et l'amie de ma manucure entra dans la pièce. J'étais incapable de supporter cette femme. Dès l'instant où elle ouvrait la bouche, j'avais envie de grimper dans les rideaux. Comme je n'avais pas les mains libres, je ne pouvais quitter la pièce et comme la manucure assistait à mes conférences, je me sentais honteuse de ma réaction. Je priai et demandai l'aide de Dieu. Sa réponse fut spectaculaire. L'« odieuse » bonne femme se mit à parler sur-le-champ de son enfance, et particulièrement de ses relations avec son père. Pendant qu'elle décrivait son enfance, je compris clairement à quel point elle avait grandi sans la moindre estime de soi, et avec un besoin excessif d'acquérir une personnalité extraordinaire, ce qui dans sa tête dénotait de la force morale. Ses défenses ne marchaient pas, bien sûr. Nées de la peur, les défenses font du tort. Et soudain le comportement de cette femme qui cinq minutes plus tôt m'irritait tellement, me plongea dans une profonde compassion. Le Saint-Esprit m'avait pointé du doigt l'information qui me faisait fondre le cœur. Maintenant, je la voyais différemment. C'était ça le miracle : son comportement n'avait pas changé ; j'avais changé.

« Par conséquent, le plan comporte pour chaque enseignant de Dieu des contacts très spécifiques à faire. »

Chaque rencontre est une affectation. Chacune participe d'un vaste plan conçu pour notre illumination, le plan du Saint-Esprit par lequel chaque âme individuelle est conduite à un niveau supérieur de conscience et à un amour plus vaste. Les relations sont le laboratoire du Saint-Esprit. Il y fait se rencontrer les gens qui ont les chances optimales de croître ensemble. Il sait qui peut apprendre le plus de qui n'importe quand. Alors, Il les assigne les uns aux autres. Comme un ordinateur géant universel, Il sait exactement quelle combinaison d'énergie, dans quel contexte exactement, contribuera le plus à raffermir le plan de Dieu pour le salut commun. Aucune rencontre n'est accidentelle. « *Ceux qui doivent se rencontrer se rencontreront parce qu'ensemble ils ont le potentiel de former une relation sainte.* »

Le Cours dit qu'il y a « *trois niveaux d'enseignement* » dans les relations. Le premier niveau est ce que nous considérons comme une rencontre banale, celle où deux étrangers se rencontrent dans un ascenseur ou des étudiants à qui « *il arrive* » de rentrer ensemble chez eux de l'école. Le second niveau est une « *relation plus durable, dans laquelle, pendant un moment, deux personnes vivent une situation d'enseignement-formation assez intense puis ensuite semblent se séparer* ». Le troisième niveau d'enseignement est une relation qui, une fois nouée, dure toute la vie. À ce niveau « *chaque personne reçoit un partenaire choisi, qui lui présente un nombre illimité d'occasions d'apprendre* ».

Même au premier niveau d'enseignement, il peut arriver que les gens dans l'ascenseur se sourient ou que les étudiants deviennent des amis. Le plus souvent, lors de rencontres fortuites, nous avons la chance d'émousser le tranchant de notre personnalité. Toutes nos faiblesses personnelles qui apparaissent dans nos relations fortuites sont inévitablement amplifiées dans nos relations plus durables. Si nous sommes désagréables avec la préposée à la banque, il nous sera difficile d'être gentils avec ceux que nous aimons le plus.

Au second niveau d'enseignement, les gens sont rassemblés pour un travail plus intense. Pendant le temps qu'ils passent ensemble, ils vivent toutes les expériences qui leur fourniront les leçons qu'ils auront à apprendre. Quand l'intimité physique ne supporte plus entre eux le niveau supérieur d'enseignement et d'apprentissage, leur mission exigera qu'ils se séparent physiquement. Ce qui semble alors la fin de la relation n'est pas réellement une fin. Les relations sont éternelles. Elles relèvent de l'esprit, et non du corps, parce que les êtres humains sont énergie et non substance physique. Des corps qui s'unissent peuvent ou non indiquer la réelle union, parce que l'union relève de l'esprit. Il peut arriver que des gens qui ont dormi ensemble dans le même lit pendant vingt-cinq ans ne soient pas réellement unis, et que des gens qui vivent à plusieurs milles de distance ne soient pas du tout séparés.

Les membres d'un couple séparé ou divorcé considèrent souvent avec tristesse l'« échec » de leur relation. Mais si les deux personnes ont appris ce qu'elles devaient apprendre, leur relation a été une réussite. Le temps peut être venu qu'ils se séparent physiquement pour être capables d'apprendre plus et d'une autre façon ; pas seulement apprendre ailleurs d'autres personnes, mais aussi apprendre les leçons du pur amour qui naît d'avoir à renoncer à la forme d'une relation existante.

Les relations de troisième niveau, celles qui durent toute une vie, sont généralement peu fréquentes parce que « *leur existence suppose que ceux qui sont concernés ont atteint simultanément un niveau dans lequel l'équilibre d'enseignement-formation est effectivement parfait* ». Ceci ne signifie pas que nous nous rendions nécessairement compte de nos assignations du troisième niveau ; en fait, on ne s'en rend généralement pas compte. Il peut même arriver que nous éprouvions de l'hostilité envers ces êtres particuliers. Quelqu'un avec qui nous avons toute une vie des leçons à apprendre est quelqu'un dont la présence nous force à croître. Ce peut être quelqu'un avec qui nous collaborons avec amour pendant toute la vie, et parfois quelqu'un que nous ressentons comme une source d'irritation constante pendant des années, et même toujours. Ce n'est pas parce que l'autre a beaucoup à nous apprendre que nous l'aimons nécessairement. Les êtres qui ont le plus à nous apprendre nous renvoient souvent les limites de notre propre capacité d'aimer. Ils remettent en question consciemment ou inconsciemment nos positions de peur. Ils nous montrent nos murs. Nos murs sont nos blessures – les lieux où nous sentons que nous ne sommes plus capables d'aimer, plus capables de communiquer plus profondément, plus capables par-delà un certain point de pardonner. Nous sommes les uns et les autres présents dans nos vies pour nous aider mutuellement à voir où nous avons le plus besoin de guérir, et pour nous aider à guérir.

6. LA RELATION SPÉCIALE

> « *La relation spéciale d'amour est l'arme maîtresse de l'ego pour te tenir à distance du Ciel.* »

Nous éprouvons tous le besoin de trouver « le Partenaire parfait ». C'est presque une obsession culturelle. Mais d'après *Un cours sur les miracles*, cette recherche de l'être parfait qui « *arrangera tout pour nous* » est l'une de nos plus grandes blessures psychiques et l'une des plus puissantes illusions de l'ego. C'est une notion que le Cours appelle la « *relation spéciale* ». Même si le mot « spécial » connote d'habitude quelque chose d'extraordinaire, dans le contexte du Cours, spécial signifie différent, et par là séparé – une caractéristique de l'ego plutôt que de l'esprit. La relation spéciale est une relation fondée sur la peur.

« *Dieu ne créa qu'un Fils unique* » et Il nous aime tous en tant qu'un. Pour Lui, personne n'est spécial ni différent parce que personne en réalité n'est séparé de personne. Puisque notre paix consiste à aimer du même amour que Dieu, nous devons nous efforcer d'aimer tout le monde. Notre désir de trouver un « partenaire idéal », une part du Fils qui nous complétera, est douloureux parce qu'il est illusoire. Cela signifie que nous cherchons le salut dans la séparation plutôt que dans l'unité. Le seul amour qui nous complète est l'amour de Dieu, et l'amour de Dieu est l'amour de tous. Cela ne signifie pas que toutes nos relations soient de même nature, mais plutôt que nous cherchons dans chaque relation le même contenu : une qualité d'amour fraternel et d'amitié qui dépasse les diverses sortes de relations et les changements de corps.

Tout comme le « *Saint-Esprit fut la réponse de Dieu à la séparation, la relation spéciale fut alors la réponse de l'ego à la création du Saint-Esprit* ». Après la séparation, nous avons ressenti un énorme vide béant en nous, et la plupart d'entre nous le ressentent encore. Le seul antidote est le Rachat, ou le retour à Dieu, parce que la douleur que nous ressentons est en réalité notre refus de l'amour. Mais l'ego nous dit les choses autrement. Il prétend que l'amour dont nous avons besoin doit venir de quelqu'un d'autre, et qu'il existe quelque part un être spécial capable de combler le vide. Le désir de trouver cette personne naît, en fait, de notre conviction d'être séparés de Dieu ; ce désir symbolise, dès lors, la séparation et la culpabilité que nous en éprouvons. Notre quête porte l'énergie de la séparation. Et devient culpabilité. Et c'est pourquoi nos relations les plus intimes déclenchent souvent tant de colère. Nous projetons sur quelqu'un d'autre notre fureur contre nous-mêmes de nous être coupés de notre propre amour.

Nous pensons souvent être « en amour » avec quelqu'un, comme l'indique *Un cours sur les miracles*, alors qu'en réalité, il s'agit de tout, sauf de cela. L'amour spécial n'est pas fondé sur l'amour mais sur la culpabilité. L'amour spécial est la séduction de l'ego séparé de Dieu. Penser qu'autre chose que Dieu puisse nous combler et nous donner la paix est la plus haute forme d'idolâtrie ou de tentation. L'ego nous dit qu'il existe quelque part un partenaire spécial capable d'éloigner de nous toute douleur. Nous ne le croyons pas vraiment, mais d'un autre côté nous le croyons vraiment. Notre culture – les livres, les chansons, les films, la publicité et, de façon plus importante, la conspiration des autres ego – nous a inculqué l'idée. Le travail du Saint-Esprit consiste à transformer l'énergie de l'amour spécial, et à la faire passer de la traîtrise à la sainteté.

La relation spéciale accorde trop d'importance à l'autre – son comportement, ses choix, l'opinion qu'il a de nous. Elle nous incite à croire que nous avons besoin de quelqu'un d'autre, alors qu'en fait nous sommes entiers et complets tels que nous sommes. L'amour spécial est un amour « aveugle ». Il cherche à guérir la mauvaise blessure. Il vise à combler le fossé qui nous sépare de Dieu, alors que ce fossé n'existe pas, même si nous pensons qu'il existe. En traitant ce fossé comme s'il était réel, et en en déplaçant l'origine chez les autres, nous fabriquons en réalité l'expérience que nous cherchons à rectifier.

Guidés par le Saint-Esprit, nous nous rejoignons dans la joie partagée. Guidés par l'ego, nous nous rejoignons dans le désespoir partagé. Le négativisme, cependant, ne peut pas être vraiment partagé, car il est une illusion. « *Une relation spéciale est une union de laquelle l'union est exclue.* »

Une relation n'a pas pour objet de permettre à deux personnes émotivement infirmes de s'unir physiquement. L'objectif d'une relation n'est pas de permettre à deux êtres incomplets de devenir un, mais de permettre à deux êtres complets de s'unir pour la plus grande gloire de Dieu.

La relation spéciale est l'outil par lequel l'ego nous sépare plutôt que de nous unir. Se fondant sur la conviction qu'il existe un vide intérieur, il demande toujours : « Que puis-je obtenir ? », alors que le Saint-Esprit demande : « Que puis-je donner ? » L'ego cherche à se servir des autres pour combler ce que nous pensons être nos besoins. Certaines voix ne cessent de demander, ces temps-ci, si, dans nos relations, « nos besoins sont satisfaits ». Mais lorsque nous tentons d'utiliser une relation pour servir nos objectifs personnels, nous cafouillons parce que nous renforçons l'illusion de nos besoins. Guidés par l'ego, nous cherchons toujours quelque chose et sabotons toujours ce que nous trouvons.

Un jour, une de mes amies m'a téléphoné pour me dire qu'elle était sortie avec quelqu'un qu'elle aimait vraiment. La semaine suivante, elle m'a retéléphoné. Il n'était pas venu à un de leurs rendez-vous et avait préféré partir à la campagne. Elle ne l'aimait pas, après tout.

— Je ne le supporterai pas de personne, me dit-elle. Je veux vivre une *vraie relation*.

— Non, tu n'es pas prête à vivre une vraie relation, répondis-je. Pas si tu ne permets pas à l'autre de commettre une erreur.

L'ego lui avait dit de rejeter cet homme parce qu'elle voulait vivre une vraie relation, mais en réalité il s'arrangeait pour qu'elle ne puisse pas en vivre une. L'ego ne cherche pas quelqu'un à aimer, il cherche quelqu'un à attaquer. Son précepte en amour est « cherche et ne trouve pas ». Il cherche un reflet de lui-même, un autre masque qui cache le visage du Christ. Dans une relation spéciale, on a peur de montrer la vraie réalité de soi – ses peurs, ses faiblesses – parce qu'on a peur, si l'autre la voit, qu'il nous quitte. On présume qu'il est aussi porté à juger que nous-mêmes le sommes. Et l'on n'est pas prêt non plus à vouloir voir les faiblesses de l'autre, parce que nous sommes nerveux à l'idée de penser que nous partageons la vie de quelqu'un qui a ces faiblesses-là. La situation est telle qu'elle combat l'authenticité, et donc la véritable croissance. La relation spéciale perpétue cette mascarade où nous nous punissons nous-mêmes et où nous cherchons désespérément à attirer l'amour en étant ce que nous ne sommes pas. Même si nous cherchons l'amour, nous alimentons notre propre haine de nous-mêmes et le peu d'estime que nous avons de nous.

Où est notre miracle ici ? C'est passer de l'illusion d'une relation spéciale à une pensée de la relation sainte. Nos schémas mentaux, quand il s'agit de relations, sont si chargés de peur – d'attaque et de défense, de culpabilité et d'égoïsme, même habilement déguisés – que souvent nous en sommes réduits à tomber à genoux. Comme toujours, c'est une excellente position. Nous prions Dieu de guider nos pensées et nos sentiments. « *Tu peux confier toute relation aux soins du Saint-Esprit en étant sûr qu'elle n'entraînera pas la douleur.* »

7. LA RELATION SAINTE

> « *La relation sainte est l'ancienne relation non sainte transformée et vue d'une nouvelle façon.* »

Si la relation spéciale est la réponse de l'ego à la création du Saint-Esprit, la relation sainte est la réponse du Saint-Esprit à la relation spéciale. « *La relation sainte est l'ancienne relation spéciale qui a été transformée.* » Dans la relation spéciale, l'ego guide notre pensée et nous nous rencontrons dans la peur, masque contre masque. Dans la relation sainte, le Saint-Esprit a changé dans notre esprit l'objectif de l'amour et nous nous rencontrons, cœur contre cœur.

Un cours sur les miracles décrit la différence entre une alliance sainte et une alliance qui ne l'est pas :

> « *Car une relation non-sainte est fondée sur les différences : chacun pense que l'autre a ce qu'il n'a pas. Ils se rejoignent, chacun pour se compléter et voler l'autre. Ils resteront jusqu'au moment où ils pensent qu'il ne reste rien à voler, puis ils poursuivront leur chemin. Et ainsi, ils errent parmi un monde d'étrangers différents d'eux-mêmes ; leurs corps vivent peut-être sous un toit commun qui n'abrite ni les uns ni les autres ; ils vivent dans la même chambre et pourtant un monde les sépare.* »
>
> « *Une relation sainte naît de prémisses différentes. Chacun a regardé en lui et n'a vu aucune lacune. Il accepte sa complétude et voudrait l'entendre en s'unissant avec un autre qui est entier comme lui.* »

L'objectif d'une relation spéciale est de nous apprendre à nous haïr nous-mêmes, alors que l'objectif d'une relation sainte est de nous guérir de notre dégoût de soi. Dans une relation spéciale, nous cherchons toujours à dissimuler nos faiblesses. Dans une relation sainte, nous admettons que nous avons tous des blessures à guérir, et que la guérison est l'objectif de la vie commune. Nous ne cherchons pas à dissimuler nos faiblesses, et nous comprenons que la relation est un cadre dans lequel, grâce au pardon mutuel, la guérison est possible. Au Paradis terrestre, Adam et Ève étaient nus, mais ils n'étaient pas gênés. Cela ne veut pas dire qu'ils étaient physiquement nus : ils étaient émotivement nus, totalement vrais et honnêtes, sans être gênés pourtant, parce qu'ils se sentaient totalement acceptés tels qu'ils étaient.

Le Cours compare la relation spéciale à un tableau placé dans un cadre. L'ego s'intéresse plus au cadre – idée de la personne parfaite qui « *arrangera* » tout – qu'au tableau qui est la personne même. Le cadre est de style baroque et décoré de rubis et de diamants. Mais le Cours dit que les rubis sont notre sang et les diamants sont nos larmes. C'est l'essence du *spécialisme*. Ce n'est pas de l'amour mais de l'exploitation. Ce que nous appelons amour est souvent de la haine, au mieux du vol. Bien que nous ne le sachions pas consciemment, nous recherchons souvent quelqu'un qui, pensons-nous, a ce que nous n'avons pas et, une fois que nous l'obtenons de lui, nous sommes prêts à poursuivre notre chemin. Dans une relation sainte, c'est le tableau même qui nous intéresse. En guise de cadre nous ne voulons qu'un support léger, juste suffisant pour maintenir le tableau en place. Notre frère ne nous intéresse pas à cause de ce qu'il peut faire pour nous. Notre frère nous intéresse, c'est tout.

La relation sainte est, avant tout, amitié entre deux frères. Nous ne sommes pas ici pour nous juger l'un l'autre, pour accuser l'autre ou pour nous servir de lui de façon à satisfaire aux besoins de l'ego. Nous ne sommes pas ici pour corriger, changer ou rabaisser l'autre. Nous sommes ici pour nous aider, nous pardonner et nous guérir les uns les autres. Il m'est arrivé d'avoir en consultation un couple qui se séparait dans la dispute et le désordre. L'homme sortait avec quelqu'un et la femme était furieuse. Pendant une de nos séances, elle lui dit, parlant de sa nouvelle maîtresse : « Tu l'aimes uniquement parce qu'elle ne cesse de te répéter que tu es formidable ! » Il la regarda d'un air très grave et dit calmement : « Oui, je pense qu'il y a de ça, effectivement ! »

Et comment trouver une relation sainte ? Non pas en demandant à Dieu de changer notre partenaire, mais en demandant à Dieu de changer notre esprit. Il ne s'agit pas de fuir quelqu'un qui nous attire parce qu'on a peur de vivre avec lui une relation spéciale. Chaque fois qu'il y a possibilité d'amour, il y a possibilité d'une relation spéciale. Je demande souvent au public qui assiste à mes conférences : « Quelle serait la première chose à faire quand quelqu'un nous attire ? » et le public alors répond avec enthousiasme : « *Prier !* » La prière ressemble à ceci : « Mon Dieu, vous savez – et je sais – qu'en ce domaine plus qu'en tout autre, je risque de succomber à la névrose. Prenez, s'il vous plaît, l'attirance que j'éprouve pour cette personne, mes pensées et mes sentiments et servez-vous-en à vos propres fins. Permettez que cette relation se développe selon votre volonté. Amen. »

Le progrès spirituel ressemble à une désintoxication. Pour pouvoir se défaire des choses, il faut qu'elles remontent à la surface. Ce qui n'est pas guéri en nous est obligé de remonter, du moment où nous demandons de guérir. Une relation dont se sert le Saint-Esprit devient un lieu où ce qui nous empêche d'aimer n'est ni supprimé ni nié, mais porté à notre attention consciente. En présence de personnes qui nous attirent vraiment, nous n'agissons plus comme des fous. Nous sommes capables de discerner clairement nos dysfonctions et, quand nous sommes prêts, de demander à Dieu de nous montrer une autre façon d'agir.

Les relations sont des temples de guérison. Elles ressemblent à un voyage au bureau du médecin divin. Comment un médecin peut-il nous aider si nous ne lui montrons pas nos blessures ? Nous devons révéler les endroits où nous avons peur avant qu'ils puissent être guéris. *Un cours sur les miracles* enseigne que « *les ténèbres doivent être amenées à la lumière et non le contraire* ». Une relation qui nous permet essentiellement d'éviter les lieux où nous ne sommes pas guéris est une relation dans laquelle nous nous cachons, et pas une relation qui nous permet de croître. L'univers ne le supportera pas.

L'ego pense qu'une relation parfaite est une relation dans laquelle chacun montre un visage parfait. Mais ce n'est pas nécessairement le cas ; un étalage de force n'est pas toujours honnête, n'est pas toujours l'authentique expression de ce que nous sommes. Si je prétends être équilibrée quand je ne le suis pas, j'alimente une illusion sur moi-même. Et je ne le fais que par peur – la peur que l'autre me rejette s'il voit ma vraie vérité.

L'idée que se fait Dieu d'une « bonne relation » et l'idée que s'en fait l'ego sont complètement différentes. Pour l'ego, une bonne relation est une relation dans laquelle l'autre agit comme on veut qu'il agisse, sans jamais attaquer nos « bibittes » ni violer nos zones de confort. Mais si une relation doit nous aider à croître, alors très souvent elle ne sert précisément qu'à cela : nous obliger à dépasser notre seuil de tolérance limité, à surmonter notre incapacité d'aimer inconditionnellement. Tant que les autres ne peuvent pas se comporter comme ils veulent sans que notre paix intérieure en soit affectée, nous ne sommes pas alignés sur le Saint-Esprit. À certains moments dans ma vie, j'ai pensé d'une relation : « C'est vraiment horrible », mais après y avoir mieux réfléchi, je me suis rendu compte que Dieu aurait probablement dit : « Oh, comme c'est bon ! » En d'autres mots : Marianne a la chance de voir plus clairement ses névroses.

Une amie m'a annoncé un jour qu'elle venait de rompre.

— Pourquoi ? demandai-je.

— Pendant cinq jours, il ne m'a pas téléphoné.

Je ne répondis rien.

— Il sait que j'ai besoin qu'il me répète tous les jours qu'il m'aime, poursuivit-elle. J'ai établi des limites à ne pas dépasser. Tu ne penses pas que c'est bon ?

— Non, dis-je. Je pense que c'est enfantin... As-tu envisagé de l'accepter tel qu'il est ?

— Eh bien, merci de ton aide, dit-elle.

— Je t'en prie, répondis-je.

Je savais que, dans sa tête, l'aider aurait consisté pour moi à être d'accord avec elle sur la culpabilité de son ami. Il est extrêmement facile de trouver de l'aide pour se convaincre de la culpabilité de quelqu'un. Mais l'aide véritable consiste à nous aider les uns les autres à voir par-delà les erreurs, à cesser de juger et à voir l'amour que tout cela recouvre.

Nos névroses dans nos relations naissent souvent du fait que nous avons préparé un programme pour notre partenaire ou pour la relation elle-même. Ce n'est pas notre travail de transformer une relation en ce que nous pensons qu'elle devrait être. Si notre partenaire n'est pas d'un romantisme grandiose, c'est peut-être qu'il ne doit pas l'être avec nous. Cela ne veut pas dire qu'il soit dans le tort. Toutes les relations ne sont pas conçues pour se transformer en amour fou : si le train ne s'arrête pas à votre gare, ce n'est pas votre train. L'ego cherche à se servir d'une relation pour satisfaire nos besoins individuels tels que nous les définissons ; le Saint-Esprit demande que Dieu se serve de la relation pour servir Ses propres desseins. Et Son dessein est toujours de nous amener à apprendre comment aimer plus purement. Nous aimons purement quand nous permettons aux autres d'être ce qu'ils sont. L'ego cherche l'intimité par le contrôle et la culpabilité. Le Saint-Esprit cherche l'intimité par l'acceptation et la libération.

Dans la relation sainte, nous ne cherchons pas à changer quelqu'un, mais à voir à quel point il est beau. Notre prière devient : « Mon Dieu, enlève-moi les écailles des yeux. Aide-moi à voir la beauté de mon frère. » La douleur, dans une relation, naît de l'incapacité d'accepter l'autre comme il est.

Notre ego est tout simplement notre peur. Nous avons tous un ego, et cela ne fait pas de nous de mauvaises personnes pour autant. Notre ego ne se situe pas où nous sommes mauvais, mais où nous sommes blessés. Le Cours dit que « *nous craignons tous à un certain niveau que si les gens nous voyaient tels que nous sommes réellement, ils reculeraient d'horreur* ». Et c'est pourquoi nous inventons le masque, pour cacher notre vrai moi. Mais le vrai moi – le Christ en nous – est ce qu'il y a de plus beau. Nous devons dévoiler notre identité la plus profonde pour découvrir à quel point nous sommes vraiment dignes d'être aimés. Quand nous creusons assez profondément dans notre réelle nature, nous ne trouvons pas les ténèbres. Nous trouvons la lumière éternelle. Voilà ce que l'ego ne veut pas que nous voyions ; qu'en réalité notre sécurité consiste à *laisser tomber* le masque. Il est impossible de parvenir à enlever le masque quand on a toujours peur d'être jugé. La relation sainte est un contexte dans lequel nous nous sentons assez en sécurité pour être nous-mêmes, sachant que nos ténèbres ne seront pas jugées mais pardonnées. Ainsi, nous sommes guéris, et nous avons la liberté de gagner la lumière de notre être véritable. Nous sommes motivés à croître. Une sainte relation est ceci : « *un état d'esprit commun où les deux donnent avec joie leurs erreurs à corriger de façon à guérir heureusement tous deux en tant qu'un* ».

8. L'AMOUR ROMANTIQUE

« *Il n'est d'autre amour que celui de Dieu.* »

« *Il n'existe pas différentes sortes d'amour : un amour pour la mère et l'enfant, un amour pour les amants et un autre pour les amis. L'amour réel est celui qui se trouve au cœur de toutes relations. C'est l'amour de Dieu et cet amour ne change pas selon les formes ou les circonstances.* »

— Ta relation avec ton bébé t'apprend certainement une toute nouvelle forme d'amour, m'a dit récemment une de mes amies.

— Non, pas du tout, ai-je répondu. Mais elle m'ouvre à un niveau plus profond de tendresse qui m'enseigne mieux ce qu'est l'amour.

Les gens demandent : « Comment se fait-il qu'il soit si difficile de trouver un amour intime, profond ? » La question est pertinente parce que les gens sont seuls. Un amour intime et romantique, c'est comme s'astreindre à poursuivre un doctorat en amour, et la plupart d'entre nous sont à peine sortis de l'école primaire. Si nous ne vivons pas une relation avec quelqu'un, l'ego nous pousse à croire que toute notre douleur s'en irait si nous en vivions une. Mais si la relation dure, elle ramène en surface une bonne part de notre douleur existentielle. Cela fait partie de ses objectifs. La relation met à contribution toutes nos facultés de compassion, d'acceptation, d'abandon, de pardon et d'abnégation. Il se pourrait que nous ayons tendance, quand nous n'en vivons pas, d'oublier tous les défis qu'une relation nous impose, mais nous les voyons très clairement quand nous la vivons.

Les relations ne suppriment pas nécessairement la douleur. La seule chose qui « supprime la douleur » est la guérison des choses qui provoquent la douleur. Ce n'est pas l'absence des autres qui nous cause de la douleur, mais ce que nous leur faisons quand ils sont présents dans notre vie. Le pur amour ne demande que la paix pour un frère, parce qu'il sait que c'est aussi le seul moyen d'être en paix soi-même. Combien de fois n'ai-je pas dû me demander : « Est-ce que je veux qu'il soit en paix, ou bien est-ce que je veux qu'il me téléphone ? » L'amour pur d'une autre personne est le rétablissement de la ligne téléphonique du cœur. L'ego, par conséquent, se mobilise contre cela. Il fait tout son possible pour bloquer toute forme d'amour. Quand deux êtres se rassemblent en Dieu, les murs qui semblent les séparer disparaissent. Le bien-aimé semble n'être plus un simple mortel. Il paraît, pendant un moment, être autre chose, quelque chose de plus. Et, en vérité, il *est* quelque chose de plus. Personne n'est rien de moins que le Fils parfait de Dieu, et quand on est amoureux, il y a un instant où l'on voit la totale vérité de l'autre. Il *est* parfait. Ce n'est pas notre imagination qui nous joue des tours.

Mais la folie s'installe rapidement. Dès que la lumière apparaît, l'ego se lance dans ses puissantes manœuvres pour l'éteindre. Tout d'un coup, la perfection apparue au plan spirituel se projette sur le physique. Au lieu de nous rendre compte que la perfection spirituelle et l'imperfection matérielle, physique coexistent, nous nous mettons à chercher la perfection matérielle, physique. Nous pensons que la perfection spirituelle de l'autre ne suffit pas. Il faut aussi qu'il soit parfaitement vêtu. Il doit être à la mode. Il doit éblouir. Et plus personne ne peut être simplement humain. On s'idéalise mutuellement et, quand quelqu'un n'atteint pas l'idéal, tout le monde est déçu.

Le rejet de l'autre, simplement parce qu'il est humain, est devenu une névrose collective. Les gens demandent : « Quand vais-je rencontrer l'âme sœur ? » Mais il ne sert à rien de prier pour rencontrer le bon partenaire, si nous ne sommes pas prêts à le recevoir. Nos âmes sœurs sont des êtres humains, exactement comme nous, et ils vivent les processus normaux de la croissance. Personne, jamais, n'est complètement « achevé ». Le sommet d'une montagne est toujours la base d'une autre, et même si quelqu'un nous rencontre quand « nous planons au-dessus de nos affaires », il y a de bonnes chances que peu après nous soyons confrontés à des difficultés. Notre destin de croître rend ces choses inévitables. Mais l'ego n'aime pas celui qui « vit des passes difficiles ». Ce n'est pas séduisant. Comme dans tout autre domaine, en ce qui concerne les relations, le problème est très rarement que nous n'ayons pas eu des chances magnifiques ou que nous n'ayons pas rencontré des gens merveilleux. Le problème est que nous n'avons pas su profiter au mieux des chances que nous avons eues. Parfois, nous n'avons pas su voir à quel point les gens que nous rencontrions étaient merveilleux. L'amour nous entoure de toutes parts. L'ego nous empêche de prendre conscience de la présence de l'amour. L'idée qu'il existe un être parfait que nous n'avons pas encore rencontré est le blocage majeur.

Nous sommes vulnérables au mythe du « Partenaire parfait » parce que nous glorifions l'amour romantique. L'ego se sert de l'amour romantique pour servir ses desseins « spéciaux » et nous amène à compromettre nos relations en surévaluant leur caractère romantique. L'image d'une rose à longue tige illustre bien la différence entre l'amitié et l'amour romantique. La tige est l'amitié ; la fleur, l'amour romantique. Comme l'ego met automatiquement l'accent sur le sensationnel, notre attention se porte automatiquement sur la fleur. Mais tout ce dont la fleur a besoin pour vivre lui parvient par la tige. La tige, par comparaison, peut sembler terne, mais quand on sépare la fleur de la tige, elle ne dure jamais longtemps. Je me suis servie une fois de cette image dans une conférence et une femme y a rajouté une idée adorable : un amour romantique qui dure est comme un buisson de roses. En toute saison, une fleur peut tomber. Mais si la plante est bien nourrie, la même saison reviendra et de nouvelles fleurs apparaîtront. La disparition de la ferveur romantique ne sonne pas nécessairement la fin d'une merveilleuse relation, sauf pour l'ego. L'Esprit est capable de voir la graine de la renaissance dans tout déclin.

Un cours sur les miracles dit que « *notre tâche n'est pas de rechercher l'amour mais de rechercher toutes les barrières que nous dressons contre sa venue* ». Penser qu'il existe quelque part une personne spéciale qui nous sauvera est une barrière à l'amour pur. C'est un fusil de gros calibre dans l'arsenal de l'ego ; un moyen par lequel l'ego essaie de nous écarter de l'amour, même s'il ne veut pas que nous le sachions. Nous cherchons désespérément l'amour, mais ce même désespoir nous amène à le détruire dès qu'il arrive. Si nous pensons qu'une seule personne spéciale est capable de nous sauver, et qu'il advient qu'elle se présente et que nous avons l'impression qu'elle fait l'affaire, alors nous avons tendance à l'accabler d'un terrible fardeau émotionnel.

Nous n'avons pas besoin de rappeler à Dieu que nous aimerions des relations merveilleuses. Il le sait déjà. *Un cours sur les miracles* dit qu'un désir est une prière. La prière la plus éclairée n'est pas : « Mon Dieu, envoie-moi quelqu'un de merveilleux », mais « Mon Dieu, aide-moi à me rendre compte que je suis quelqu'un de merveilleux. » Dans le temps, je priais pour qu'un homme merveilleux se présente et m'enlève mon désespoir. Au bout du compte, je me suis dit : « Pourquoi ne pas essayer de t'en occuper toi-même avant qu'il ne se présente ? » Il m'est impossible d'imaginer aucun homme qui dise à un de ses amis : « Mon vieux, hier soir, j'ai rencontré une femme désespérée fabuleuse ! » Chercher le Partenaire parfait conduit au désespoir parce qu'il n'existe pas de Partenaire parfait. Il n'existe pas de Partenaire parfait parce qu'il n'existe pas de Partenaire imparfait. Il y a la personne qu'on a devant soi, et les parfaites leçons qu'on peut en apprendre.

Si votre cœur désire un partenaire intime, il peut arriver que le Saint-Esprit ne vous envoie pas celui qui serait, pour vous, le partenaire suprême, mais quelque chose de mieux : quelqu'un avec qui vous aurez l'occasion de travailler les endroits en vous-mêmes qui ont besoin de guérir avant que vous ne soyez *prêts* à l'intimité la plus profonde. La conviction qu'il existe un amour spécial amène à écarter tout ce qu'on ne considère pas, à prime abord, comme participant de la « relation suprême ». Il m'est arrivé ainsi de laisser passer de bonnes occasions et de ne pas réussir à profiter de situations qui auraient pu accélérer ma croissance. Parfois, nous ne réussissons pas à travailler sur nous-mêmes, dans une relation qui s'offre à nous, pensant que la « vraie vie » commencera quand le « Partenaire parfait » se présentera. Il s'agit d'un autre stratagème de l'ego pour s'assurer que nous chercherons mais ne trouverons pas. Le problème à ne pas prendre une relation au sérieux quand nous avons l'impression qu'il ne s'agit pas du Partenaire parfait est le suivant : régulièrement, le Partenaire parfait se présente à nous – il apparaît même parfois comme le Partenaire imparfait transformé – mais nous passons à côté parce que nous ne sommes pas vigilants. Il est là, mais nous ne sommes pas prêts. Nous n'avons pas travaillé sur nous-mêmes. Nous attendons le Partenaire parfait.

Un cours sur les miracles dit qu'un jour nous nous rendrons compte que rien ne se produit en dehors de notre esprit. La façon dont une personne se présente à nous est intimement liée à la façon dont nous choisissons de nous présenter à elle. J'ai appris que mes réponses les plus productives dans mes relations se produisent, non quand je me concentre sur les détails de l'autre, mais plutôt quand je m'engage à jouer mon propre rôle dans la relation, au niveau le plus élevé possible. L'amour est une émotion participative. Dans une relation sainte, nous prenons une part active à la création d'un contexte qui permet le développement le plus constructif possible de l'interaction. Nous créons activement les conditions de l'intérêt, plutôt que d'attendre passivement de voir si nous sommes intéressés ou non.

Personne n'est toujours formidable. Personne n'est toujours sexy. Mais l'amour est une décision. Il est enfantin d'attendre de voir si l'autre est assez bon, et en plus cela lui donne l'impression de passer une audition pour obtenir un rôle dans une pièce de théâtre. Dans ce genre d'espace, on se sent nerveux, et quand on est nerveux, on n'est jamais à son meilleur. L'ego cherche quelqu'un d'assez séduisant avant de lui accorder son soutien. Les êtres les plus mûrs parmi nous, et les plus soucieux de miracles, accordent leur soutien aux autres pour les aider à devenir séduisants. Une part du travail que nous avons à effectuer sur nous-mêmes pour être prêts à vivre une relation profonde, consiste à apprendre comment aider l'autre à être le meilleur possible. Les partenaires sont conçus pour jouer mutuellement le rôle de prêtre dans la vie l'un de l'autre. Ils sont conçus pour s'aider l'un l'autre à accéder aux parties les plus élevées en eux.

Je suis sortie avec des hommes qui n'ont jamais semblé penser que j'étais assez bonne. Je suis sortie aussi avec des hommes assez gentils pour dire : « Tu es superbe, ce soir », assez souvent pour soutenir le respect que je me portais et m'aider à me présenter avec plus de beauté devant la vie. En réalité, personne n'est objectivement séduisant ou non séduisant. Cela n'existe pas. Il y a ceux qui manifestent le potentiel de lumière que nous partageons tous, et ceux qui ne le manifestent pas. Ceux qui manifestent la lumière sont d'habitude ceux à qui, quelque part en cours de route, les parents ou les amants ont répété de façon verbale ou non verbale : « Tu es beau, tu es merveilleux. » L'amour est aux gens ce que l'eau est aux plantes.

Examiner le passé peut aider à clarifier beaucoup de nos problèmes, mais la guérison ne se produit pas dans le passé. Elle se produit dans le présent. On a la manie aujourd'hui de rejeter sur les événements de la prime enfance la responsabilité de nos désespoirs d'adulte. L'ego ne veut pas que nous voyions que notre douleur ne provient pas de l'amour que nous n'avons pas reçu dans le passé, mais de l'amour que nous ne donnons pas nous-mêmes dans le présent. Le salut ne se produit que dans le présent. À tout moment, nous avons la chance de changer notre passé et notre avenir en reprogrammant notre présent. Pareille façon de voir est blasphématoire pour l'ego, et il nous juge sévèrement quand nous l'adoptons. Même si nous avons appris de nos parents à ne pas donner d'amour, perpétuer leurs modes de comportement en leur refusant l'amour n'est pas du tout le moyen de sortir du problème. On n'atteint pas la lumière en fouillant interminablement les ténèbres. Passé un certain stade, on tourne en rond. La seule façon d'atteindre la lumière est d'entrer dans la lumière.

Penser : « Pauvre de moi ! Mes parents ne m'ont pas dit que j'étais belle ! » n'est pas une pensée génératrice de miracle. Elle renforce le sentiment d'être une victime. L'attitude génératrice de miracle serait ici : « Mes parents ne m'ont pas dit que j'étais belle. Il est bon de le savoir parce que maintenant je comprends plus clairement pourquoi j'ai du mal à permettre à quelqu'un de me le dire, et je comprends pourquoi je n'ai pas pris l'habitude de le dire aux autres. Il m'est possible maintenant d'acquérir cette habitude. Le choix de donner ce que je n'ai pas reçu est un choix qui s'offre toujours à moi. » Un homme m'a dit récemment que son père ne lui faisait jamais de cadeau quand il était enfant. J'ai suggéré que la guérison serait d'envoyer maintenant à son père des tas de cadeaux.

J'avais l'habitude de trop me préoccuper de savoir si j'étais ou non soutenue par les autres, et pas assez de savoir si je les soutenais activement ou non. En amour, je me suis rendu compte que j'avais besoin d'aider un homme à se sentir plus homme, plutôt qu'à passer tout mon temps à me demander s'il *était* oui ou non assez homme. On aide l'autre à accéder à ce qu'il a de meilleur en accédant soi-même à ce que l'on a de meilleur. Pour croître, il faut se concentrer sur les leçons tirées de ses propres erreurs, et non sur celles des autres. *Un cours sur les miracles* enseigne que « *dans une situation quelconque, seul peut faire défaut ce que tu n'as pas donné* ». J'ai passé des années à attendre qu'un homme « fasse de moi une vraie femme ». Du jour où j'ai réalisé que mon énergie féminine n'était pas un cadeau que pouvait me faire un homme, mais plutôt un cadeau que je me faisais à moi et que je lui faisais à lui, les hommes autour de moi ont commencé à manifester plus de cette énergie masculine à laquelle j'aspirais.

Le conte de fées « La Princesse et la Grenouille » révèle le lien psychologique profond qui existe entre nos attitudes vis-à-vis des autres et leur capacité de se transformer. Dans l'histoire, la princesse embrasse une grenouille et la grenouille devient un prince. Ceci traduit le pouvoir miraculeux qu'a l'amour de créer un contexte dans lequel les gens s'épanouissent naturellement jusqu'à atteindre leurs plus hautes possibilités. Pour arriver à cela, il ne sert à rien de harceler les autres, d'essayer de les changer, de les critiquer ou de les réglementer. Le Cours dit que nous allons, pensons-nous, comprendre les gens afin de déterminer s'ils sont dignes ou non de notre amour, mais qu'en réalité nous ne pourrons jamais les comprendre jusqu'à ce que nous les aimions. Ce qui n'est pas aimé ne peut pas se comprendre. Nous nous tenons à l'écart des autres et attendons qu'ils se gagnent notre amour. Mais ils méritent notre amour à cause de la raison pour laquelle Dieu les a créés. Aussi longtemps que nous attendons qu'ils deviennent meilleurs que cela, nous serons déçus. Quand nous choisissons de les rejoindre, par l'approbation et l'amour inconditionnel, le miracle se produit pour eux et pour nous. Voilà la clé essentielle, le miracle suprême, dans les relations.

9. SE DÉFAIRE DE LA PEUR

« L'amour parfait chasse la peur. »

Une bonne relation, ce n'est pas toujours des cristaux ou des arcs-en-ciel. C'est un processus de naissance, souvent douloureux, souvent pas très joli. À sa naissance, ma fille était couverte de sang et d'autres substances. Il a fallu beaucoup de choses avant que n'apparaisse finalement le beau petit bébé.

Une « relation spirituelle » n'est pas nécessairement une relation où les deux partenaires sourient tout le temps. Spirituel signifie pour moi, avant tout, authentique. À l'office de la veille du Nouvel An, l'an dernier, j'ai dit que nous étions réunis non pour célébrer dans l'oubli mais dans l'attention ; l'attention à certains reproches et l'aveu de déceptions vécues au cours des douze derniers mois, et qu'il fallait transformer et pardonner avant de pouvoir honnêtement célébrer les douze coups de minuit et la marque d'un nouveau commencement.

Et c'est ainsi que dans les relations nous sommes également mis en présence les uns des autres pour effectuer un réel travail. Un réel travail ne peut s'accomplir si l'on n'est pas rigoureusement honnête. Nous y aspirons tous, mais nous avons peur de communiquer honnêtement avec les autres, parce que nous pensons qu'ils nous quitteront s'ils nous voient tels que nous sommes.

Un couple qui assistait à mes conférences est venu me consulter un jour. Plus tôt cette journée-là, l'homme avait dit à la femme qu'il mettait fin à leur relation. Elle était ébranlée et blessée et lui avait demandé de venir me voir avec elle pour l'aider à surmonter la séparation. Ils s'assirent tous les deux sur le divan en face de moi. J'assurai Bob que je n'étais pas là pour essayer de leur faire reprendre la vie commune mais pour joindre mes efforts aux leurs afin de demander la paix.

Je me souvenais d'une situation similaire dans laquelle je m'étais moi-même retrouvée, et de l'intelligence avec laquelle ma thérapeute en avait disposé. Je répétai exactement ce qu'elle m'avait dit.

— Pourquoi êtes-vous tellement fâché contre Deborah, Bob ? lui demandai-je.

— Je ne suis pas fâché contre elle, dit-il.

— Pourtant vous avez l'air vraiment fâché.

— Je sais que ce n'est pas mon travail de changer Deborah, dit-il. Je ne veux pas la changer, je veux juste m'en aller.

— Oh, je parie que vous pensez agir de la façon la plus spirituelle possible, dis-je.

Il me regarda, surpris. Je pense qu'il était persuadé avoir bien étudié *Un cours sur les miracles*.

— Vous n'avez pas arrêté de juger Deborah, dis-je. Vous lui avez caché une information vitale pour elle, des données sans lesquelles elle était incapable de fonctionner efficacement au sein de votre couple. Pourquoi ne lui dites-vous pas pourquoi vous êtes tellement fâché ?

— Je ne suis pas fâché, répéta-t-il de nouveau.

— Bien, dis-je. Vous êtes acteur. Faites semblant d'être fâché. Allez-y, Bob, rien ne peut nous arriver ici. Dites-lui tout.

Et, bon sang, après avoir commencé, tout s'est mis à débouler ! Il lui a dit qu'elle n'avait pas la moindre idée de comment vivre avec quelqu'un. Elle n'en faisait qu'à sa tête et il n'avait qu'à s'en accommoder. Je ne me souviens plus exactement tout ce qu'il lui a dit d'autre mais la communication s'est mise à couler à flots, dès qu'il s'est autorisé à communiquer. Quand il s'est tu, Deborah, manifestement émue, a dit calmement et sincèrement : « Je ne me suis jamais rendu compte de tout cela. Merci de me l'avoir dit. »

Ils ont quitté mon bureau et ne se sont pas séparés. Cette séance, m'ont-ils dit plus tard, avait permis à leur relation de renaître. La colère que ressentait Bob était de l'énergie qu'il avait refoulée parce qu'il avait le sentiment que ce ne serait pas « spirituel » de partager avec Deborah ce qu'il éprouvait honnêtement au moment où il l'éprouvait.

Il vaut infiniment mieux communiquer ses sentiments que les supprimer. La colère est souvent le résultat d'une série de sentiments tus qui s'accumulent en nous et finissent par exploser. Les partenaires, dans une relation sainte, considèrent qu'une partie de leur engagement consiste à exprimer honnêtement, au fur et à mesure, leurs sentiments, et à aider l'autre à en faire de même. Il s'établit alors un tel niveau de communication régulière qu'il y a moins de chance que la colère s'accumule en eux.

Avant d'en arriver là, il faut s'occuper de ce qui est réel. Si la colère se présente, il faut l'accepter. Si nous pensons que notre partenaire cessera de nous aimer parce que nous nous mettons en colère, alors nous cessons d'être honnêtes, et la relation est à coup sûr vouée à l'échec. J'ai suggéré à des couples de ne pas briser une relation à cause d'une querelle. Il est très important de se garder un espace pour se disputer. Je le dis parce que se disputer n'est pas toujours se disputer. Un jour, j'avais une « vive discussion » avec un ami. Un autre ami commun intervint et dit : « Je suis incapable de supporter votre façon de tout le temps vous quereller. » « Nous ne nous querellons pas, dis-je. Nous sommes juifs. » Il pensait que nous nous disputions. Nous pensions avoir une conversation passionnée.

La colère est un sujet brûlant pour les chercheurs spirituels. La colère de Jésus contre les marchands du Temple, par exemple, pose problème à beaucoup de personnes. Si Jésus était tellement pur, disent-elles, comment a-t-il pu se mettre en colère ? Mais l'incident ne pose problème à aucun Juif ni à aucun Italien. La suppression de l'ego n'est pas la suppression de la personnalité. Ce que nous appelons la colère de Jésus était de l'énergie. Une explosion d'émotion ne doit pas être aussi rapidement qualifiée de colère. C'est une déflagration d'énergie, et il ne faut pas y référer comme à quelque émotion négative ou « non spirituelle ».

Ce n'est pas parce que quelqu'un n'exprime pas sa fureur qu'il n'est pas furieux. La fureur tournée vers l'extérieur s'appelle fureur. La fureur tournée vers l'intérieur s'appelle ulcère, cancer et autres choses du genre. La chose la moins saine à faire, quand il s'agit de colère, est de la nier. La façon miraculeuse de voir ne consiste pas à faire semblant de n'être pas furieux, mais à dire plutôt : « Je suis furieux mais je suis disposé à ne pas l'être. Mon Dieu, s'il te plaît, montre-moi ce que je ne vois pas. » Il existe une façon de partager notre colère avec les autres, sans l'exprimer de manière agressive. Au lieu de dire, par exemple : « À cause de toi, je ressens ceci ou cela », dites : « Voici ce que je ressens. Je ne dis pas que *c'est à cause de toi* ni que tu es coupable. Je veux simplement partager ceci ; ce partage fait partie de ma guérison. Après je pourrai me défaire de ce sentiment et le dépasser. » De cette manière, vous assumez la responsabilité de vos sentiments, et ce qui aurait pu être perçu comme une dispute – ou que vous auriez tu parce que c'était désagréable – peut devenir une part importante du pouvoir de guérir inhérent aux relations. Nous ne sommes plus, dès lors, des adversaires dans la conversation mais des partenaires. Les relations réelles exigent une communication honnête, peu importe à quel point elle semble douloureuse ou effrayante. *Un cours sur les miracles* dit que les miracles proviennent d'une communication totale qui est donnée et reçue.

Quand vous demandez à Dieu de guérir votre vie, Il éclaire d'une éclatante lumière tout ce que vous avez besoin de voir. Vous finissez par voir des choses à propos de vous-mêmes que peut-être vous auriez préféré ne pas voir. De nombreuses armures se sont accumulées devant nos cœurs – une grande quantité de peur qui hypocritement se déguise en autre chose. Comme en sont bien conscients tous ceux qui ont déjà suivi une psychothérapie sérieuse, le processus de croissance personnelle n'est pas toujours facile. Nous devons regarder en face notre propre laideur. Nous devons souvent devenir douloureusement conscients de l'impraticabilité d'un schéma de comportement avant d'être disposés à y renoncer. Il semble souvent, en fait, que nos vies empirent au lieu de s'améliorer quand nous commençons à travailler profondément sur nous-mêmes. La vie n'empire pas ; en réalité, nous ressentons simplement nos transgressions avec plus d'acuité parce que notre inconscience ne nous anesthésie plus. Nos refus et dissociations ne nous distancient plus de notre propre expérience. Nous commençons à voir la vérité sur les jeux que nous jouons.

Le processus est parfois tellement douloureux qu'on est tenté de faire marche arrière. Il faut du courage – on appelle souvent cette démarche « la voie du guerrier spirituel » – pour supporter les douleurs aiguës de la découverte de soi, et ne pas lui préférer la sourde douleur de l'inconscience qui dure toute la vie. Je ris chaque fois que j'entends quelqu'un prétendre qu'*Un cours sur les miracles* nous propose une façon facile de nous en sortir. Il propose beaucoup de choses, mais *rien de facile*. Nous devons regarder l'ego droit dans les yeux avant d'avoir le pouvoir de nous en défaire.

L'ego n'est pas un monstre. C'est juste l'*idée* d'un monstre. Nous avons tous en nous des démons et des dragons mais nous avons aussi un prince vaillant. Je n'ai jamais lu de conte de fées où les dragons triomphaient du prince. Et je n'ai jamais essayé réellement de me défaire d'une habitude de comportement sans expérimenter que la grâce de Dieu m'était donnée quand je la Lui demandais sincèrement et humblement. Mon père avait coutume de nous dire quand nous étions enfants : « Vous prenez le bon, et le moins bon qui va avec. » Plus nous apprenons de choses sur la lumière qui est en nous, plus il nous devient facile de nous pardonner de n'être pas encore parfaits. Si nous étions parfaits, nous ne serions pas nés. Mais c'est notre mission de devenir parfaits, et regarder où nous ne le sommes pas est une part importante du processus. Nous devenons des personnalités parfaites en acceptant la perfection spirituelle qui existe déjà en nous.

Une anecdote concernant Léonard de Vinci m'a toujours émue. Au début de sa carrière, il peignait un tableau du Christ et avait trouvé un jeune homme d'une beauté très profonde pour servir de modèle à son portrait. De nombreuses années plus tard, Léonard peignait un tableau sur lequel figurait Judas. Le peintre arpentait les rues de Florence à la recherche de la personne parfaite pour incarner le grand traître. Il trouva finalement quelqu'un à l'allure assez patibulaire, à la mine assez diabolique pour servir de modèle. Il s'approcha de l'homme et lui demanda s'il voulait poser pour lui. L'homme le regarda et dit : « Vous ne vous souvenez pas de moi, mais je vous connais. Il y a des années, je vous ai servi de modèle pour votre Jésus. »

Dans le film *La Guerre des étoiles*, il s'avère que Dark Vador a été un brave type après tout, mais longtemps plus tôt. Et Lucifer, avant sa chute, était le plus bel ange du Paradis. L'ego est simplement l'endroit où se produit un problème technique, une inversion dans le raccordement des fils, là où l'amour bloque. Il m'est arrivé de nombreuses fois dans la vie d'exprimer mon négativisme au lieu d'exprimer l'amour, mais il y a une chose dont je suis certaine : j'aurais mieux agi si j'avais su comment. Je me serais exprimée avec amour si j'avais eu le sentiment de pouvoir le faire, et de satisfaire malgré tout mes besoins.

Si nous ne sommes pas pleinement conscients que l'ego est l'imposteur en nous, nous nous sentons gênés de nous admettre à nous-mêmes, sans même parler de les avouer aux autres, les jeux que nous jouons. Au lieu de ressentir de la compassion pour nous-mêmes, et de nous souvenir que nos névroses sont nos blessures, nous avons tendance à être trop honteux pour oser les examiner. Nous pensons que nous sommes mauvais. *« Nous pensons que si nous – ou, Dieu nous en préserve, quelqu'un d'autre – voyions la vérité réelle à notre sujet, nous reculerions tous d'horreur.* » Mais la vérité, en fait, est que si quelqu'un d'autre, ou simplement nous-mêmes voyions notre réelle vérité, nous serions tous éblouis de lumière. Lorsque nous regardons profondément en nous, cependant, nous devons d'abord faire face à ce que *Un Cours sur les miracles* appelle *« le cercle de la peur »*. Avant que le Prince ne puisse sauver la damoiselle en détresse, il doit tuer les dragons qui entourent le château. C'est ce que nous faisons tous. Ces dragons sont nos démons, nos blessures, nos ego, nos brillantes façons de nous refuser l'amour et de le refuser aux autres. Les schémas de l'ego doivent être déracinés, nous devons en désintoxiquer notre système avant que l'amour pur en nous ait une chance d'apparaître.

Un guide spirituel hindou a fait remarquer un jour qu'il n'existe pas de ciel gris. Le ciel est toujours bleu. Il peut arriver parfois que des nuages gris surviennent et le couvrent. Nous pensons alors que le ciel est gris. Il en va de même avec notre esprit. Nous sommes toujours parfaits. Nous ne pouvons pas ne pas l'être. Nos habitudes de peur, nos dysfonctionnements exercent leur emprise sur notre esprit et couvrent notre perfection. De façon temporaire. C'est tout. Nous sommes toujours les fils parfaits de Dieu. Toutes les tempêtes ont toujours passé. Les nuages gris ne durent jamais éternellement. Le ciel bleu dure.

Alors que faire de notre peur, de notre colère, des nuages qui couvrent l'amour en nous ? Les abandonner au Saint-Esprit. Il les transforme par l'amour, jamais par l'attaque contre un autre. C'est l'attaque, non la colère elle-même, qui est destructrice. Il est devenu à la mode, dans certains cercles, de hurler dans les oreillers, et pour une bonne raison. Faire monter l'énergie et la libérer est un excellent moyen de se débarrasser de la tension physique qui fait qu'il est si difficile de prier quand on en a le plus besoin. Notre colère se place devant notre amour. La laisser sortir fait partie du processus de s'en défaire. La dernière illusion insidieuse que l'on puisse entretenir est de s'imaginer que les vies spirituelles et les relations spirituelles sont toujours tranquilles ou toujours merveilleuses.

10. TRAVAILLER SUR NOUS-MÊMES

« Dans une situation quelconque, seul peut faire défaut ce que tu n'as pas donné. »

Les relations sont positives parce qu'elles sont l'occasion d'ouvrir nos cœurs et d'aimer plus profondément. Le Saint-Esprit est le médium des miracles, Celui qui nous guide à nous percevoir différemment dans nos relations aux autres. J'observe mon bébé qui ouvre son amour à tous ceux qu'elle rencontre. Elle n'a pas encore appris que certaines personnes peuvent présenter du danger. Rien ne s'interpose entre sa pulsion naturelle à aimer et l'expression de cet amour. Elle sourit avec la tendresse de ses vrais sentiments. Un jour, je devrai lui apprendre que les expressions de l'amour ne sont pas toutes appropriées. Mais verrouiller sa porte est bien différent de verrouiller son cœur. Mon plus grand défi de mère sera de l'aider à garder un cœur ouvert tout en vivant dans un monde tellement effrayant.

Nous ne pouvons donner à nos enfants ce que nous n'avons pas nous-mêmes reçu. En ce sens, mon plus grand cadeau à ma fille est de continuer à travailler sur moi-même. Les enfants apprennent plus en imitant que par toute autre forme d'éducation. Notre plus grande occasion d'affecter positivement la vie d'une autre personne consiste à accepter l'amour de Dieu dans la nôtre.

C'est l'un des premiers principes des miracles dans les relations : nous devons nous regarder nous-mêmes – nos pensées, notre comportement, tirer nos propres leçons – afin de trouver la paix avec l'autre. *« La seule responsabilité du travailleur en miracles est d'accepter le Rachat pour lui-même. »* L'ego tentera toujours de nous faire penser qu'une rupture est due aux mauvais agissements de l'*autre*, à ce qu'*il* n'a pas vu ou à ce qu'*il* a besoin d'apprendre. Il faut continuer de se concentrer sur soi. L'absence d'amour des autres ne nous affecte que dans la mesure où nous les jugeons parce qu'ils n'aiment pas. Autrement, l'ego ne peut rien contre nous ; nous sommes invulnérables, comme le Fils de Dieu a été conçu pour l'être.

Parfois, les gens me disent : « Mais, Marianne, je pense qu'ils sont responsables à 90 % de ce qui se passe. » Je réponds alors : « Parfait ! Il nous reste 10 % à examiner et à partir duquel apprendre. » Ces 10 % qui relèvent de vous sont ce qu'il vous faut examiner et à partir de quoi vous devez apprendre. C'est ce que vous amènerez avec vous dans le scénario de votre prochaine relation. L'ego le sait, et c'est pourquoi il essaie de se concentrer sur l'autre. L'objectif de l'ego est de nous pousser à nous autodétruire continuellement sans savoir que nous le faisons. Il est déjà très difficile de faire le ménage dans son propre rôle. Tenter de le faire dans celui d'un autre n'est qu'un truc de l'ego pour empêcher que l'on tire les leçons de ses propres erreurs. Pour apprendre le plus d'une relation, il faut se concentrer sur ses propres problèmes.

Ces temps-ci, on entend très souvent les gens se plaindre que leur problème est d'avoir choisi la « mauvaise » personne. L'ego, ici, est très rusé. Il essaie de nous convaincre que nous assumons la responsabilité du problème, alors qu'en fait nous ne l'assumons qu'à un infime degré. En décrivant ainsi le problème, nous continuons de rendre quelqu'un coupable, et donc nous nous enfonçons plus dans les ténèbres, et non dans la lumière. « Je continue de choisir des gens incapables de s'impliquer » n'est pas une perception porteuse de miracles. Une question plus éclairée pourrait être : « À quel point suis-je vraiment capable de m'impliquer moi-même ? À quel point suis-je préparé dans le tréfonds de mon être à donner et à recevoir l'amour d'une manière intime, responsable ? » Ou : « Comment puis-je pardonner à ceux qui, dans leurs relations avec moi, sont incapables de franchir le mur de la peur ? Comment puis-je me pardonner à moi-même la manière dont je contribue ou participe à leur peur ? »

Quelques fois, il semble qu'un autre nous ait mis le grappin dessus : on se sent compulsif, l'autre nous obsède. Quand c'est le cas, il y a gros à parier qu'à un certain niveau, c'est nous-mêmes qui ne voulons pas lui laisser la paix. En dépit de la tentation de chercher en dehors de nous la cause et la solution au problème, la pensée porteuse de miracle consiste à chercher les deux en soi. Le prix que vous payez pour refuser la responsabilité de votre propre douleur est que vous ne vous rendez pas compte qu'il suffit de changer vos pensées pour être capables de changer votre vie. Peu importe qui a pris l'initiative de l'interaction douloureuse ou peu importe la part d'erreur qui réside dans la pensée de l'autre, le Saint-Esprit vous permettra toujours d'échapper complètement à la douleur si vous savez pardonner. L'autre n'a pas à se joindre consciemment à vous dans le processus de changement. « *Celui qui est le plus sensé à ce moment-là*, dit *Un cours sur les miracles*, *invitera le Saint-Esprit dans la situation.* » Peu importe si l'autre partage ou non le désir de laisser entrer Dieu. Tout ce dont nous avons besoin dans la vie existe déjà dans notre tête.

J'ai eu un jour le béguin pour un homosexuel. C'était peut-être déraisonnable mais j'étais incapable de me l'enlever de la tête. Je demandai un miracle, et les pensées suivantes m'advinrent : « Tu sais, Marianne, tu es obsédée, tu te sens tellement coincée par ceci parce que tu ne le lâches pas, *lui*. Accepte-le comme il est. Permets-lui d'être où il veut, de faire ce qu'il veut avec qui il veut. C'est ce que *tu* ne donnes pas qui fait défaut ici. C'est ce que *tu lui* fais qui te fait mal. Émotivement, ton ego essaye de le contrôler, et c'est pourquoi tu te sens contrôlée par tes émotions. » J'avais trouvé. Je le libérai dans mon esprit, et ensuite me sentis libérée.

11. LES CŒURS FERMÉS

« *Personne ne peut douter de l'aptitude que possède l'ego à échafauder de faux arguments.* »

J'ai connu un jour un homme qui se présentait en force au début d'une relation, mais qui ne semblait pouvoir s'empêcher de se fermer le cœur dès qu'une femme ouvrait le sien. J'ai déjà entendu appeler ce genre de comportement dans les relations, « dépendance à la phase de séduction ». Ce n'était pas par malveillance que cet homme faisait mal aux femmes qu'il approchait. Il voulait sincèrement vivre une relation authentique, responsable. Il lui manquait les habiletés spirituelles qui lui auraient permis de s'installer quelque part assez longtemps pour construire quelque chose de solide avec un partenaire égal. Dès qu'il voyait des faiblesses ou des défaillances humaines chez une femme, il prenait la fuite. La personnalité narcissique cherche la perfection, ce qui est une façon de s'assurer que l'amour n'a jamais aucune chance de s'épanouir. Le coup de foudre initial est parfois tellement enivrant, tellement fascinant que le véritable travail de croissance qui doit suivre la phase initiale de séduction semble dépourvu d'intérêt, trop fastidieux pour qu'on s'y implique. Aussitôt que l'autre est vu comme un être humain réel, l'ego éprouve de la répulsion et veut trouver un autre endroit où s'ébattre.

À la fin d'une relation avec quelqu'un du genre, on a la sensation d'avoir pris de la cocaïne. On s'est vite retrouvé au septième ciel, très excité, et sur le coup on a pensé que quelque chose de positif se produisait. Puis, on s'est retrouvé à terre et on s'est rendu compte que rien de positif du tout ne s'était produit. Tout était faux. Maintenant, il ne reste qu'une bonne migraine, et l'on constate que ce genre d'aventure n'est pas bonne, n'est pas saine et qu'on ne veut plus en revivre de pareille.

Mais il existe une raison pour laquelle ce genre de relation nous a attiré. Nous avons succombé à l'illusion qu'elle pouvait avoir un sens. Parfois, quelqu'un qui n'a rien à offrir dans une véritable relation se présente comme s'il offrait la terre entière. Ces personnes sont tellement dissociées de leurs propres sentiments qu'elles sont devenues des acteurs extrêmement adroits, capables de jouer sans en avoir conscience tous les rôles que nos fantasmes leur assignent. Mais la responsabilité de notre douleur reste nôtre. Si nous n'avions pas été à la recherche d'émotions faciles, nous n'aurions pas été vulnérables au mensonge.

Comment avons-nous pu être aussi stupides ? Voilà toujours la question que nous nous posons après une expérience du genre. Mais une fois que nous en avons eu assez, nous reconnaissons qu'en réalité nous n'étions pas stupides du tout. Nous nous doutions qu'il s'agissait d'une drogue. Le problème était que nous la voulions. Nous avons vu exactement de quel jeu il s'agissait, d'habitude en moins de quinze minutes, mais la passion nous attirait tellement que nous étions disposés à faire semblant de ne pas l'avoir vu, juste pour une nuit, pour une semaine, ou pour le temps que la relation a duré. Le fait que quelqu'un nous dise : « Tu es tellement fabuleuse. Tu es une femme merveilleuse. Quelle fantastique rencontre ! Quelle chance pour un gars de sortir avec toi ! » alors qu'il ne vous connaît pas depuis plus d'une heure, devrait clignoter comme une lumière rouge dans la tête de toute femme qui réfléchit. Le problème est qu'il est possible que nos blessures soient si profondes – nous pouvons avoir tellement soif d'entendre ces paroles parce que, profondément en nous, nous soupçonnons qu'elles sont fausses – que de les entendre peut nous amener à écarter toute considération rationnelle. Quand nous sommes affamés, nous sommes désespérés.

Des femmes me disent parfois : « Marianne, pourquoi je rencontre toujours des hommes qui abusent de moi émotionnellement ? » Je réponds d'habitude ceci : « Le problème n'est pas que vous les rencontriez – le problème est que vous leur donniez votre numéro. » Le problème, en d'autres termes, n'est pas d'attirer un certain type de personnes mais d'être attiré par un certain type de personnes. Quelqu'un qui reste émotionnellement fermé peut nous rappeler, par exemple, l'un de nos deux parents, ou bien les deux. « Son énergie est distante, il me désapprouve très subtilement... Je dois être à la maison. » Le problème, alors, n'est pas seulement que la douleur nous soit offerte, mais que nous nous sentions *à l'aise* de l'éprouver. Elle est ce que nous avons toujours connu.

L'envers de notre dangereuse attirance vers des gens qui n'ont rien à nous offrir est notre propension à nous sentir ennuyés par ceux qui ont effectivement quelque chose à nous offrir. Rien de ce qui est étranger à notre système ne peut y pénétrer et y rester longtemps. C'est exact, qu'il s'agisse du corps ou de l'esprit. Si j'avale un bout de papier d'aluminium, mon corps vomira jusqu'au moment où il expulsera cet objet qui l'agresse. Si l'on me demande d'avaler une idée avec laquelle je ne suis pas d'« accord », alors mon système psychologique connaîtra le même processus de régurgitation et expulsera ce qui l'agresse.

Si je suis convaincue de n'être pas assez bonne, il me sera difficile d'accepter quelqu'un dans ma vie qui pense que je le suis. C'est le syndrome Groucho Marx : ne vouloir aimer personne qui m'accepterait dans son club. La seule façon d'accepter quelqu'un qui me trouve merveilleuse est de me trouver moi-même merveilleuse. Mais pour l'ego, l'acceptation de soi équivaut à la mort.

Voilà pourquoi nous sommes attirés par des gens qui ne nous veulent pas. Nous le savons dès le départ. Par la suite, nous faisons semblant d'être surpris quand nous nous estimons trahis et qu'ils nous quittent après un séjour intense mais relativement bref. Ils correspondent parfaitement au projet de notre ego : je ne serai pas aimé. La raison pour laquelle les gens gentils, disponibles nous semblent ennuyeux est qu'ils nous démasquent. Pour l'ego, le danger émotionnel équivaut à l'excitation, et il affirme que la personne gentille, disponible n'est pas assez dangereuse. Il est ironique que le contraire soit vrai : les personnes disponibles sont bien celles qui sont dangereuses parce qu'elles nous confrontent à la possibilité d'une réelle intimité. Elles sont capables de rester près de nous assez longtemps pour parvenir à nous connaître. Elles pourraient faire fondre nos défenses, non par la violence mais par l'amour. Et c'est ce que l'ego ne veut pas que nous voyons. Les gens disponibles sont effrayants. Ils menacent la citadelle de l'ego. La raison pour laquelle ils ne nous attirent pas, c'est que nous ne sommes pas disponibles à nous-mêmes.

12. GUÉRIR NOS BLESSURES

« La guérison est le moyen de triompher de la séparation. »

Nous choisissons rarement ce qui nous empêche d'aimer. Ce sont nos efforts pour protéger les endroits où le cœur est meurtri. Quelque part, un jour, nous avons eu le sentiment que s'ouvrir le cœur provoquait douleur et humiliation. Nous aimions, le cœur ouvert comme un enfant, et quelqu'un n'y a pas pris garde, ou a ri, ou même nous a punis d'avoir essayé. En un bref instant, peut-être une fraction de seconde, nous avons décidé de nous protéger nous-mêmes pour ne plus jamais ressentir cette douleur. Nous avons décidé de ne plus jamais nous permettre d'être aussi vulnérables. Nous nous sommes construit des défenses émotionnelles. Nous avons essayé de nous bâtir une forteresse autour du cœur pour nous protéger de toute attaque. Le seul problème, selon le Cours, est que nous créons ce contre quoi nous nous défendons.

Un moment donné dans ma vie, j'ai eu l'impression de devoir cesser de m'ouvrir à ce point aux gens qui ne faisaient pas honneur à mon cœur autant que je l'aurais voulu. J'étais en colère contre ceux dont je pensais qu'ils m'avaient blessée, mais je niais la colère au lieu d'entrer en contact avec elle et de la remettre à Dieu. C'est un piège fréquent pour ceux qui étudient le Cours. Si la colère n'est pas portée à la conscience *consciente*, elle n'a nul endroit où aller. Elle se transforme alors en attaque contre soi ou en attaque inconsciente et inappropriée contre les autres.

Ainsi, en n'admettant pas la pleine étendue de ma colère et en pensant que la leçon qu'il me fallait apprendre était de ne pas révéler mes vrais sentiments, je m'engageais dans les relations avec deux handicaps : j'étais fermée – c'est-à-dire froide – et armée de couteaux émotionnels secrets qu'attisait ma colère inconsciente. Contrairement à n'importe quelle façade que j'aurais pu simuler, cette combinaison-ci n'avait rien de particulièrement agréable. Partagée entre la froideur et la colère, j'éloignais les hommes les plus angéliques. Ce qui, bien sûr, ne faisait qu'augmenter ma colère et ma méfiance.

Je parlais un jour à une thérapeute très avisée. Je fis un commentaire du genre : « Bon, beaucoup de femmes de mon âge jugent très difficile de trouver un homme vraiment aimant, disponible et disposé à s'engager. » Sa réponse sonna comme un carillon dans ma tête. « Quand une femme me dit cela, dit-elle, nous trouvons d'habitude quand nous y regardons de près un mépris pour l'homme. »

Mépris pour l'homme. Mépris pour l'homme. Les mots résonnèrent dans mon crâne. Je ne sais pas si c'était le même problème pour toutes les femmes à qui elle parlait, mais dans mon cas elle avait visé en plein dans le mille. J'avais souvent pensé à cette idée exprimée dans le Cours, à savoir que nous pensons être en colère à cause de ce que notre frère nous a fait, alors qu'en réalité, nous sommes en colère à cause de ce que nous lui avons fait. Je m'étais vaguement rendu compte que c'était vrai, mais il a fallu que je me dévoile vraiment pour me rendre compte de ce que je *faisais* à ces gars qui, je le *savais*, me faisaient toutes sortes de choses horribles ! Le Cours parle d'« *ombres* » que nous apportons avec nous de notre passé. Il nous dit que nous avons tendance à ne voir personne tel qu'il est aujourd'hui. Nous persistons à blâmer quelqu'un aujourd'hui pour quelque chose qu'un autre a fait dans le passé. Si un brave type me disait : « Chérie, je ne suis pas capable de rentrer dimanche soir, comme prévu. Il faut que je continue de travailler à mon projet. Je ne rentrerai peut-être pas avant mardi », l'effet était le même que s'il m'avait dit que mon chat était mort et que mon chien était en train de mourir aussi. Le problème n'était pas que l'homme rentrait à la maison quelques jours plus tard. Le problème était ce que je ressentais dans mon cœur de le lui entendre dire. J'éprouvais dans le fond de mon cœur un désespoir si grand que je ne tenterai même pas de l'exprimer ici. Cela n'avait aucun rapport avec l'homme ou les événements. Je me rappelais toutes les fois où j'avais eu l'impression de ne pas compter, de n'être pas séduisante, quand Papa ne voulait pas me prendre dans ses bras ou quand quelqu'un d'autre ne voulait plus faire l'amour avec moi.

Dans la perspective du Cours, cette situation se présentait maintenant pour que je ressente ce sentiment, et pour que je sache qu'il n'avait rien à voir avec le présent. Je demandais un miracle : « Je veux bien considérer cela différemment. Je veux bien me souvenir de qui je suis. » La réponse de Dieu à ma douleur ne serait pas – contrairement à ce que mon ego suggérerait comme seule façon de sortir de ce chagrin – un homme qui me répéterait soixante fois par jour : « Tu es fabuleuse. Tu es merveilleuse. Je t'aime, je te veux », et puis qui me montrerait à quel point j'étais désirable, peut-être deux fois, et de préférence trois fois par jour. La guérison, en fait, devait venir d'hommes qui ne toléreraient pas le fait que je sois si démunie – parce que personne ne le peut vraiment – ni la culpabilité que j'essayais de projeter sur eux. Ou ce que je pensais être mes besoins. Mon réel besoin, bien sûr, était de me rendre compte que je n'avais pas besoin d'un homme pour combler ce que je ressentais comme d'insatiables besoins émotionnels. Les besoins eux-mêmes n'étaient pas réels, mais un reflet de la piètre opinion de moi-même. Le salut ne pouvait venir que si je renonçais à l'idée que je n'étais pas assez bonne. En me défendant contre le fait que les hommes me délaïssent, je continuais de recréer les conditions dans lesquelles ils devaient obligatoirement me délaisser.

Pourquoi les hommes sont-ils incapables de s'engager ? Je ne puis répondre que pour les quelques hommes que j'ai connus, mais dans ces cas-là, et dans le cas de nombreuses femmes que j'ai observées, les hommes ne se sont pas engagés parce que les femmes s'étaient blindées pour qu'ils ne s'engagent pas. Nos armures sont nos ténèbres – les ténèbres du cœur, les ténèbres de la douleur, les ténèbres du moment où nous avons émis un commentaire malveillant ou fait une demande injuste.

Nos défenses reflètent nos blessures. Mais personne ne peut guérir ces blessures. Les autres peuvent nous donner de l'amour, innocemment et sincèrement. Si nous sommes convaincus qu'on ne peut pas leur faire confiance – alors notre esprit interprétera leur comportement comme preuve de l'exactitude de nos préjugés. Le Cours dit que nous voyons ce que nous avons décidé de voir. Si nous voulons centrer notre attention sur l'apparent manque de respect de quelqu'un pour nos sentiments, il est sûr que c'est ce que nous percevrons, étant donné que les maîtres éclairés que l'on peut rencontrer aujourd'hui dans les principales villes d'Amérique du Nord ne sont pas légion. Mais beaucoup de gens font de plus grands efforts que nous ne le pensons et travaillent avec acharnement contre leur ego qui les a convaincus que les femmes ou les hommes étaient des minables, ou qu'ils ne les aimaient pas, ou qu'ils les quittaient toujours, ou simplement qu'il ne restait presque plus personne de valable à rencontrer.

13. CHANGER NOTRE ESPRIT

« *Le changement fondamental se produira toutefois lors du changement d'esprit chez le penseur.* »

L'objectif de l'entraînement spirituel est la complète guérison, et un sentiment fracturé de notre moi est la seule chose dont il faille guérir. Si vous ne croyez pas déjà que vous êtes correct, personne d'autre ne peut vous en convaincre. Si les autres agissent avec vous comme avec quelqu'un de correct, ou bien vous ne les croyez pas ou vous devenez si dépendant de leur appui que vous agissez à travers cette dépendance pour changer leur esprit. Dans les deux cas, vous restez convaincu de n'être pas correct. Le seul exercice qui soit répété plusieurs fois dans le Livre d'exercices d'*Un cours sur les miracles* est : « *Je suis tel que Dieu me créa.* » Comme je l'ai déjà mentionné, le Cours dit que notre seul problème est d'avoir oublié qui nous sommes.

Votre désir de voir la perfection en quelqu'un d'autre vous éveille à votre propre perfection. Parfois, ce n'est pas facile. Quand je sens les vieilles ténèbres familières s'installer autour de moi, quand un homme, par exemple, fait un commentaire dont je sais intellectuellement qu'il n'est sans doute pas méchant, mais que j'ai l'impression d'être abandonnée, rejetée ou négligée, j'ai assez vécu pour savoir que le mal ne se trouve pas dans ce qu'il vient de dire. Il n'est pas l'ennemi. L'ennemi est ce sentiment qui, dans le passé, m'a poussée à attaquer ou à me défendre suffisamment pour lui faire ressentir exactement ce que je ressens qu'il ressent, mais qu'en réalité, il ne ressent pas. Je peux choisir de voir ceci différemment. Ceci est mon mur. C'est ici qu'il faut être très conscient et en appeler à Dieu. Et demander un miracle : « Mon Dieu, s'il te plaît, aide-moi. C'est ça. Juste ici. Voici où l'épée pénètre dans mon cœur. Voici où chaque fois je gâche tout. »

Le moment où la douleur est la plus forte est une magnifique occasion. L'ego préférerait que nous ne regardions jamais trop directement dans la douleur. Quand nous sommes en crise, il y a de bonnes chances que nous commettions une erreur et demandions au ciel de nous aider. L'ego préférerait que nous ne vivions pas de crises. L'ego préfère une calme rivière de détresse à l'arrière-plan de nos vies, jamais assez insupportable pour nous amener à nous demander si ce sont nos propres choix qui créent la douleur. Quand la douleur est présente, nous avons la chance de « mettre Satan en déroute et de le chasser à jamais ». Un homme, un jour, m'a dit : « Tu sais, Marianne, tu peux travailler cette question avec ton thérapeute, avec *Un cours sur les miracles*, avec ton éditeur, tes collègues conférenciers et avec toutes tes amies, mais personne ne te donnera l'occasion de la travailler avec moi. » Ce qu'il voulait dire, bien sûr, c'est qu'avec eux je pouvais décrire la douleur, mais avec lui, je pouvais la ressentir. Et alors, si je ne choisissais pas la dérobade enfantine, narcissique, si je ne m'en allais pas mais restais pour faire face à la peur et la dépasser, alors l'objectif de la relation pouvait être atteint. Quand nous portons nos ténèbres à la lumière et pardonnons, nous pouvons avancer.

Nous guérissons en prenant conscience, et en priant. La prise de conscience seule ne nous guérit pas. Si l'analyse pouvait à elle seule guérir nos blessures, nous serions déjà tous guéris. Nos névroses sont profondément enracinées dans nos psychés, comme une tumeur enroulée autour d'un organe vital.

Le processus du changement miraculeux est double :

1. Je vois mes erreurs ou mes dysfonctionnements.
2. Je demande à Dieu de m'en débarrasser.

Le premier principe, s'il ne s'accompagne pas du second, est inopérant. Comme le disent les Alcooliques anonymes : « C'est ta meilleure pensée qui t'a amené ici. » Vous êtes le problème, mais vous n'êtes pas la solution.

Le second principe n'est pas suffisant non plus pour changer. Le Saint-Esprit ne peut pas nous débarrasser de ce que nous ne voulons pas Lui abandonner. Il n'opère pas sans notre consentement. Il ne peut pas nous enlever nos défauts sans que nous le voulions, parce que ce serait violer notre libre arbitre. Nous choisissons ces comportements, même si nous avons tort de les choisir, et Il ne nous forcera pas à y renoncer.

En demandant à Dieu de nous guérir, on prend l'engagement de choisir d'être guéri. Ceci signifie choisir de changer. L'ego y résiste intensément. Il veut que nous pensions qu'il est impossible de changer. « Je suis fâché d'être alcoolique », par exemple, peut décrire votre colère, mais ne la justifie pas. Le seul avantage de savoir que vous êtes fâché est de vous permettre de choisir d'être autrement. Vous pouvez suivre une thérapie pendant des années mais, à moins de choisir d'*agir différemment*, vous ne ferez que tourner en rond. Bien sûr, cela paraît non-naturel d'être gentil quand on a été dur pendant des années, mais ce n'est pas une excuse pour ne pas essayer.

Un cours sur les miracles dit que la façon la plus efficace d'éduquer un enfant n'est pas de dire : « *Ne fais pas ça* », mais : « *Fais ça.* » On n'atteint pas la lumière en analysant interminablement les ténèbres. On atteint la lumière en choisissant la lumière. Lumière signifie compréhension. Et c'est en comprenant qu'on est guéri.

Si l'objectif d'une relation est de guérir ceux qui y sont engagés, et que la guérison ne peut survenir que si nous révélons nos blessures, alors l'ego nous place dans une situation dont il est impossible de sortir. Si je ne me montre pas, il ne peut y avoir de croissance. Sans croissance, en bout de ligne l'ennui s'installe, ce qui équivaut à la mort d'une relation. Mais si je me révèle honnêtement telle que je suis, alors je risque de paraître peu séduisante et mon partenaire risque de me quitter.

Le narcissisme de l'ego nous amène à attendre que se présente la personne parfaite. Le Saint-Esprit sait que la recherche de la perfection chez l'autre n'est qu'un écran de fumée qui cache notre besoin de développer la perfection en nous-mêmes. Et s'il existait une personne parfaite – qui, bien sûr, n'existe pas – sortirait-elle avec *vous ?* Quand nous renonçons à l'obsession enfantine de passer la planète au crible pour trouver le ou la Partenaire idéal(e), nous pouvons commencer à développer les habiletés requises pour vivre une relation compatissante. Nous cessons de juger et commençons à nous rapprocher. Nous admettons, d'abord et avant tout, que nous ne vivons pas une relation pour nous centrer sur les leçons qu'en tire l'autre, mais sur celles que nous en tirons nous-mêmes.

L'ego défend contre l'amour, non contre la peur. Il peut arriver que la douleur dans une relation soit perversement confortable, en ce sens que la douleur est familière. Nous y sommes habitués. J'ai entendu un jour une cassette audio de Ram Dass, un guide spirituel américain. Il y parlait d'un article de journal sur un enfant battu qu'on retirait à sa mère. Alors que la policière essayait de prendre le bébé, il se débattait pour rester dans les bras de sa mère. Même si sa mère le battait, l'enfant la connaissait. Il y était habitué. Il voulait rester en terrain familier.

Cette anecdote illustre notre relation à notre propre ego. L'ego est notre douleur, mais il nous est familier et nous résistons quand nous devons nous en séparer.

L'effort nécessaire pour croître et sortir des anciens comportements douloureux semble souvent plus pénible que de décider d'y rester. La croissance personnelle est parfois douloureuse, parce qu'il peut arriver que nous soyons gênés et humiliés de faire face à nos propres ténèbres. Mais l'objectif de la croissance personnelle est de nous amener à sortir des noires habitudes émotionnelles qui nous font souffrir pour atteindre celles qui créent la paix. *Un cours sur les miracles* dit qu'à leur sommet, la religion et la psychothérapie ne font plus qu'un. Elles reflètent toutes deux la relation entre pensée et expérience, et le Saint-Esprit les utilise pour célébrer une des plus glorieuses potentialités humaines : notre capacité de changer.

On a tendance aujourd'hui à analyser les névroses à l'infini, et à se servir de l'analyse pour justifier la blessure plutôt que pour la guérir. Passé un certain point, après avoir compris pourquoi une habitude de comportement s'est développée (« Mon père était émotionnellement distant » ou « Ma mère me battait ») et après en avoir constaté l'effet sur notre personnalité (« Je ne sais pas comment laisser un homme se rapprocher de moi » ou « Il m'est difficile à présent de faire confiance à quelque figure d'autorité que ce soit »), le véritable changement se produit suite à une décision personnelle : la décision de guérir, la décision de changer. Au bout du compte, il n'est pas tellement important de savoir pourquoi on se fâche ou pourquoi on reste sur la défensive. Ce qui est important, c'est de décider de vouloir guérir et de demander l'aide de Dieu.

Comme un acteur qui lit un rôle, on peut choisir une nouvelle réponse à la vie, une nouvelle façon de lire. À ce stade, certains crieront peut-être : « C'est se renier soi-même ! » Mais nous ne renions que l'imposteur en nous. Ce n'est pas parce que nous avons un sentiment honnête qu'il reflète ce qu'honnêtement nous sommes. Mon moi en colère *n*'est *pas* mon moi réel. Faut-il que je prenne conscience de ma colère ? Oui, mais juste pour être capable de la dépasser. Une fois que j'ai vu ma colère, je suis prête, comme on dit chez les Alcooliques

Anonymes à « faire comme si » j'étais capable d'agir autrement. Parce que je suis capable. Notre ego a construit un personnage fictif que nous prenons maintenant pour notre véritable personnalité. Mais nous créons constamment cette personnalité et, si nous le choisissons, nous la recréons constamment.

Je parlais un jour à un ami qui me disait qu'il avait peur, si nous devenions trop intimes, que l'un de nous en souffre.

— Lequel des deux ? lui demandai-je.

— Toi, répondit-il.

Je me sentis rejetée par anticipation. J'étais en colère et je le lui dis.

— C'est bien ce que je veux dire, dit-il. Tu prends, de toute évidence, les choses de façon tellement personnelle que je ne pense pas être capable de le supporter longtemps.

Je savais que c'était un moment que j'avais déjà souvent répété, et de diverses façons avec diverses personnes, et j'avais demandé souvent à en être guérie. J'étais ouverte.

— Dis-moi honnêtement, lui demandai-je, comment aurais-je pu agir différemment ? Qu'aurais-je pu dire d'autre ?

— Tu aurais pu te contenter de sourire et de dire : « Ne t'en flatte pas trop ! »

J'étais vraiment enthousiaste. J'étais pareille à une actrice passionnée qui travaillait avec un formidable metteur en scène.

— Oh, magnifique, dis-je. Revenons en arrière et reprenons la scène. Répète ce que tu as dit.

— Tu sais, Marianne, j'ai le vilain sentiment que si nous sortons vraiment ensemble, l'un de nous sera blessé.

— Lequel des deux ? demandai-je.

— Toi.

— Ne t'en flatte pas trop ! lui dis-je en souriant.

Il rit et je criai d'excitation. Ce n'était pas un mince éveil. C'était vraiment recevoir les pleins pouvoirs, une reprogrammation de mon ordinateur émotionnel dans un registre où inconsciemment j'avais réagi chaque fois de manière inadéquate. Je traçais un nouveau sillon, j'inaugurais un nouvel ensemble de possibilités. À l'origine, j'avais choisi le mode de la colère. Je choisissais maintenant le mode de l'amour. Je n'avais pas besoin d'être l'animal blessé. Je pouvais choisir de m'identifier à ma force, ce qui en fait était mon rôle le plus naturel. Je pouvais choisir de voir les autres avec un regard généreux, confiant. Mon frère n'était pas ici pour m'attaquer. Il était là pour m'aimer. Il dépendait entièrement de moi d'avoir confiance et de l'aimer en retour.

En acceptant le Rachat, la correction de nos perceptions, nous redevenons qui nous sommes réellement. Notre moi véritable, notre moi d'amour pur ne peut jamais être incréé. Toutes les illusions se dissiperont. Même si certaines expériences, comme les traumatismes vécus dans l'enfance, nous amènent parfois à dévier de notre vraie nature. Le Saint-Esprit nous garde la vérité en réserve, jusqu'au moment où nous choisissons d'y revenir.

14. PRATIQUER LE PARDON

« *Le pardon est la seule réponse saine.* »

Pour l'ego, l'amour est un crime. L'ego cherche à nous convaincre que le pardon est une position dangereuse qui nous oblige à nous sacrifier. L'ego prétend que le pardon nous rend pareils au paillasson des autres. « *Pour l'ego, l'amour est faiblesse. Pour le Saint-Esprit, l'amour est force.* »

Il y a quelques années, lors des Jeux olympiques à Los Angeles, je devais sortir avec quelqu'un, un soir. Les cérémonies d'ouverture étaient grandioses et il était extrêmement difficile d'obtenir des billets. Mike, qui travaillait dans les médias, reçut un laissez-passer à la dernière minute.

J'étais très excitée pour lui. Tout le monde en ville savait que ce serait un événement fabuleux. Nous décidâmes que je suivrais la cérémonie à la télévision et qu'ensuite nous nous retrouverions. À la fin de l'émission, je commençai à m'habiller en me disant que je n'aurais pas de ses nouvelles avant une heure, à cause de la circulation autour du stade.

Une heure passa, puis une autre. Bon, il travaille pour la télé, me dis-je, et il a peut-être eu un imprévu. Une autre heure, puis une autre. Il était près de minuit, puis minuit passé. Je me déshabillai et me démaquillai. Il était 2 heures du matin, puis 3 heures. Par bouts, je somnolais ; par bouts, étendue dans le noir, je fixais le plafond ; par bouts j'étais pâle de colère et par bouts j'avais peur qu'il ne gise dans un fossé quelque part. Je commençai à téléphoner chez lui. Pas de réponse. Je téléphonai de nouveau. Pas de réponse. Finalement, n'ayant pratiquement pas dormi, j'appelai aux alentours de 6 heures du matin et il répondit à l'autre bout de la ligne.

— Allo, dit-il.

— Mike ? dis-je. C'est Marianne.

— Oh, salut !

— Tu vas bien ?

— Ouais, pourquoi ?

— On avait rendez-vous, hier soir. Tu l'as oublié ?

— Oh, c'est vrai, dit-il. J'ai eu une nuit un peu dure.

Je ne sais pas ce que j'ai dit avant de raccrocher, mais je sais ce que je ressentais et ce n'était pas fameux. On m'avait laissée tomber, et je sentais cette sorte d'atteinte à l'estime de soi qui part des tripes et envoie un jet d'encre noire à travers l'ensemble des veines. Je m'endormis, hébétée. Quand je me réveillai, je percevais la situation de manière totalement différente. Je savais qu'il se réveillerait navré d'avoir agi ainsi. Il allait se montrer à ma porte d'une minute à l'autre, avec une douzaine de roses et en disant : « Bonjour, chérie, puis-je t'emmener prendre un brunch ? » Le scénario que j'avais dans la tête exigeait que je sois d'une-élégance-oh-parfaite. D'une voix mélodieuse de petite fille, les mots qui sortiraient de ma bouche seraient : « Bien sûr, chéri ! » Le problème est qu'il ne vint jamais. Et non seulement il ne vint pas, mais il ne téléphona pas non plus.

Je nageais en pleine obscurité. Que pouvait me dire *Un cours sur les miracles* de tout cela ? Je savais que j'avais besoin d'un miracle. Mais je ne voyais que deux façons de réagir, deux façons que j'avais déjà essayées dans des situations similaires et qui ni l'une ni l'autre ne me semblaient bonnes ni susceptibles de m'apporter ce que je voulais.

Mon premier choix était de me fâcher très fort et de le lui faire savoir. « Pour qui te prends-tu, espèce de salaud ? » Le problème de ce choix-là, c'est qu'il compromettrait complètement ma position. « Marianne est une jolie fille, mais quel mauvais caractère ! Elle devient hystérique chaque fois que cela ne se passe pas comme elle veut. »

Le seul autre choix que je pouvais imaginer était de lui pardonner et de me défaire de l'incident. Mais cela ne me disait rien de bon non plus. « D'accord, Mike, tu m'as laissée tomber. Cela m'est égal. Cela n'a pas d'importance. » Je pouvais comprendre l'amour inconditionnel, mais pas que l'on me pose inconditionnellement un lapin. Je ne savais que faire. Je demandai un miracle. Je considérai la possibilité qu'il existe une autre possibilité. Je remis la situation à Dieu et me rappelai que j'avais besoin de ne rien faire.

Vu sous l'angle du Cours, la première chose dont je devais traiter était mon propre jugement. Tant que je ne serais pas en paix, mon comportement porterait l'énergie de mon conflit. Un comportement conflictuel ne peut pas apporter la paix. Il ne peut que produire un surcroît de conflit. Je devais d'abord m'occuper de mes propres perceptions. Le reste suivrait.

Je pratiquai dès lors un exercice ; je répétai constamment, tout haut quand j'étais seule et en moi-même quand j'étais en présence d'autres personnes : « Je te pardonne, Mike, et je t'abandonne au Saint-Esprit. Je te pardonne, Mike, et je t'abandonne au Saint-Esprit. Je te pardonne, Mike, et je t'abandonne au Saint-Esprit. »

Comme le lendemain de notre conversation téléphonique matinale, Mike ne m'avait pas appelée, ni le jour suivant ni le jour d'après, j'avais beaucoup de sentiments négatifs à effacer. Ma psalmodie du pardon – une sorte de mantra ou une affirmation répétée de sagesse spirituelle – agit comme un baume bienfaisant sur l'agitation de mes émotions. Elle me dissuada de me concentrer sur la conduite de Mike et m'orienta plutôt sur mes propres sentiments. Mon but était la paix intérieure, et je savais que je ne l'atteindrais pas tant que je percevrais qu'il était coupable.

Au cas où cela vous intéresserait, il ne me téléphona pas avant deux semaines. La constante répétition de « Je te pardonne, Mike, et je t'abandonne au Saint-Esprit », cette volonté de pardonner, avait agi comme une drogue bénéfique sur mon cerveau. Il m'était à présent égal d'avoir ou non de ses nouvelles.

Donc, un jour, j'étais à la maison, le téléphone sonne, et j'entends la voix familière de Mike.

— Marianne ?

Avant même d'être capable d'y penser consciemment, une chaleur et un amour réels m'emplirent la poitrine.

— Mike ? Bonjour ! C'est tellement bon d'avoir de tes nouvelles.

Et c'était bon. C'était merveilleux d'entendre sa voix.

— Comment vas-tu ? Tu m'as manqué.

Pouvez-vous *croire* qu'il ait dit cela ?!? Je ne sais pas si je lui ai dit qu'il m'avait manqué aussi. Mais je me rappelle qu'il m'a demandé quand on pouvait se voir.

— Quand aimerais-tu ? ai-je dit.

— Veux-tu sortir avec moi ce soir ?

Les mots qui me sortirent alors de la bouche me firent tressaillir autant qu'il dut tressaillir lui-même.

— Mike, ai-je dit avec beaucoup d'amour et de gentillesse, je t'aime vraiment bien et ça ne changera pas. Je suis toujours ton amie, peu importe ce qui arrive. Mais pour ce qui est des rendez-vous et de sortir ensemble, nous ne semblons pas parler le même langage. Alors, si tu veux déjeuner avec moi un moment donné, téléphone. Mais quant à sortir, je passe mon tour.

Nous fîmes tous les deux quelques plaisanteries avant de raccrocher. J'étais ennuyée d'avoir rejeté un frère, mais juste comme cette idée m'effleura, j'eus en moi la vision d'une grande quantité de bouteilles de champagne dont les bouchons sautaient au milieu du ciel. Je n'avais pas rejeté un frère. Je m'étais simplement acceptée moi-même d'une toute nouvelle façon. Il avait gagné – il avait appris une leçon et avait une amie, s'il en voulait – et j'avais gagné. Le pardon ne m'avait pas transformée en paillasson. Le pardon m'avait appris comment m'en tenir à ma façon de voir les choses et à mon refus, sans colère, avec dignité et avec amour.

15. COMMUNIQUER L'AMOUR

« *Communication est union, attaque est séparation.* »

Le Saint-Esprit accepte inconditionnellement les êtres humains. Pour l'ego, cette idée est insultante, parce que l'amour inconditionnel est la mort de l'ego. Comment pouvons-nous croître si nous nous acceptons tout le temps les uns les autres tels que nous sommes ? Accepter les autres tels qu'ils sont a l'effet miraculeux de les aider à s'améliorer. L'acceptation n'interdit pas la croissance ; au contraire, elle l'alimente.

Les gens qui nous répètent tout le temps ce qui ne va pas chez nous ne nous aident pas, ils nous paralysent de honte et de culpabilité. Ceux qui nous acceptent nous aident à avoir une bonne opinion de nous, à nous relaxer et à trouver notre voie. Accepter quelqu'un ne veut pas dire ne jamais partager avec lui des suggestions constructives. Mais comme tout le reste, c'est moins de notre comportement qu'il s'agit que de l'énergie qu'il véhicule. Quand je critique quelqu'un pour le changer, c'est mon ego qui s'exprime. Si je prie et demande à Dieu de me guérir de mon envie de juger et qu'ensuite je communique, mon partage sera un partage d'amour et non de peur. Mon partage ne véhiculera pas l'énergie de l'attaque, mais l'énergie de l'aide. Changer de comportement ne suffit pas. Recouvrir une attaque de crémage sucré, la dissimuler sous un ton doucereux ou la noyer dans un jargon thérapeutique n'est pas un miracle. Un miracle, c'est le vrai passage de la peur à l'amour. Quand nous parlons avec la voix de l'ego, nous en appelons à l'ego des autres. Quand nous parlons avec la voix du Saint-Esprit, nous en appelons à leur amour. Un frère qui est dans l'erreur, dit le Cours, réclame qu'on l'éduque, pas qu'on l'attaque.

Le passage suivant, extrait du Cours, est un guide efficace pour développer une saine communication dans les relations.

> « *Les erreurs relèvent de l'ego et les erreurs se corrigent par l'abandon de l'ego. Quand tu corriges un frère, tu lui dis qu'il a tort. Peut-être s'exprime-t-il de façon insensée alors, et assurément si ce qu'il dit vient de l'ego, il ne s'exprimera pas de façon sensée. Mais tu as encore quand même le devoir de lui dire qu'il a raison. Tu ne le lui dis pas verbalement s'il dit des choses absurdes. C'est à un autre niveau qu'il a besoin de correction, parce que son erreur est à un autre niveau. Il a encore raison parce qu'il est Fils de Dieu.* »

Les miracles se créent dans l'invisible. Le Saint-Esprit améliore notre style. Il nous enseigne comment communiquer à partir de l'amour plutôt qu'à partir de l'attaque. Souvent les gens disent : « Je le *leur* ai dit. J'ai vraiment communiqué ! » Mais la communication est à double sens. Il faut que quelqu'un parle et que quelqu'un écoute. Nous avons tous eu des conversations où les deux interlocuteurs ont parlé, mais où aucun des deux n'a rien entendu. Nous avons également eu des conversations parfaitement silencieuses où les deux interlocuteurs ont parfaitement tout compris. Pour communiquer vraiment, il faut assumer la responsabilité de l'espace du cœur qui existe entre les autres et soi. C'est cet espace du cœur, ou en définitive son absence, qui détermine si la communication est miraculeuse ou imprégnée par la peur. Parfois, bien sûr, cela veut dire qu'il faut se taire. Il peut arriver que le silence soit une puissante communication d'amour. Il m'est arrivé certaines fois d'avoir tort, et de savoir que j'avais tort, et de savoir que les autres savaient que j'avais tort, et je les aimais d'avoir l'élégance de ne rien dire. Leur silence m'a donné une chance de me rattraper avec dignité.

Quand nous parlons, la clé de la communication ne se trouve pas dans nos paroles mais dans l'attitude par-delà nos paroles. Comme il n'existe qu'un seul esprit, nous communiquons tous télépathiquement tout le temps. À chaque instant, nous choisissons de nous unir ou de nous séparer, et la personne à qui nous parlons connaît notre choix, indépendamment de nos mots. Le choix de nous unir est la clé de la communication parce que ce choix est la clé de la communion. La communication n'est pas le véritable objectif. Notre objectif est l'état de pureté à partir duquel nous bâtissons notre message. Nous ne cherchons pas à nous unir par nos mots ; nous acceptons l'idée que nous sommes unis à quelqu'un avant de lui parler. L'accepter est en soi un miracle.

L'enseignant de Dieu est un instrument dont l'intuition est très finement réglée. *Un cours sur les miracles* dit que nous devons écouter notre frère, d'abord et avant tout. Si nous devons parler, Il nous le fera savoir. Un jour, Jésus envoya Ses disciples enseigner l'Évangile dans la campagne. « Que devrons-nous dire ? » Lui demandèrent-ils. Il répondit : « Je vous le dirai quand vous y serez. » Il ne faut pas essayer de savoir quoi dire à un frère. Notre travail consiste essentiellement à demander au Saint-Esprit de purifier les perceptions que nous avons de l'autre. À partir de cet espace en nous, et uniquement à partir de cet espace, trouverons-nous le pouvoir des mots et le pouvoir du silence, qui apporte la paix de Dieu.

16. L'ENGAGEMENT

> *« L'ego ne peut pas séparer ceux que Dieu a unis en tant qu'un. »*

Un cours sur les miracles dit que nous devons nous engager entièrement dans toutes nos relations et elles n'entreront jamais en concurrence les unes avec les autres. S'impliquer dans une relation signifie s'impliquer dans un processus de compréhension et de pardon mutuels – peu importe le nombre de conversations nécessaire pour y parvenir ni à quel point ces conversations sont parfois pénibles.

Quand nous nous séparons physiquement de quelqu'un avec qui nous avons vécu des relations intimes, cela ne signifie pas que la relation soit terminée. Les relations sont éternelles. La « séparation » est un autre chapitre de la relation. Souvent, lâcher prise à l'ancienne forme de relation est une leçon d'amour pur beaucoup plus profonde que tout ce que le couple aurait pu apprendre s'il était resté uni. À la soi-disant fin de certaines de mes relations, j'ai eu parfois l'impression d'être plus profondément amoureuse de mon partenaire que je ne l'avais jamais été. Je me suis rendu compte que le Saint-Esprit enlevait souvent à ce moment-là tous les obstacles, parce qu'il faut tout l'amour dont nous sommes capables pour laisser partir quelqu'un. « Je t'aime tellement que je te laisse aller où tu as besoin d'être, je te laisse partir où tu as besoin de partir. » Ce moment dans une relation n'est pas une fin. Il est l'ultime accomplissement du but de toute relation : trouver le sens de l'amour pur.

Parfois, la leçon d'une relation consiste à apprendre comment tenir bon et comment résoudre les difficultés. D'autres fois, la leçon c'est apprendre comment sortir d'une situation qui n'apporte rien. Personne ne peut déterminer pour personne les principes qui s'appliquent dans telle ou telle circonstance. C'est en définitive notre lien au Saint-Esprit – notre propre guide intuitif – qui peut nous conduire à la plus profonde compréhension du déroulement des événements.

J'ai dit dans de nombreuses conférences : « N'abandonnez jamais une personne que vous quittez. » Qu'est-ce que cela signifie ? Cela signifie qu'il est important pour nous d'honorer la nature éternelle de la relation. Quand une relation change de forme, son contenu ne doit pas s'amoindrir. L'ego dit : « Écoute, c'est fini. Ça n'a pas marché. On n'est plus ensemble. Ce qui est passé est passé. Je suis avec quelqu'un d'autre maintenant. » L'« ex » devient un citoyen de seconde classe. Souvent, le nouveau partenaire se sent justifié de dire : « Pourquoi continues-tu de lui parler ? *Nous sommes* ensemble maintenant. » Malheur à la personne qui ne supporte pas la guérison entre un homme ou une femme et son ex. On finit par découvrir que la manière dont le partenaire précédent a été traité est exactement la manière dont on sera traité soi-même. On ressent de la jalousie, le besoin de s'accrocher à ce qu'on a parce que dans ce domaine, comme dans tout autre, l'ego dit que la quantité d'amour disponible est limitée et que le bien fait à un autre est du bien qu'on ne vous fera pas. L'ego est persuadé que les ressources sont limitées, mais l'amour est infini. Chaque fois qu'on ajoute de l'amour à un endroit du système, l'amour augmente partout. L'amour amène plus d'amour. Si mon mari ou mon ami guérit de sa précédente relation, il lui sera plus facile de m'aimer à partir d'un espace guéri et entier. La femme qui m'a précédée dans sa vie n'est pas ma rivale. Elle est ma sœur.

Un homme que j'ai connu est venu un soir souper à la maison. Nous sortions ensemble depuis peu de temps, et je lui demandai ce qu'il avait fait toute la journée. Il me dit qu'il avait travaillé à un scénario avec sa dernière petite amie avec qui il était toujours associé professionnellement. Il me dit qu'ils avaient eu une conversation très pénible sur leur relation. Elle était toujours blessée. Elle avait beaucoup de mal à laisser aller les choses ; ce que nous connaissons tous. Je lui demandai comment cela s'était terminé. Il me répondit qu'elle était très fâchée. Je laissai le repas que j'étais en train de préparer, le regardai dans les yeux et lui dis : « Téléphone-lui. » Il m'était difficile de supporter l'idée de cette femme, quelque part à l'autre bout de la ville, en train de vivre cette horrible inquiétude pendant que nous étions romantiquement attablés. J'avais vécu ce qu'elle vivait. Ç'aurait été totalement contraire à mon éthique de ne pas aider cette femme à surmonter ses sentiments.

— Cela ne te dérange pas ? demanda-t-il.

— Pas du tout, dis-je. Le repas peut attendre.

Nos besoins ne sont pas séparés. Si nous contribuons à faire souffrir quelqu'un, cela viendra toujours nous hanter. Si nous faisons notre possible pour l'aider, quelqu'un viendra toujours nous rendre la pareille. Il ne suffit pas de rester assis pendant que les autres souffrent et de répéter, pour justifier son égoïsme, la phrase passe-partout : « Ce n'est pas ma responsabilité » ou « Ce serait de la codépendance si je m'impliquais. » Une femme m'a dit une fois après une situation dans laquelle je m'étais sentie trahie : « Je n'ai jamais eu l'intention de te blesser. » J'ai répondu : « Mais tu n'as jamais eu l'intention de m'aimer non plus. » L'amour n'est pas neutre. Il prend position. C'est un engagement à faire en sorte que tous ceux qui sont impliqués dans une situation trouvent la paix.

17. LA FOI DANS LES RELATIONS

« La foi est la reconnaissance de l'union. »

Souvent, nous aspirons à la présence de quelqu'un qui vient de nous quitter parce que, dans quelque royaume invisible, intangible, nous continuons de communiquer, d'être en relation, nous cherchons toujours une solution. Les gens diront : « Ton attitude est névrotique. Il est temps de te détacher. » Mais l'époque n'est pas si éloignée où les veuves portaient le deuil pendant un an ; le chagrin était compris, reconnu, validé. Il n'y a rien de névrotique à pleurer une relation ; ne pas la pleurer est névrotique. À un certain niveau, peu importe à quel point nous sommes dissociés de nos sentiments, chaque relation apporte un espoir – l'espoir que la relation sera un espace sûr, un havre, un repos après toutes nos batailles.

Quand une relation échoue, peu importe la raison, notre déception est naturelle. Toute rencontre intense est signe d'un lien karmique profond et complexe. Une relation qui s'achève ressemble à une mort, et dans de nombreux cas le chagrin est plus aigu. À la mort de quelqu'un, il y a souvent eu un achèvement et une compréhension qui n'existent pas quand deux êtres vivants se séparent avant d'avoir atteint un niveau de conscience plus élevé. L'être aimé vit peut-être à l'autre bout de la ville, peut-être dort-il avec quelqu'un d'autre, et pourtant de véritables univers nous séparent car nous n'avons pas trouvé la solution à laquelle nous aspirions tant. Il ne sert à rien de faire semblant que ce n'est pas un couteau planté dans le cœur. C'en est un, et il n'y a rien d'autre à faire que de laisser couler les larmes qui coulent comme le sang d'une blessure.

« *Le temps de la foi est venu.* » Laissons nos larmes nous apaiser. Quand des couteaux émotionnels nous frappent au cœur, des murs s'écroulent qui dès le départ n'auraient pas dû exister. C'est le moment d'apprendre. Nous pouvons apprendre ce qui est illusion et ce qui est réel. Nous pouvons apprendre qu'il ne faut jamais faire confiance aux idoles et nous pouvons apprendre qu'il existe un amour qui ne meurt jamais, jamais.

Dans les relations, de nombreux conflits mettent notre foi à l'épreuve. Par exemple, la trahison. « Trahison » est un mot que nous ne comprenons pas vraiment avant de l'avoir vécue. Quand c'est un ami qui tient le couteau, il n'y a pas de douleur plus grande.

Dans le Cours, Jésus dit que même si le monde pense qu'il a été trahi, il ne choisit pas cette perception pour lui-même. En d'autres termes, il savait qu'en réalité il ne pouvait pas avoir été trahi, parce que tout ce qui n'est pas amour n'est pas réel. Que faire, dès lors, quand on est attaqué, quand la pilule est tellement amère qu'il faut toute son énergie pour ne pas s'effondrer en l'avalant ? Où est le réconfort ?

Quelqu'un m'a dit un jour que les plumes des paons ressemblaient à ce qu'elles sont, parce que les paons se nourrissent d'épines. Quelle belle image : les choses les plus difficiles à digérer peuvent contribuer à notre beauté. Mais pas toujours. Uniquement – et c'est bizarre – quand nous nous ouvrons assez pour absorber vraiment l'horreur. La résistance et la défense ont pour seul effet de rendre l'erreur plus réelle et d'accroître la douleur.

Si Jésus avait crié du haut de la croix : « Je vous déteste tous », l'histoire aurait été totalement différente. Il n'y aurait pas eu de résurrection. Ce qui a créé l'espace de son triomphe a été son manque de défenses, le fait qu'il se soit accroché à l'amour malgré ce que les autres lui faisaient. Le corps peut être détruit, mais pas la vérité. La vérité, après les symboliques trois jours, se réaffirme toujours. Les trois jours sont le temps entre la crucifixion et la résurrection, entre la réaction, cœur ouvert, à une blessure et l'expérience de la renaissance qui suit toujours.

Combien de fois me suis-je dit, et ai-je dit aux autres : « Ce n'est que trois jours. Tiens bon. Tiens bon. » Quand nos amis se tournent contre nous, nous trompent et nous mentent, la tentation est tellement forte de nous défendre et d'attaquer en retour. Mais le Cours dit : « *C'est dans notre état sans défense que se trouve notre sécurité.* » Voici encore un endroit où nous trouverons notre pouvoir en disant : « *Je Lui céderai le pas et Le laisserai me montrer le chemin.* » Le Christ en nous sait comment s'occuper de toute attaque parce qu'il n'est pas affecté par le manque d'amour. Seule notre conviction d'être affectés par la peur peut faire en sorte que la peur nous affecte. La défense est une façon de se mettre au diapason de l'assaillant dans la puissance de son attaque, et dès lors de la rendre réelle dans notre expérience.

Il faut beaucoup de courage et de force personnelle pour rester centré pendant les périodes de grande souffrance. Il faut de la sagesse pour comprendre que réagir ne contribue qu'à activer les flammes d'un drame qui n'existe pas. L'amour crée une armure mystique qui nous entoure et nous protège du chaos. Quand nous sommes en plein cœur d'une perte, d'une trahison ou d'une crise, les mots suivants sont puissants : « Reste calme et n'oublie pas que tu es calme. » La vérité est indestructible. Il n'y a de perte que de temps, dit le Cours, et le temps n'existe pas.

18. LE MARIAGE

« Ensemble, vous avez entrepris d'inviter le Saint-Esprit dans votre relation. »

Le mariage, comme tout le reste, peut être utilisé soit par l'ego ou par le Saint-Esprit. Le contenu du mariage n'est jamais prédéterminé. Il est un organisme vivant qui reflète les choix continuels des individus impliqués.

Il reste très peu de choses sacrées dans ce monde, mais il en est une qu'il faut traiter avec respect, sinon le tissu moral du monde se désagrège : un accord entre deux personnes. Un mariage éclairé est un engagement réciproque à participer au processus de croissance et de pardon mutuels, et le partage d'un but commun : servir Dieu.

Un homme m'a dit un jour que sa relation avec son ex-femme avait été merveilleuse la première année de son mariage. À l'époque, ils étaient tous les deux activement impliqués dans une organisation vouée à la croissance personnelle. Une fois qu'ils quittèrent l'organisation, leur mariage se brisa. Je ne veux pas dire par là que ce mariage n'avait pas d'atouts en soi, mais plutôt signaler l'importance d'un contexte qui dépasse les préoccupations personnelles des partenaires impliqués.

Pourquoi le mariage est-il un engagement plus profond que les autres formes de relation, comme la cohabitation ? Parce qu'il repose sur l'accord mutuel que, même si beaucoup de secousses et de pleurs se produisent, les deux partenaires resteront. Ils se sentent en sécurité de vivre toutes les émotions qui leur viennent du fond du cœur – et quand on dit la vérité, il arrive qu'elle fâche l'autre – et il est bon de les vivre au sein du couple. Personne ne partira.

L'engagement du mariage est déclaré publiquement. Quand les invités sont présents et que la cérémonie est religieuse, on accomplit un rituel dans lequel les prières collectives forment un cercle de lumière et de protection autour de la relation.

Un mariage est un cadeau de Dieu à un homme et à une femme, un cadeau qui devrait donc Lui être rendu.

L'épouse d'un homme est littéralement un cadeau que Dieu fait à l'homme. Le conjoint d'une femme est un cadeau que Dieu fait à cette femme. Les cadeaux de Dieu sont des cadeaux spécifiquement conçus pour chacun. Un mariage est une bénédiction pour le monde, parce qu'il est un contexte dans lequel deux personnes vont pouvoir devenir plus que si elles étaient restées seules. La présence d'êtres guéris bénit le monde entier. Un des exercices du Livre d'exercices dit : « *Quand je guéris, je ne guéris pas seul.* »

Le soutien et le pardon d'un partenaire nous permettent de nous présenter avec plus de magnificence dans le monde. *Un cours sur les miracles* nous dit que l'amour n'est pas destiné à exclure mais à inclure. Il y a quelques années, le refrain d'une chanson populaire était : « Toi et moi contre le monde ». Si un homme m'avait jamais dit cela, je lui aurais répondu que je m'en allais. On ne se marie pas pour s'évader du monde ; on se marie pour le guérir ensemble.

Avec l'aide du Saint-Esprit, un couple marié s'engage à créer un contexte dans lequel leurs ressources individuelles – matérielles, émotionnelles et spirituelles – sont mises au service l'un de l'autre. La façon dont nous donnons est aussi celle dont nous recevons. Se mettre au service de quelqu'un n'implique pas d'auto-sacrifice. Cela signifie donner aux besoins de l'autre la même priorité qu'à ses propres besoins. L'ego affirme qu'un partenaire gagne et que l'autre perd. Le Saint-Esprit entre dans n'importe quelle situation et fait gagner tous ceux qui y sont impliqués. Dans le mariage se présente une magnifique occasion de voir par-delà l'illusion de besoins distincts. Un couple marié ne pense pas seulement en termes de ce qui est bon pour l'un ou pour l'autre, mais plutôt à ce qui est bon pour les deux. Voilà l'une des nombreuses façons par lesquelles le mariage contribue à la guérison du Fils de Dieu.

Comme dans tout le reste, la clé d'un mariage réussi est la prise de conscience de Dieu. Le mariage Lui est abandonné pour servir Ses desseins. Le dicton qui dit qu'une famille qui prie est une famille unie est vrai. Le mariage éclairé inclut la présence d'un troisième partenaire mystique. On demande au Saint-Esprit de guider les perceptions, les pensées, les sentiments et les actions de façon à ce qu'en cela, comme en toutes choses, la volonté de Dieu soit faite sur la terre comme au Ciel.

19. PARDONNER À NOS PARENTS, À NOS AMIS, À NOUS-MÊMES

« Le lieu le plus saint de la terre est là où une haine ancienne est devenue un présent amour. »

Il est impossible d'arriver à la conscience sans pardonner à ses parents. Que nous aimions le fait ou pas, notre mère est notre première image de femme adulte et notre père, notre première image d'homme adulte. Si nous continuons d'avoir des griefs contre notre mère, et que nous sommes un homme, nous serons incapable de nous empêcher de projeter de la culpabilité sur les autres femmes adultes qui viennent dans notre vie ; et si nous sommes une femme, nous serons incapable à l'âge adulte de nous empêcher de nous condamner nous-même. Si nous continuons d'avoir des griefs contre notre père, et que nous sommes une femme, nous serons incapable de nous empêcher de projeter de la culpabilité sur les autres hommes adultes qui viennent dans notre vie ; et si nous sommes un homme, nous serons incapable à l'âge adulte de nous empêcher de nous condamner nous-même.

Voilà. À un certain point, nous pardonnons parce que nous *décidons* de pardonner. La guérison se produit dans le présent, non dans le passé. Ce n'est pas l'amour que nous n'avons pas reçu dans le passé qui nous handicape, mais bien l'amour que nous ne donnons pas dans le présent. Dieu a le pouvoir de renouveler notre vie ou de ne pas la renouveler. Dieu pourrait-Il nous regarder et dire : « J'aimerais vous donner une vie remplie de joie, mais je me sens les mains liées parce que votre mère était tellement horrible » ?

On parle beaucoup ces temps-ci de gens qui ont grandi dans des foyers dysfonctionnels. Mais qui *n'a pas* grandi dans un foyer dysfonctionnel ! Ce monde est dysfonctionnel ! Il n'y a rien que nous ayons vécu ou vu ou fait dont nous ne puissions nous servir pour rendre nos vies actuelles plus valables. Toute expérience permet de croître, et nous pouvons transcender toute expérience. Ce genre de discours est un blasphème pour l'ego. L'ego respecte la douleur, glorifie la douleur, adore la douleur et crée la douleur. La douleur est sa pièce maîtresse. Il considère le pardon comme un ennemi.

Le pardon est la seule voie pour sortir de l'enfer. Que nous pardonnions à nos parents, à quelqu'un d'autre ou à nous-mêmes, les lois de l'esprit sont identiques : en aimant, nous nous défaisons de la douleur, et en refusant d'aimer, nous restons dans la douleur. À tout moment, nous répandons l'amour ou projetons la peur, et chaque pensée nous rapproche soit du ciel, soit de l'enfer. Que faudra-t-il pour que nous nous souvenions qu'« *on entre dans l'arche deux par deux* », que nous n'accédons pas au ciel sans y amener quelqu'un avec nous ?

La pratique et l'engagement sont les clés de l'amour. Ce que j'ai subi, et ce contre quoi j'ai vu d'autres se débattre n'est pas un argument contre le pouvoir de l'amour. Je suis capable de voir la vérité de tous ces principes. Mais je vois également à quel point je résiste à l'expérience de l'amour, quand il me semble plus important de retenir un grief que de m'en défaire. Tout un monde s'est bâti sur la peur. Le système de la peur ne sera pas démantelé en une fraction de seconde. Nous pouvons travailler sur nous-mêmes à chaque instant de notre vie. Le monde se guérit par les pensées d'amour, une pensée à la fois. Mère Teresa a dit qu'il n'existait pas de grandes actions – juste des petites actions accomplies avec un grand amour.

Nous avons tous des peurs différentes, et nous manifestons tous différemment la peur, mais la même technique nous sauve tous : l'appel à Dieu pour qu'Il sauve nos vies en sauvant nos esprits. « Ne nous soumets pas à la tentation, mais délivre-nous du mal, parce que l'Amour est le Royaume, et l'Amour est la gloire, et l'Amour est le pouvoir, dans les siècles des siècles. »

Chapitre 7

Le travail

Je suis content d'être là où Il le souhaite, sachant qu'Il m'accompagne.
Je guérirai en Le laissant m'enseigner à guérir. »

1. ABANDONNER SA CARRIÈRE À DIEU

« *Voyant tes forces exactement telles qu'elles sont et conscient aussi bien de là où elles peuvent le mieux s'appliquer, en vue de quoi, à qui et quand, Il choisit et accepte ton rôle pour toi.* »

On a réussi quand on va se coucher le soir en sachant que ses talents et ses habiletés ont servi les autres. La reconnaissance dans le regard des autres est la récompense et la sensation magnifiques d'avoir fait quelque chose aujourd'hui pour sauver le monde, et cela peu importe l'aisance matérielle qui aide à agir dans la joie et au plus haut de son énergie.

Le Rachat signifie accorder à l'amour la première place. Dans tout. En affaires comme ailleurs. Vous êtes en affaires pour répandre l'amour. Votre scénario de film devrait répandre l'amour. Votre salon de coiffure devrait répandre l'amour. Votre agence devrait répandre l'amour. Votre vie devrait répandre l'amour. La clé de la réussite professionnelle, c'est se rendre compte qu'elle n'est pas distincte du reste de la vie, mais une extension de votre moi le plus fondamental. Et votre moi le plus fondamental est amour.

Savoir qui vous êtes et pourquoi vous êtes ici – savoir que vous êtes un enfant de Dieu et que vous êtes ici pour guérir et être guéri – est plus important que savoir ce que vous voulez faire. Ce que vous voulez faire n'est pas la question importante. La question à se poser est celle-ci : « Quoi que je fasse, comment dois-je le faire ? » Et la réponse est : « Avec gentillesse. » Les gens n'associent pas gentillesse et affaires, parce qu'ils en sont venus à considérer les affaires comme une simple façon de faire de l'argent. Les travailleurs en miracles ne sont pas en affaires juste pour faire de l'argent ; ils sont en affaires pour injecter de l'amour dans le monde.

Chacun de nous a un rôle particulier à jouer dans « *le plan de Dieu pour le salut* ». Le travail du Saint-Esprit est de nous révéler notre fonction et de nous aider à l'assumer. « *Le Saint-Esprit nous demande s'il est raisonnable de présumer qu'Il nous assignerait une tâche sans nous fournir les moyens de l'accomplir.* »

Encore une fois, nous ne décidons pas pour nous-mêmes quel sera notre rôle dans la vie mais nous demandons qu'il nous soit révélé, où Il veut qu'on aille et ce qu'Il veut qu'on fasse. Nous Lui abandonnons nos carrières. Durant la Seconde Guerre mondiale, les généraux alliés supervisaient l'activité de toutes les troupes à partir d'un quartier général central d'où émanaient les ordres. Les commandants sur les divers fronts ne savaient pas nécessairement comment leurs mouvements s'harmonisaient dans le plan militaire global : ils savaient simplement qu'ils s'harmonisaient effectivement, parce qu'ils savaient qu'il existait une intelligence générale qui présidait à l'émission de leurs ordres. Il en va de même pour nous. Nous ne savons peut-être pas comment ni où nos talents seraient le mieux mis à contribution, mais le Saint-Esprit le sait. *Un cours sur les miracles* nous enseigne à « *éviter de faire des plans nous-mêmes et de les abandonner plutôt à Dieu* ».

Certaines personnes ont dit : « Mais j'ai peur d'abandonner ma carrière à Dieu. Je suis musicien... Qu'arriverait-il s'Il voulait que je devienne comptable ? » À cela, je réponds : « Pourquoi le voudrait-Il ? Ne préférerait-Il pas comme comptable quelqu'un qui comprend bien les chiffres ? »

Si vous avez du talent pour la musique, ce talent vient de Dieu. Si quelque chose fait vibrer votre cœur, c'est le moyen qu'a Dieu de vous dire que c'est cela qu'Il attend comme contribution de vous. Partager nos dons est ce qui nous rend le plus heureux. Quand nous sommes heureux, nous sommes plus puissants et le pouvoir de Dieu sur terre est plus visible.

Un cours sur les miracles dit que « *le seul plaisir réel provient de faire la volonté de Dieu* ». La croix du salut dans tout domaine, c'est changer ses objectifs. Les relations, les carrières, le corps – tous ces domaines de nos vies renaissent dans l'esprit quand nous les vouons aux desseins de Dieu et Lui demandons de les utiliser comme instruments pour guérir le monde.

Ce changement est un miracle. Comme toujours, nous le demandons consciemment. « Mon Dieu, s'il te plaît, donne à ma vie le sens de ses vrais objectifs. Utilise-moi comme instrument de Ta paix. Utilise mes talents et mes aptitudes pour répandre l'amour. Je T'abandonne mon travail. Aide-moi à me rappeler que mon vrai travail est d'aimer assez le monde pour qu'il guérisse. Merci beaucoup. Amen. »

2. LA VOLONTÉ DE DIEU

« Où voudrais-tu que j'aille ?
Que voudrais-tu que je fasse ?
Que voudrais-tu que je dise et à qui ? »

Les gens se demandent : « Est-ce que je veux servir Dieu ou est-ce que je veux être heureux ? » Certaines religions bien établies ayant représenté la vie spirituelle comme une vie de sacrifice et d'austérité, il peut être difficile parfois d'imaginer qu'une vie proche de Dieu est une vie remplie de joie. *Un cours sur les miracles* dit que *« le seul plaisir réel provient de faire la volonté de Dieu ».*

Dieu n'exige pas le sacrifice. La vie de sacrifice est celle que nous menons *avant* de trouver un sens plus haut à notre identité et à nos objectifs : l'occultation de notre magnificence réelle et de l'importance du travail que nous sommes venus accomplir ici. Et c'est un énorme sacrifice. Quand nous ne pouvons nous rappeler pourquoi nous allons quelque part, il nous est difficile d'être au top une fois que nous y sommes arrivés. L'amour donne l'énergie et la direction. Il est un carburant spirituel.

Toute carrière, donnée au Saint-Esprit, participe au plan de rétablissement du monde. Aucun travail n'est trop important ou trop modeste pour ne pas pouvoir servir les desseins de Dieu. Vous avez en vous le pouvoir illimité de l'univers, comme l'a chacun de nous. Il ne s'agit pas d'en tirer quelque crédit personnel ou d'en éprouver de la culpabilité. Notre pouvoir réel émane d'une force qui est en nous, mais qui ne relève pas de nous. *« Sois humble devant Dieu,* dit le Cours, *et pourtant grand en Lui. »* S'en rappeler nous permet de rester en prise directe avec notre innocence et, aussi longtemps que nous le sommes, le pouvoir continuera d'affluer à travers nous. Si on l'oublie, la source peut se tarir n'importe quand. Cessez de bénir l'univers et l'univers semblera cesser de vous bénir. Quelle que soit votre activité, demandez simplement qu'elle serve à bénir le monde.

Je me souviens de m'être plainte un jour à mon amie June de me sentir terriblement malheureuse, et elle a répondu : « Marianne, je ne veux pas être dure avec toi mais as-tu jamais fait quelque chose pour quelqu'un d'autre ? » Ce commentaire m'a frappée comme une brique en plein front, même si à l'époque je n'en ai pas eu vraiment conscience. Plusieurs années plus tard, après ma très grave dépression, la souffrance humaine est devenue pour moi d'une portée personnelle beaucoup plus significative. Si quelqu'un souffrait, ne fût-ce qu'une minime fraction de ce que j'avais moi-même souffert, alors mon cœur éclatait pour lui et je voulais l'aider. Dieu semblait me dire : « Les gens souffrent terriblement, et toute ta vie tu as eu autour de toi des gens qui souffraient. Tu ne l'as simplement pas remarqué. Tu étais trop occupée à faire les boutiques. »

J'ai commencé, comme beaucoup de monde, à me demander ce que j'étais censée faire de ma vie. Je semblais incapable de poursuivre quelque chose très longtemps, de faire de l'argent ou de trouver quelque satisfaction réelle dans mon travail. Je me sentais paralysée. Je me rappelle avoir demandé à Dieu de me révéler ce qu'Il voulait que je sache afin d'être capable de changer. Je me suis mise à genoux et me suis concentrée jusqu'à ce que je me retrouve dans un grandiose état de méditation. J'ai eu des images mentales d'un ciel splendide et d'un groupe d'anges traversant les nuages pour m'apporter Sa réponse. Deux chérubins tenaient un rouleau de parchemin qu'ils commencèrent à dérouler. Mon cœur s'est mis à battre à grands coups. J'attendais le message de Dieu qui, j'en étais certaine, serait extrêmement important. Lentement, les lettres du manuscrit prirent forme : « Marianne, tu es un bébé gâté. »

J'étais paralysée parce que je m'étais coupée de la conscience de ma raison d'être sur la terre. Me dire que j'étais une enfant gâtée était l'information parfaite, la clé pour débloquer mes énergies. Le problème était mon égoïsme. Comme des acteurs qui ont passé tellement de temps à apprendre comment jouer qu'ils n'ont pas eu le temps d'apprendre comment vivre, et sont devenus de mauvais acteurs parce qu'ils n'ont finalement rien d'authentique à révéler sur la vie, nous perdons parfois notre pouvoir personnel en oubliant pourquoi nous l'avons. Nous étudions comment gérer nos affaires et nous cessons de penser à la raison pour laquelle nous sommes en affaires, à part celle de faire de l'argent. Ce n'est pas un message spirituel très puissant, et l'univers le tolérera de moins en moins à mesure que nous nous approchons de l'an 2000.

3. LE POUVOIR PERSONNEL

« Tout pouvoir relève de Dieu. »

Ne demandez pas à Dieu de vous envoyer une carrière éclatante. Demandez-Lui plutôt de vous montrer l'éclat en vous. Quand on admet son éclat, il peut s'exprimer. Aucun effet externe signifiant, durable, ne se produit avant d'avoir expérimenté l'éveil interne. Quand l'éveil interne s'est produit, les effets externes ne peuvent manquer de s'ensuivre. Nous sommes tous capables d'un éveil interne, et en fait nous sommes programmés pour qu'il se produise. C'est notre potentialité de grandeur. La réussite ne vient pas de ce que nous faisons mais de ce que nous sommes. Notre pouvoir terrestre résulte de notre pouvoir personnel. Notre carrière est une extension de notre personnalité.

Le mot « charisme » était originellement un terme religieux. Il veut dire : « de l'esprit ». Le charisme est le pouvoir, à partir d'un domaine intérieur invisible, d'affecter ce qui se passe sur terre, et c'est un droit naturel et la fonction du Fils de Dieu. Les nouvelles frontières sont des frontières internes. Les véritables étendues sont en nous. Au lieu d'accroître notre habileté ou notre envie d'aller tout obtenir, nous accroissons notre habileté à recevoir ce qui, déjà, est ici pour nous.

C'est là un concept chrétien traditionnel appelé « les dons du Saint-Esprit ». L'idée est la suivante : quand nous donnons notre vie au Saint-Esprit pour qu'Il l'utilise à Ses fins, de nouveaux talents émergent en nous. Nous n'harmonisons pas notre vie avant de la donner à Dieu. Nous donnons notre vie à Dieu et ensuite les choses commencent à s'harmoniser. Quand notre cœur s'ouvre, nos talents et nos dons s'épanouissent. Beaucoup de gens m'ont dit qu'après avoir réussi et gagné beaucoup d'argent, ils se serviraient de leur réussite pour aider le monde. Mais ceci n'est qu'un délai technique par lequel l'ego essaie de nous empêcher de nous manifester pleinement dans notre propre vie. Même si nous ne considérons pas encore que nous avons réussi, nous pouvons dès à présent vouer notre travail au service de la guérison du monde. À partir de ce point de pouvoir, nos carrières démarrent.

Peu importe ce que nous faisons, nous pouvons en faire un saint ministère. Peu importe la forme de notre travail ou de notre activité, le contenu est identique pour tous : nous sommes ici pour servir les cœurs humains. Chaque fois que nous parlons à quelqu'un, voyons quelqu'un ou même pensons à quelqu'un, nous avons l'occasion d'apporter plus d'amour à l'univers. Depuis la serveuse jusqu'au directeur d'un studio de cinéma, depuis le préposé à l'ascenseur jusqu'au président d'une nation, il n'existe personne dont le travail soit anodin au regard de Dieu.

Quand vous le savez, quand vous vous montrez pleinement à la hauteur de la chance de guérir, vous acquérez, dans vos efforts terrestres, une énergie qui vous pousse de l'avant. L'amour vous rend plus séduisant. Vous attirez comme un aimant. Vous n'attirez pas seulement les gens ; vous attirez diverses circonstances qui reflètent le pouvoir de votre dévotion. Votre pouvoir personnel ne se révélera pas plus tard. Votre pouvoir est le résultat de votre décision de le révéler. Vous êtes puissant chaque fois que vous choisissez de l'être. Choisir de servir comme instrument de l'amour, ici et maintenant, c'est choisir un renforcement de son pouvoir personnel.

Un cours sur les miracles nous dit que tous les enfants de Dieu ont du pouvoir – pourtant personne n'a de pouvoir « spécial ». « *Nous sommes tous spéciaux et pourtant aucun de nous n'est spécial.* » Personne n'a plus de potentialités qu'un autre pour répandre l'amour et la lumière de Dieu. Nos notions traditionnelles de réussite reposent souvent sur le fait que nous nous disons à nous-mêmes que nous sommes spéciaux et que nous avons quelque chose de spécial à offrir. En vérité, aucun de nous n'est spécial. Quelqu'un de spécial serait différent et séparé des autres. L'unicité du Christ rend la chose impossible. La conviction d'être spécial est, dès lors, illusoire et porteuse de peur.

Beethoven, Shakespeare ou Picasso ont moins *créé* quelque chose qu'accédé à un espace en eux à partir duquel ils pouvaient *exprimer* ce qui avait été créé par Dieu. Leur génie réside en réalité dans l'expression, non dans la création. Et c'est pourquoi les grandes œuvres d'art nous frappent comme si nous les reconnaissions, souhaitions *nous-mêmes* les avoir exprimées. L'âme vibre au rappel de ce que nous connaissons déjà.

Le Cours dit qu'« *un jour tous les dons de Dieu seront partagés également entre tout le monde* ». Nous avons tous la possibilité d'être grands, mais elle disparaît très tôt. La peur s'est installée quand quelqu'un nous a dit qu'il existait un premier prix, un deuxième prix et un troisième prix, que certains efforts méritent la note A et certains la note C. Après un temps, certains ont même peur d'essayer. La seule chose que nous avons à donner au monde, c'est la compréhension que nous en avons. L'ego prétend que cela ne suffit pas. Il nous amène à camoufler notre vérité, à essayer d'en inventer une meilleure. Mais l'ego ne nous protège pas même si, comme toujours, il prétend nous protéger. Il ne nous empêche pas d'agir comme des insensés ; il nous empêche d'expérimenter qui nous sommes réellement, de s'exprimer brillamment, et d'éprouver la joie que le fait de s'exprimer nous apporte à nous et aux autres.

J'adore l'anecdote de la petite fille qui apporte à son professeur son dessin d'un arbre. L'arbre était violet. Le professeur dit :

— Ma jolie, je n'ai jamais vu d'arbre violet.

— Oh ? répondit la petite fille. Comme c'est dommage.

Nous ne pouvons simuler l'authenticité. Nous pensons que nous avons besoin de nous créer et sommes sans cesse en train de remodeler notre personnalité, parce que nous essayons d'être spéciaux plutôt que réels. Nous essayons pathétiquement de nous conformer à tous les autres qui essaient de faire pareil.

Une tulipe ne s'efforce pas d'impressionner. Elle ne se bat pas pour être différente d'une rose. Elle n'a pas à se battre. Elle *est* différente. Et il y a place dans le jardin pour toutes les fleurs. Vous n'avez pas dû vous battre pour que votre visage soit différent de tous les autres visages sur la terre. Il l'est simplement. Vous *êtes* unique parce que c'est ainsi que vous avez été créé. Voyez les petits enfants à la garderie. Ils sont tous différents sans essayer de l'être. Aussi longtemps qu'ils restent naturellement eux-mêmes, ils ne peuvent s'empêcher de briller. Ce n'est que plus tard, quand on enseigne aux enfants la compétition, quand on leur apprend à se battre pour être les meilleurs que leur lumière naturelle se ternit.

Cette lumière naturelle de Dieu en nous, le Cours l'appelle notre grandeur. Et les efforts de l'ego pour embellir notre état naturel, il l'appelle la folie des grandeurs. « *Il est facile de distinguer entre la grandeur et la folie des grandeurs,* dis le Cours, *parce que l'amour nous est rendu et l'orgueil ne l'est pas.* » L'ego interfère avec l'expression claire de notre pouvoir en essayant de nous amener à y ajouter quelque chose. C'est en réalité un stratagème par lequel il contrecarre notre faculté d'exprimer qui nous sommes vraiment et d'accepter en retour l'entière reconnaissance des autres.

Une fois de plus, la séparation est l'objectif de l'ego. J'avais coutume de vivre des montagnes russes dans mes sentiments, avec l'impression d'être meilleure que les autres, puis tout de suite après celle d'être pire. « Je suis meilleure, non je suis moins bonne. Je suis meilleure, non je suis moins bonne. » Les deux phrases expriment la même erreur. En vérité, nous sommes tous pareils. Le savoir – que nous ne sommes ni meilleurs ni pires parce que nous sommes tous essentiellement les mêmes – est une pensée qui peut manquer de lustre jusqu'au jour où nous nous rendons vraiment compte du genre de club dont nous faisons partie. L'humanité constitue un groupe d'êtres infiniment puissants. « *Notre pouvoir, cependant, est en nous, pas de nous.* » C'est l'esprit de Dieu en nous qui illumine et anime nos vies. Par nous-mêmes, nous ne sommes vraiment pas grand-chose.

Cette pensée m'a aidée dans ma carrière. Dans mes conférences, je parle parfois à des auditoires de plus de mille personnes. Il m'est difficile d'imaginer comment je réagirais à l'obligation de me convaincre d'avoir quelque chose de spécial à offrir. Je n'essaie pas. Je n'ai à impressionner personne, et si je ne pense pas devoir impressionner, il n'y a rien d'autre à faire qu'à relaxer. Je quitte la scène sans éprouver le besoin de faire en sorte que les gens pensent que je suis spéciale. Je sais que je ne le suis pas. Je parle à des amis, de façon informelle et avec enthousiasme. C'est ça. Il n'y a rien d'autre. Tout le reste n'est qu'illusion. Le Fils de Dieu n'a pas besoin d'embellir qui il est.

Nous avons tendance à penser que nous impressionnons plus quand nous prenons de grands airs. Nous n'impressionnons pas plus. Nous avons plutôt l'air pathétique. Le Cours déclare : « *La folie des grandeurs cache toujours le désespoir.* » La lumière du Christ brille en nous avec plus d'éclat quand nous sommes détendus, quand nous laissons les choses être ce qu'elles sont, quand nous permettons à la lumière de dissiper nos pompeuses illusions. Mais nous avons peur d'enlever nos masques. Ce qui se passe, en réalité, inconsciemment, ce n'est pas que nous nous défendons contre notre petitesse, mais que l'ego, dans ces moments-là, se défend contre Dieu.

Selon mon interprétation du Cours, « *notre peur la plus grande n'est pas d'être inaptes. Notre plus grande peur est d'avoir un pouvoir incommensurable. C'est notre lumière, non notre noirceur, qui nous effraie le plus.* » Nous nous demandons : qui suis-je pour être brillant, formidable, plein de talents, fantastique ? En réalité, pourquoi *ne* pourrions-nous *pas* l'être ? Nous sommes enfants de Dieu. Nous déprécier ne sert pas le monde. Ce n'est pas une attitude éclairée de se faire plus petit qu'on est pour que les autres ne se sentent pas inquiets. Nous sommes tous conçus pour briller, comme les enfants. Nous sommes nés pour manifester la gloire de Dieu qui est en nous. Cette gloire n'est pas dans quelques-uns. Elle est en nous tous. Et si nous laissons notre lumière briller, nous donnons inconsciemment aux autres la permission que leur lumière brille. Si nous sommes libérés de notre propre peur, notre seule présence libère automatiquement les autres de leur peur.

Un travailleur en miracles est un artiste de l'âme. Il n'existe pas d'art plus haut que l'art de vivre une bonne vie. L'artiste informe le monde de ce qui est disponible derrière les masques que nous portons tous. C'est pour cela que nous sommes ici. Tant d'entre nous ont l'obsession de devenir des stars parce que nous ne nous comportons pas encore comme des stars dans nos propres vies. Les feux de la rampe cosmiques ne sont pas pointés *sur nous* ; ils irradient *de nous*. Souvent, j'avais l'impression d'attendre que quelqu'un me découvre, devienne « mon producteur », comme Lana Turner au drugstore. Finalement, je me suis rendu compte que je m'attendais moi-même. Si nous attendons du monde la permission de briller, nous ne la recevrons jamais. L'ego ne la donne pas. Seul Dieu la donne, et Il l'a déjà donnée. Il nous a envoyés sur terre en tant que Son représentant personnel et il nous demande de diffuser Son amour dans le monde. Quel travail peut être plus important ? Il n'en existe pas.

Un plan a été assigné à chacun de nous et chacun de nous est précieux. En ouvrant de plus en plus notre cœur, nous sommes amenés dans la direction qui a été prévue pour nous. Nos dons naturels montent en nous et se renforcent d'eux-mêmes. Nous accomplissons sans effort ce que nous avons à accomplir.

Comment Léonard de Vinci aurait-il pu ne pas peindre ? Comment Shakespeare aurait-il pu ne pas écrire ? Rilke, dans ses *Lettres à un jeune poète*, donnait à un écrivain débutant le conseil de n'écrire que s'il *lui fallait* écrire. Nous devons agir conformément à ce que nous commandent nos impératifs psychologiques et émotionnels profonds. Là se trouve la source de notre pouvoir, de notre éclat. Notre pouvoir ne se déclenche pas quand nous le décidons rationnellement. C'est Dieu qui nous le dispense. C'est un effet de Sa grâce.

« La joie ne coûte rien. »

Faites ce que vous aimez. Faites ce qui fait chanter votre cœur. Et *ne le faites jamais pour de l'argent*. N'allez jamais au travail pour faire de l'argent ; allez au travail pour répandre la joie. Cherchez d'abord le royaume des Cieux, et votre Maseratti vous sera donnée quand il faut qu'elle vous soit donnée.

Dieu n'a pas de conscience de la pauvreté. Il ne veut pas que vous meniez une vie ennuyeuse ou que vous fassiez un travail ennuyeux. Il n'a rien contre les biens de ce monde. « *L'argent n'est pas mauvais en soi-même ; simplement il n'est rien.* » Comme tout le reste, l'argent peut servir à des fins saintes ou non saintes.

J'ai déjà tenu une petite librairie. Un homme, un jour, est venu me dire qu'il allait m'apprendre à faire de l'argent. « Chaque personne qui franchit cette porte, dit-il, représente une vente potentielle. Et c'est ce que vous devez vous répéter chaque fois qu'un client entre dans votre magasin : vente potentielle, vente potentielle. »

Son conseil m'apparaissait comme une attitude d'exploiteur. Il me conseillait de considérer les autres comme des pions sur mon propre échiquier. Je priai et reçus ces paroles : « Ton magasin est une église. » Église, dans le vocabulaire ésotérique, signifie rassemblement d'âmes. Le phénomène ne se situe pas au plan extérieur, mais au plan intérieur. Les gens ne fréquentent pas votre commerce pour que vous puissiez en *obtenir* quelque chose. Ils sont envoyés pour que vous puissiez leur donner l'amour.

Après avoir dit cette prière et avoir eu le sentiment que mon magasin était une église, je compris que mon seul travail était d'aimer les gens qui y venaient. Et c'est ce que je fis : chaque fois qu'un client entrait, je le bénissais en moi-même. Tout le monde n'achetait pas de livres chaque fois qu'il venait, mais les gens commencèrent à me considérer comme leur libraire. Les clients étaient attirés par l'atmosphère de paix qui régnait dans la librairie. Les gens ne savent peut-être pas d'où vient l'amour, mais ils sentent quand on leur en envoie.

Je suis toujours surprise d'entrer dans un magasin où les vendeurs sont impolis, comme s'ils faisaient une faveur aux clients en leur permettant d'y être. L'impolitesse détruit le tissu émotionnel du monde. Quand j'étais plus jeune, nous avons quitté un magasin d'où émanait ce genre d'énergie parce que nous ne nous sentions pas bien d'y être.

Quand notre objectif est de faire de l'argent, nous biaisons notre créativité. Si je considérais que l'argent est l'objectif ultime de ma carrière d'enseignante, je devrais me préoccuper plus de ce que les gens veulent entendre et moins de ce que je pense important de leur transmettre. Mon énergie serait souillée par mes efforts pour fidéliser les gens, leur vendre mes conférences et les persuader d'y amener leurs amis. Mais si l'objectif de ma carrière est de diffuser l'amour de Dieu, alors je ne suis ici que pour ouvrir mon cœur, ouvrir mon cerveau et ouvrir la bouche.

Quand nous travaillons uniquement pour l'argent, notre motivation est de recevoir plutôt que de donner. La transformation miraculeuse ici est le passage d'une mentalité de vente à une mentalité de service. Si nous ne faisons pas ce changement, nous fonctionnons à partir de l'ego et nous nous concentrons sur les choses de ce monde plutôt que sur l'amour. Cette idolâtrie nous jette dans un territoire émotionnel étranger où nous avons toujours peur. Nous avons peur ou bien de la réussite ou bien de l'échec. Si nous sommes plus près de la réussite, nous avons peur de la réussite. Si nous sommes plus près de l'échec, nous avons peur de l'échec. Le fond du problème n'est pas la réussite ou l'échec. Le fond du problème est la peur, et elle est inévitable quand l'amour est absent.

Comme tout le reste, l'argent peut être saint ou non-saint, selon les objectifs qu'on lui assigne dans l'esprit. Nous sommes portés à réagir face à l'argent comme face au sexe : nous le désirons mais jugeons le désir. Et le jugement dès lors biaise le désir et lui donne une expression hideuse. Nous avons honte d'admettre que nous voulons ces choses et nous avons d'insidieuses façons de faire semblant de ne pas les vouloir – par exemple, en condamnant nos désirs même quand nous y cédons. La perte de pureté est en nous – pas dans l'argent ou le sexe. Ils ne sont que les toiles sur lesquelles nous projetons notre culpabilité.

Exactement comme la pensée de peur est source de confusion et le sexe essentiellement le véhicule par lequel elle s'exprime, l'argent n'est pas la source de la cupidité. L'esprit est la source de la cupidité et l'argent un des lieux où elle s'exprime. L'argent et le sexe peuvent tous deux servir des objectifs saints ou non saints. Comme dans le cas de l'énergie nucléaire, le problème n'est pas l'énergie mais son utilisation.

Notre jugement sur la richesse est en réalité un stratagème de l'ego pour faire en sorte que nous ne devenions jamais riches. Je me promenais un jour dans un quartier très cossu de Houston et je me disais : « Ces gens travaillent pour de très grosses multinationales qui exploitent les pauvres dans tout le tiers-monde. » Puis, je me forçai à arrêter : comment puis-*je* savoir de quelle façon tous ces gens-là gagnent leur vie et comment puis-je savoir ce qu'ils font de leur argent ? Mon attitude de jugement, déguisée en conscience politique, était en réalité un moyen pour mon ego de s'assurer que *je* n'aurais jamais d'argent. Ce que nous refusons mentalement aux autres, nous le refusons à nous-mêmes. Ce que nous bénissons dans les autres, nous l'attirons à nous.

Quand j'étais plus jeune, je pensais qu'en étant pauvre moi-même, je montrais d'une certaine façon ma solidarité avec les plus démunis. Derrière cette pensée, je le vois maintenant, il y avait ma peur de ne pas réussir si je tentais de faire de l'argent. Je finis par me rendre compte que les pauvres avaient moins besoin de ma solidarité que d'argent. Il n'y a rien de pur ni de spirituel dans la pauvreté. On rencontre souvent des gens très pauvres qui sont aussi très saints, mais ce n'est pas la pauvreté qui crée la sainteté. J'ai connu des gens riches d'une très grande spiritualité et j'ai connu quelques pauvres qui n'en avaient aucune.

La Bible dit qu'il est plus difficile pour un riche d'entrer au Royaume des Cieux que pour un chameau de passer à travers le chas d'une aiguille. Parce que l'*attachement* à l'argent est une énorme tentation à dévier de l'amour. Mais l'impératif moral n'est pas de bloquer l'argent et de l'empêcher d'entrer dans nos vies. Le défi est de spiritualiser le rapport à l'argent, en se rendant compte que son seul objectif est de guérir le monde. Dans une société éclairée, les riches n'auront pas nécessairement moins d'argent. Les pauvres, par contre, en auront beaucoup plus. Le problème, contrairement à la perception de l'ego, n'est pas la répartition de la richesse mais la conscience qui l'entoure. Il n'y a pas pénurie d'argent. L'argent n'est pas une ressource limitée. Nous ne sommes pas pauvres parce que les riches sont riches. Nous sommes pauvres parce que nous ne travaillons pas avec amour.

Il nous incombe de nous rappeler que notre argent est l'argent de Dieu, et nous voulons avoir tout ce qu'Il veut que nous ayons afin d'en faire tout ce qu'Il veut que nous fassions. Dieu veut que nous disposions du soutien matériel qui contribuera à notre plus grand bonheur. L'ego essaie de nous convaincre que Dieu exige le sacrifice et qu'une vie de service est une vie de pauvreté. Ce n'est pas vrai. *« Notre objectif sur terre est d'être heureux »*, et le Saint-Esprit a pour fonction de nous aider à y parvenir. Il nous conduit à la richesse matérielle dont nous avons besoin pour vivre joyeux dans le monde, sans y être attachés plus qu'il ne faut.

Il y a beaucoup de travail à faire pour la guérison du monde, et cela coûte de l'argent. Souvent le Saint-Esprit nous envoie de l'argent pour que nous puissions accomplir les tâches qu'Il veut que nous accomplissions en Son nom. Une attitude responsable vis-à-vis de l'argent consiste à être ouvert à tout ce qui vient et à avoir confiance dans le fait qu'il en viendra toujours.

En demandant des miracles, nous demandons au Saint-Esprit d'enlever les obstacles qui nous empêchent de recevoir de l'argent. Ces obstacles prennent la forme de pensées du genre : l'argent est impur, avoir de l'argent signifie être cupide ; les riches sont méchants ; je ne devrais pas faire plus d'argent que mes parents. Avoir de l'argent signifie avoir plus d'argent pour employer d'autres personnes et guérir le monde. Il n'y a rien de beau dans ce qui arrive à une société dans laquelle l'argent cesse de circuler.

Un des principes à se rappeler concernant l'argent est l'importance de payer pour les services rendus. Si nous rechignons à reconnaître à quelqu'un d'autre le droit de gagner sa vie, nous rechignons à nous reconnaître ce même droit. Ce que nous donnons nous le recevrons, et ce que nous retenons nous sera retenu. Et pour l'univers, il n'y a pas de différence entre voler une grosse corporation ou voler une gentille vieille dame.

L'univers soutiendra toujours notre intégrité. Parfois nos dettes sont tellement élevées ou tellement accablantes que, même avec les meilleures intentions, le fardeau et la culpabilité nous submergent et, comme des automates, nous repoussons les factures au fond du tiroir et essayons de les oublier. Ou bien nous changeons de numéro de téléphone. L'univers ne le supportera pas. Quelqu'un de grand n'est pas quelqu'un qui ne tombe jamais. Quelqu'un de grand est quelqu'un qui, quand il tombe, fait ce qu'il faut pour se relever. Comme toujours, il faut demander un miracle. On n'emprisonne pas pour dette dans ce pays. Une fois de plus, selon le Cours : « *Tout le monde a droit aux miracles, mais la purification est d'abord nécessaire.* » La pureté du cœur crée des développements inattendus. Si vos factures ne sont pas réglées, peu en importe le montant, écrivez une lettre à l'entreprise ou à votre créancier, reconnaissez la situation, excusez-vous s'il le faut et informez-le que vous avez établi un plan de remboursement et qu'il entre en vigueur tout de suite. Envoyez quelque chose à votre créancier avec votre lettre. Ne vous arrangez pas pour vous mettre en faillite. Si vous n'êtes pas capable d'envoyer quinze dollars par mois, pas de problème. Envoyez-en cinq, si c'est tout ce que vous pouvez. Mais assurez-vous de l'envoyer et envoyez-le régulièrement et à temps. Peu importe si la facture se chiffre à cinquante mille dollars. Le Cours dit qu'*« il n'y a aucun ordre de difficulté dans les miracles »*. Quelle que soit la tournure, la forme ou l'envergure d'un problème, un miracle peut le régler. Un miracle signifie qu'à tout moment nous sommes capables de commencer à neuf. Peu importe le problème, dans la mesure où nous rendons tout de suite à notre esprit son élégance, l'univers nous aidera toujours à nettoyer le gâchis et à repartir. Se repentir signifie repenser une situation. Dans quelque domaine que ce soit, l'univers nous aidera dans la mesure où nous l'aidons.

Beaucoup d'entre nous ont des positions « bien tranchées » sur l'argent, des attitudes qui vont du besoin maladif d'en avoir jusqu'au jugement inapproprié sur ce qu'il représente. Beaucoup d'entre nous, pendant l'enfance, ont reçu de puissants messages concernant l'argent. On nous a enseigné, verbalement ou non verbalement, qu'il était exagérément important, ou contraire à la spiritualité, ou difficile à gagner, ou la source de tout mal. Beaucoup d'entre nous ont peur que les autres ne les aiment pas s'ils ne font pas d'argent ou ont peur qu'ils ne les aiment pas s'ils en font. L'argent est un domaine où nous avons besoin, individuellement et collectivement, d'une guérison radicale de nos habitudes mentales.

Nous prions. « Mon Dieu, je T'abandonne toutes mes pensées sur l'argent, je T'abandonne mes dettes, je T'abandonne ma richesse matérielle. Ouvre mon esprit afin que je reçoive abondamment. Canalise à travers moi Ton abondance d'une façon qui serve le monde. Amen. »

5. LE SAINT MINISTÈRE

« Et cette Voix-là désigne ta fonction et te la transmet en te donnant la force de la comprendre, de faire ce qu'elle implique et de réussir en tout ce qui s'y rapporte. »

Le moyen le plus efficace de remercier Dieu pour ses dons et de les développer, est de les partager. Vous recevrez autant de pouvoir en ce monde que vous êtes disposé à en utiliser pour servir Ses fins.

Considérez votre carrière professionnelle comme un saint ministère. Faites de votre travail une expression de l'amour au service de l'humanité. Dans l'illusion terrestre, nous avons tous un travail différent. Certains d'entre nous sont artistes, certains dans les affaires, certains scientifiques. Mais dans le monde réel par-delà l'illusion, nous avons tous le même travail : servir les cœurs humains. Nous sommes tous ici des ministres de Dieu.

Il y a quelques années, je suis retournée assister à Houston à une réunion spéciale du département Théâtre de mon collège. Notre professeur prenait sa retraite, et ses anciens étudiants, dispersés maintenant dans tout le pays, étaient venus lui rendre hommage. Au souper, on insista beaucoup sur le fait que plusieurs des anciens élèves de M. Pickett étaient devenus des acteurs connus. Mais, en fait, beaucoup de ses anciens élèves étaient des gens qui avaient réussi en tant qu'êtres humains, point final. En nous enseignant la vérité du théâtre, il nous avait enseigné la vérité de la vie. Une fois que vous savez : 1) laisser vos problèmes personnels en coulisse avant d'entrer en scène ; 2) traiter votre rôle et tout ce qui s'y rapporte avec honnêteté, dignité et sans fioritures ; 3) donner le maximum de vous-même peu importe le nombre de personnes assises dans la salle, alors vous savez tout ce que vous avez besoin de savoir pour mener une carrière professionnelle efficace. Connaître la réelle vérité d'une seule chose équivaut à connaître la vérité de tout. En apprenant les principes du ministère, nous apprenons les principes du succès, indépendamment de la forme que prend notre ministère.

Je me suis rendu compte qu'en réalité je n'avais qu'une seule carrière. J'ai exercé de nombreux métiers, mais ils avaient tous un élément fondamental commun : moi. La forme de mon travail dépendait de l'endroit où je me trouvais à ce moment-là de ma vie, et chaque forme de travail m'a enseigné quelque chose d'essentiel à mon « développement de carrière ».

Comme ministres de Dieu, nous laissons nos carrières être l'expression de notre propre profondeur, de ce qui nous *importe* vraiment. Savoir que nous agissons tous au nom d'un objectif plus élevé que notre accroissement personnel nous donne la joie que nous cherchons tous. Quoi que nous fassions, quel que soit notre travail, il peut être le canal par lequel nous diffusons le message du salut : à savoir que le Fils de Dieu est innocent, et que nous sommes tous Fils de Dieu. Être aimable envers Lui transforme le monde. Nous ne l'enseignons pas nécessairement verbalement, mais plutôt de façon non verbale. Le problème de la plupart des gens, c'est qu'ils se soucient plus de leur mode d'expression que de ce qu'ils cherchent à exprimer. C'est parce qu'ils ne *savent* pas ce qu'ils veulent exprimer. Dans cette génération, cette culture, une énorme quantité de gens veulent désespérément écrire un roman ou un scénario, mais pour toutes sortes de mauvaises raisons. Certains veulent que soient braqués sur eux les feux de la rampe, mais n'ont aucune idée de ce qu'ils diraient si cela se produisait. Leur position est frauduleuse. Elle signifie vouloir moins la satisfaction de faire de la musique qu'un contrat avec une maison de disques. Notre plus haute récompense pour notre travail de création est la joie d'être créateur. L'effort créateur manque d'intégrité quand on le fait pour toute autre raison que la joie de se trouver dans ce lieu de lumière, d'amour, cet espace de Dieu, ou quelque nom qu'on lui donne. On le rabaisse. On réduit l'inspiration au simple niveau des ventes.

Il y a quelques années, j'ai visité Kauai. Mon ami et moi avons fait un tour de bateau le long du littoral, près de Napali. Le bateau faisait partie d'une flotte dont le propriétaire se faisait appeler Capitaine Zodiaque. Zodiaque est le nom que porte, à cet endroit, l'extraordinaire configuration de la côte. Cet homme aimait ce littoral si passionnément qu'il en prit le nom. Un jour, quelqu'un lui avait dit : « Tu connais beaucoup de choses sur cette côte et sur son histoire. Beaucoup de gens aimeraient voir ce que tu y vois et savoir ce que tu en sais. Pourquoi n'organises-tu pas des excursions sur ton bateau ? »

Les excursions du Capitaine Zodiaque rendent un grand service aux touristes à Kauai. Ils répandent la joie. Ils suscitent une vibration culturelle. Et ces tours de bateau sont devenus une véritable entreprise commerciale. Le Capitaine Zodiaque possède à présent de nombreux bateaux, et il est très prospère. Son commerce s'est bâti autour de l'amour.

La question est de savoir si nous travaillons pour l'argent ou si nous travaillons pour l'amour. Nous devons examiner quelle attitude est la plus susceptible d'amener la richesse. Comme dans le cas du Capitaine Zodiaque, et contrairement aux arguments de l'ego, l'amour est réellement une bonne affaire.

Tout travail peut devenir un ministère, s'il est voué à l'amour. Votre carrière peut être un parchemin sur lequel Dieu écrit. Quels que soient vos talents ou vos habiletés, Il peut les utiliser. Notre ministère peut devenir pour les autres et pour nous une expérience joyeuse si nous laissons une force mystérieuse nous diriger. Nous nous conformons simplement aux instructions. Nous permettons à l'esprit de Dieu de se servir de nous comme canal, d'utiliser nos dons et nos ressources comme Il le trouve approprié afin d'accomplir Son travail dans le monde. Voilà la clé de la réussite professionnelle.

La réussite n'est pas non naturelle ; elle est la chose la plus naturelle au monde. Elle est le résultat naturel de la cocréation de l'homme et de Dieu. Dans *Paris est une fête*, Hemingway écrit sur l'écriture. Il décrit la différence entre écrire lui-même une histoire et laisser l'histoire s'écrire toute seule. Quand Hemingway se rend compte qu'il écrit l'histoire, il sait qu'il est temps d'arrêter. Notre vie est conçue pour être une histoire qui s'écrit mystérieusement toute seule, et notre travail est le fruit créateur de nos vies.

« Mon Dieu, s'il te plaît, utilise-moi » est l'affirmation la plus puissante que nous puissions faire pour nous assurer une carrière prospère. C'est la prière du travailleur en miracles. Tout le monde veut un travail gratifiant. Acceptez le fait qu'il vous a déjà été donné. Être vivant signifie qu'une fonction vous a été assignée : ouvrez votre cœur à tous et à toute chose. Vous deviendrez ainsi le canal de Dieu. Ne vous faites pas de souci concernant ce que vous avez à dire ou à faire. Il vous le dira.

Je pensais que j'étais paresseuse. J'étais toujours fatiguée. En réalité, avant de découvrir le but de ma vie, j'étais simplement bloquée. Quand notre énergie s'applique dans le sens d'une cocréation avec Dieu, d'une volonté de dispenser de l'amour là où il n'y en avait pas, une nouvelle énergie jaillit du plus profond de nous.

Le monde ne vous donne jamais la permission de briller. Seul l'amour vous la donne. Je me rappelle, quand j'étais serveuse dans un bar d'hôtel, avoir pensé un soir en allant au travail : « Oh, je viens de comprendre ! Ils pensent tous que c'est un bar ! » Comme étudiante d'*Un cours sur les miracles*, je voyais maintenant la chose différemment. « Ce n'est pas un bar, et je ne suis pas serveuse. Ce n'est qu'une illusion. Tout commerce n'est qu'une façade. Tout commerce est une église, et je suis ici pour purifier les formes de pensée, pour exercer mon ministère auprès des enfants de Dieu. » Nous pouvons prendre notre vie au sérieux, peu importe si les autres la prennent ou non au sérieux. Aucun travail plus qu'un autre n'a d'impact potentiel sur la planète. Nous avons toujours un impact sur le monde dans lequel nous vivons, par notre présence, notre énergie, nos interactions. La question est de savoir quelle sorte d'impact nous avons.

J'ai connu une femme qui voulait être comédienne, mais qui ne trouvait pas de travail dans le théâtre ou le cinéma. En attendant, elle travaillait comme secrétaire personnelle d'un écrivain professionnel. Il adorait son travail et voulait qu'elle voyage avec lui dans tout le pays, à faire des tournées de promotion pour ses livres, à organiser des conférences et à l'aider de diverses façons. Elle me dit qu'elle trouvait son travail très stimulant, mais qu'elle ne voulait pas quitter Los Angeles parce qu'elle sentait qu'elle avait besoin de rester disponible au cas où des rôles se présenteraient pour lesquels elle pouvait passer une audition.

— Rien ne serait meilleur pour ta carrière d'actrice, dis-je à mon amie, que de commencer à être la vedette de ta propre vie personnelle.

La raison pour laquelle beaucoup de personnes veulent devenir acteur n'est pas une réelle vocation pour l'art dramatique mais le désir désespéré de créer quelque chose de beau dans leur vie personnelle. Montrez-vous ! Soyez enthousiastes ! Mettez de l'énergie dans la vie que vous vivez maintenant ! Comment votre qualité de vedette pourra-t-elle jamais impressionner quelqu'un si vous attendez de devenir une star pour la cultiver ?

Comment un travailleur en miracles déciderait-il de partir en voyage ou de rester à Los Angeles ? Nous prenons des décisions en demandant « *au Saint-Esprit de décider pour nous* ». Tellement de paramètres dans la vie nous sont inconnus. « *Nous ne prenons pas de décisions de nous-mêmes* » mais demandons comment nous pourrions être le plus utiles pour exécuter Son plan. L'autorité morale que nous donne cette attitude crée une qualité comparable à celle d'une star. Notre humilité, notre désir de servir font de nous des stars. Pas notre arrogance.

Beaucoup de gens succombent à une pensée de l'ego : ils ne veulent pas jouer un rôle effacé. Il existe dans le bouddhisme zen la tradition des disciples qui passent des années à épousseter les autels de leur maître. Ce travail fait partie de leur préparation et de leur entraînement. L'apprenti apprend du seul fait d'être en présence de son maître et de le servir. Avec le temps, il le dépassera. Comme le dit le Yi King, l'univers comble le modeste et abat l'orgueilleux. Dans la modestie, on permet aux choses de fleurir. On n'est pas honteux d'admettre qu'on est toujours en évolution. L'ego insiste sur le but plutôt que sur le processus par lequel y parvenir. C'est, en fait, le moyen qu'a l'ego de nous saboter. Nous devenons vaniteux et nous nous durcissons, et donc nous devenons moins attirants. L'orgueil mal placé n'a rien d'aimable. Il ne nous aide pas à obtenir du travail ou à mieux réussir.

Notre travail consiste à tendre vers la croissance en tant qu'humains, vers notre élégance, notre intégrité et notre humilité. Nous n'avons pas besoin d'autres objectifs. Le cœur de notre être se développe alors et acquiert un pouvoir substantiel, tant au niveau externe qu'interne. Notre ministère devient une ligne hiérarchique directe de création, depuis Dieu jusqu'à nous et à travers nous jusqu'à toute l'humanité.

6. NOUVEAUX CŒURS, NOUVELLES CARRIÈRES

> *« Enfant de Dieu, tu fus créé pour créer le bien, le beau et saint. Ne l'oublie pas. »*

L'ego dit : « Votre valeur dépend de vos diplômes. Il faut un doctorat ou son équivalent pour obtenir un bon travail. » Mais certaines des personnes les meilleures et les plus brillantes de notre génération ont appris plus à l'école de la vie qu'à l'école. Il y a, dans notre société, une masse de gens talentueux qui ont été partout et qui ont fait toutes sortes de choses mais qui ont peu de diplômes pour en attester. Nos réussites ont été surtout des réussites internes.

Nos ministères – nos nouvelles carrières – refléteront ces réussites internes. Ils exprimeront l'intégration nouvelle de l'esprit et du cœur. Ils exprimeront la prise de conscience de gens qui contribueront avec leurs ressources individuelles à un raz-de-marée général de guérison. Ces carrières seront les reflets individuels de nos talents uniques. Nous ne « trouverons » pas ce genre d'emplois ; nous créerons ces emplois. On ne demande pas des travailleurs en miracles ou des sauveurs du monde dans la rubrique « Carrières et professions » des annonces classées des journaux. De nouvelles formes d'emplois apparaissent pour répondre à de nouvelles énergies.

Carl Jung conseillait aux gens d'examiner de près les contes de fées ou les mythes qui les attiraient particulièrement quand ils étaient enfants. Quand j'étais petite, un conte de fées intitulé « La Fille à la robe en patchwork » m'enchantait. Dans cette histoire, le prince héritier d'un royaume cherche une fiancée dans tout le pays. Un grand bal est donné dans une ville pour que le prince puisse rencontrer toutes les jeunes filles de l'endroit. Une fille voulait beaucoup aller au bal, mais n'avait pas assez d'argent pour acheter le tissu pour se confectionner une belle robe du soir. Elle se débrouilla donc autrement. Elle ramassa les restes de tissu sur les tables de couture des autres filles et se confectionna une robe en patchwork.

Le soir du bal, elle entra dans la salle. Quand elle vit les magnifiques robes de toutes les autres filles, elle eut honte de la sienne. Confuse, elle se cacha dans un placard. Le prince vint au bal et dansa avec toutes les filles présentes. Un moment donné, il en eut assez. Il s'ennuyait et se préparait à rentrer au palais. Mais, au moment de partir, il remarqua un bout de tissu qui dépassait sous la porte d'un placard. Il ordonna à ses gardes d'ouvrir la porte et ils découvrirent la fille vêtue de la robe en patchwork. Le prince dansa avec elle, la trouva plus intéressante que toutes les autres et l'épousa.

Quand, devenue adulte, je repensai à cette histoire, je compris pourquoi elle était tellement significative pour moi quand j'étais enfant. Elle révélait un archétype important de ma propre histoire. J'allais effectivement finir par goûter à peu près à tout ce que la vie avait à offrir. Cela ne me vaudrait jamais aucun diplôme mais me donnerait une sorte de vue d'ensemble. Cette vision des choses allait devenir la base de ma carrière. Beaucoup de gens parmi nous ressemblent à la fille à la robe en patchwork. Nous possédons un petit peu de ceci et un petit peu de cela. Mais être allé à peu près partout et avoir fait toutes sortes de choses ne confère pas de doctorat. Malgré toute notre expérience, nous n'avons pas de diplôme, mais nous sommes des gens intéressants qui ont des histoires intéressantes à raconter. La robe en patchwork symbolise une conscience de généraliste, un esprit de synthèse, et les autres belles robes symbolisent des consciences de spécialiste. Le généraliste et le spécialiste ont tous deux un point de vue important pour le bon fonctionnement d'une société saine.

Au bout du compte, ce ne sont pas nos diplômes mais notre engagement vers un objectif plus élevé qui crée notre efficacité dans le monde. Notre curriculum vitae n'est important que si nous pensons qu'il l'est. Je soupais un soir avec une de mes amies qui est une excellente auteure qui avait déjà publié. Je fis remarquer à un autre ami, assis à notre table, un homme du monde de l'édition, que je pensais que Barbara devrait écrire une chronique mensuelle dans l'un ou l'autre des plus importants magazines féminins. Cette chronique aurait pu s'intituler « Le point de vue de la guérison » ou « Nouvelles du pays du cœur » ou quelque chose du genre. Chaque mois, elle pourrait écrire un article intéressant sur la manière dont le passage de la peur à l'amour a un impact de guérison dans certaines situations personnelles ou sociales. J'étais persuadée que cette chronique rendrait espoir aux gens. Mais notre ami éditeur avait un point de vue différent.

— Barbara ne peut pas faire ça, dit-il. Aucun magazine ne la publiera. Elle n'a pas de doctorat. Elle n'est pas une autorité. Ils ne la considéreront pas comme quelqu'un de reconnu.

Je voulais me tourner vers Barbara et lui boucher les oreilles sans qu'on me voie. Je ne voulais pas qu'elle écoute ces paroles-là. Je ne voulais pas qu'elle croie la pensée limitée de cet homme. Je ne voulais pas qu'elle se ferme l'esprit aux miracles.

Je me rappelle, il y a des années, avoir bu une tasse de café très tard un soir, comme il m'était souvent arrivé de le faire. « Comment y parviens-tu ? me demanda un ami. Cela ne t'empêche pas de dormir toute la nuit ? »

Cette nuit-là, le café m'a effectivement empêchée complètement de dormir. Je n'avais jamais, jusque-là, établi consciemment un lien entre le café, la caféine et l'insomnie et, dès lors, dans mon expérience, il n'y en avait pas. Pas plus qu'il n'y a besoin d'avoir un lien automatique entre absence de diplômes et absence de chance de faire quelque chose.

Le désir de servir Dieu crée les moyens par lesquels nous sommes capables de Le servir. Notre curriculum ou nos relations ne nous donnent pas de pouvoir. Notre pouvoir ne réside pas dans ce que nous avons fait ni même dans ce que nous faisons. Notre pouvoir réside dans la compréhension claire de notre raison d'être sur la terre. Nous serons des acteurs importants si nous pensons que nous le sommes. Et les acteurs importants des années à venir seront ceux qui considèrent qu'ils sont ici-bas pour contribuer à la guérison du monde. Tout le reste en comparaison n'a pas d'importance. Peu importe où vous êtes allés à l'école ou même si vous y êtes allés. Dieu est capable de se servir du curriculum le plus mince qui soit. Il est capable de se servir des moindres talents. Quel que soit notre don au regard de Dieu, quelque humble qu'il semble, Il est capable de le transformer en un travail qui sert puissamment Ses fins. À Ses yeux, notre don le plus grand est notre dévotion. À partir de ce point de pouvoir, les portes s'ouvrent, les carrières fleurissent. Nous guérissons et le monde autour de nous guérit.

7. LES BUTS

« *Dieu est mon seul but aujourd'hui.* »

Ces dernières années, il est devenu très à la mode de se fixer des buts et des objectifs. C'est un processus par lequel on concentre son esprit sur un résultat qu'on souhaite. Et ce n'est, en fait, qu'un autre moyen d'essayer d'amener le monde à faire ce que nous voulons qu'il fasse. Ce n'est pas l'abandon spirituel.

Le Cours parle de la différence entre « *magie et miracles* ». La magie, c'est centrer son esprit sur un effet qu'on désire. Nous donnons notre liste d'épicerie à Dieu et Lui disons ce que nous voulons qu'Il fasse pour nous. Les miracles, c'est quand nous demandons à Dieu ce que nous pouvons faire pour Lui.

Les miracles nous font passer d'une mentalité du « *recevoir* » à une mentalité du « *donner* ». Le désir de recevoir quelque chose reflète notre conviction profonde de n'avoir pas déjà assez. Aussi longtemps que nous croyons qu'il y a pénurie à l'intérieur de nous, nous continuerons à fabriquer de la pénurie autour de nous, parce que telle est notre pensée de base. Peu importe ce que nous recevons, ce ne sera jamais assez.

Quand nous désirons donner au lieu de recevoir, notre conviction profonde est celle d'une telle abondance que nous pouvons nous permettre de la distribuer. Le subconscient reçoit ses ordres de nos convictions profondes et fabrique brillamment des situations qui les reflètent. Notre volonté de donner amène l'univers à nous donner.

En toute circonstance, le but du travailleur en miracles est la paix de l'esprit. *Un cours sur les miracles* nous dit que « *nous ne savons pas ce qui nous rendrait heureux ; nous pensons seulement que nous le savons* ».

Nous avons tous reçu des choses dont nous pensions qu'elles nous rendraient heureux et elles ne nous ont pas rendus heureux. Si nous écrivons des affirmations pour obtenir une Mercedes Benz, le pouvoir du subconscient est tel que nous l'obtiendrons probablement. Mais ce qui est important, c'est que nous ne serons pas nécessairement heureux de l'avoir obtenue. Une perception plus orientée sur les miracles serait de faire du bonheur lui-même notre but et de nous défaire de la pensée que nous savons ce qui pourrait nous rendre heureux. Nous ne savons jamais ce qui se passera dans un mois ou dans un an. Si nous obtenions ce que nous souhaitons aujourd'hui, peut-être le regretterions-nous plus tard.

Disons que vous allez passer une entrevue pour un emploi. Vous voulez vraiment cet emploi et quelqu'un vous a peut-être suggéré d'affirmer que vous aurez l'emploi et d'en faire votre but. Mais pour un travailleur en miracles, le seul but est la paix. Ceci a pour effet d'amener l'esprit à se concentrer sur tous les facteurs qui contribuent à notre paix et de ne prêter d'attention consciente à rien d'autre. L'esprit, comme l'œil physique, est inondé de tellement d'impressions simultanées qu'un mécanisme censeur intégré amène la focalisation jusqu'au niveau perceptuel. Il choisit ce qu'on remarquera et ce qu'on ne remarquera pas.

Avoir pour but autre chose que la paix est émotionnellement autodestructeur. Si notre but est d'obtenir l'emploi, c'est parfait, mais si nous ne l'obtenons pas, nous nous sentirons déprimés. Si notre but est la paix et que nous obtenons l'emploi, ce sera magnifique, mais si nous ne l'obtenons pas nous resterons quand même en paix.

Le Cours nous dit qu'il est important de se fixer un but au commencement d'une situation donnée, sinon elle semblera se dérouler de façon chaotique. Si notre but est la paix, nous sommes programmés pour la stabilité émotionnelle, quoi qu'il arrive. L'esprit est amené à voir la situation dans une perspective de paix. Si nous n'obtenons pas le travail que nous voulions, cela n'aura pas trop d'importance. Nous comprendrons que quelque chose de mieux se présentera bientôt, ou que ce travail n'était, de toute façon, pas un travail parfait pour nous. Nous aurons foi en Dieu. Le miracle est que nous *ressentions* vraiment notre foi. Ce ne sera pas simplement un enduit d'esprit positif appliqué sur notre chagrin. Nos émotions découlent de nos pensées, et non l'inverse.

Un autre problème à se fixer des objectifs spécifiques est qu'ils peuvent être limitatifs. Peut-être demandons-nous quelque chose de simplement bien alors que la volonté de Dieu était de nous donner quelque chose d'extraordinaire. Regarder au-dessus de l'épaule de Dieu ne fait qu'interférer avec Sa capacité de nous rendre heureux. Une fois que nous comprenons vraiment que la volonté de Dieu est que nous soyons heureux, nous n'éprouvons plus le besoin de Lui demander autre chose, sinon que Sa volonté soit faite.

Un jour, lors d'une de mes conférences à New York, un jeune homme s'est levé et m'a posé des questions à propos des affirmations. À l'époque, « Hill Street Blues » était une émission très populaire à la télévision.

— Avant d'aller me coucher, dit-il, j'écris cinquante fois : « J'ai un rôle régulier dans Hill Street Blues, j'ai un rôle régulier dans Hill Street Blues. » Êtes-vous en train de me dire que je ne devrais pas le faire ?

— Vous pouvez effectivement, dis-je, écrire cinquante fois ces affirmations avant d'aller au lit, et vous aurez de bonnes chances d'obtenir un rôle dans Hill Street Blues parce que l'esprit est très puissant. Mais il peut bien arriver qu'un an se passe et qu'un important réalisateur veuille vous engager pour le rôle principal d'un film très important et qu'il n'en soit pas capable parce que vous êtes sous contrat pour votre petit rôle dans Hill Street Blues !

En fait, nous sentons le besoin de dire à Dieu quoi faire parce que nous manquons de confiance. Nous avons peur de laisser les choses entre les mains de Dieu parce que nous ne savons pas ce qu'Il compte en faire. Nous avons peur qu'Il perde notre dossier. S'il faut que nous nous fixions un but, fixons-nous le but d'être guéris de la conviction que Dieu est peur et non amour. Souvenons-nous que « *notre bonheur et notre fonction ne font qu'un* ». Si Dieu est notre but, le bonheur est notre but. Cela ne sert à rien de croire que Dieu est incapable d'imaginer les détails de notre bonheur ou incapable de trouver une façon de nous rendre heureux.

8. LE PLAN DE DIEU

« *Seul fonctionnera le plan de Dieu pour le salut.* »

Souvent notre attitude au travail est déterminée par le fait que nous estimons que nous valons mieux que ce travail-là ou bien par le ressentiment que nous éprouvons parce que d'autres sont patrons, et nous pas. Nous avons hâte d'atteindre le haut de l'échelle. Nous ne nous rendons pas compte qu'en répandant l'amour nous grimpons naturellement. Peut-être pas le plus rapidement, mais rappelez-vous l'histoire du lièvre et de la tortue. La tortue, même si elle progresse lentement et sûrement, atteint le fil d'arrivée avant le lièvre rapide.

« Que la volonté de Dieu soit faite » équivaut à dire « Que je devienne le meilleur qu'il me soit possible d'être ». À mesure que se développe notre stature personnelle, nous développons une énergie plus responsable. Les gens *voudront* nous engager et travailler avec nous. Notre progression sera facile. Notre succès s'obtiendra sans effort. Les choses *arriveront* simplement. Nous pouvons avoir un magnifique curriculum mais, si notre personnalité est pourrie, nous aurons quelque part en route du mal à continuer à progresser. Un bon curriculum peut nous aider à obtenir une entrevue importante, mais si l'employeur ne nous aime pas, nous n'obtiendrons pas le poste.

L'orientation de la plupart des courants psychologiques contemporains est fragile. Elle est fragile parce que tout le monde fait tellement d'efforts ; et nous faisons tous tellement d'efforts parce que nous pensons que nous devons le faire. La voie de l'abandon, c'est laisser Dieu être le sculpteur et nous laisser nous-mêmes être l'argile. Dans mes cours de sculpture au collège, nous devions asperger l'argile d'eau tous les jours, sinon elle séchait trop pour que nous puissions la travailler. C'est ainsi que nous devons être pour Dieu : malléables comme de l'argile humide. Si nous sommes rigidement attachés à obtenir quelque chose, en particulier obtenir que les choses se déroulent de la façon dont nous pensons qu'elles doivent se dérouler, nous ne nous relaxons pas. Il nous reste alors très peu de place pour une perspicacité spontanée.

Nous ne savons jamais réellement pourquoi nous allons quelque part. J'ai pris ce que je pensais être des contacts professionnels qui se sont avérés par la suite des contacts personnels, et vice versa. Dans le monde de Dieu, il n'y a qu'un travail en cours, et c'est la préparation de Ses enseignants, ceux qui font preuve d'amour. Selon le Cours, le Saint-Esprit utilise toute situation qui Lui est donnée comme une leçon d'amour pour tous ceux qui sont concernés. Mais nous devons être disposés à renoncer à notre attachement à ce qu'une situation donnée aboutisse de telle ou telle façon. Il se pourrait que nous considérions un projet comme un moyen de faire de l'argent, par exemple, et que nous éprouvions de la déception s'il n'en apporte pas. Nous nous sentons troublés parce que nous pensions, en faisant l'effort, suivre l'orientation du Saint-Esprit. Mais il se pourrait que le but réel de ce projet n'ait pas été du tout l'argent. Nous ne savons pas toujours tout de suite pourquoi le Saint-Esprit nous dirige comme Il le fait. La fonction du travailleur en miracles consiste essentiellement à se conformer aux instructions, en gardant le désir de servir Dieu. Notre compensation, au niveau matériel et émotionnel, arrivera au moment et de la façon que Dieu aura choisie.

Nous pensons que l'univers, si nous le laissons suivre son cours, est chaotique. Et c'est en partie pourquoi nous essayons toujours de contrôler les résultats dans la vie. Mais Dieu est l'ordre suprême. Il est le principe d'un amour en constante progression, actif dans toutes les dimensions de toute vie. Son pouvoir est complètement impersonnel. Il n'aime pas certaines personnes plus que d'autres. Il fonctionne comme un ordinateur. Avoir confiance en Dieu, c'est comme avoir confiance en la gravité.

Voici deux points dont il est important de se rappeler :

1. Le plan de Dieu fonctionne.
2. Les nôtres ne fonctionnent pas.

Comme le déclare le Cours : « *Je n'ai rien besoin d'ajouter à Son plan. Mais pour le recevoir, je dois être disposé à ne pas y substituer le mien. Et c'est tout. Ajoutes-y quelque chose et tu ne feras que retirer le peu qui est demandé.* » Ce n'est pas notre travail d'imaginer comment accomplir les buts de Dieu sur terre. Notre travail consiste essentiellement à aligner profondément nos cœurs et nos esprits sur Son esprit en nous, de façon à ce que nos vies deviennent les instruments involontaires de Sa volonté. La perspicacité apparaît. Les situations changent de vitesse. Nos efforts pour contrôler consciemment le déploiement du bien ne produisent pas le bien autant qu'ils favorisent une forme d'entêtement humain moins souillée.

J'ai entendu dire que vivre conformément à sa vision avait un effet plus puissant que vivre conformément aux circonstances de sa vie. Tenir à une vision amène à se concrétiser les circonstances qui permettent de réaliser la vision. La vision est le contenu ; les circonstances matérielles sont essentiellement une forme. J'ai un ami qui cherche à se faire élire en politique. Ayant fait de la politique pendant des années, il a tendance à penser que sa réussite politique repose sur ses qualités de politicien. Mais une partie de la décadence de notre ordre social est due au fait que nous avons été gouvernés par tellement de gens qui étaient des politiciens et non des leaders. Lyndon Johnson était un grand politicien mais pas un très bon leader. John Kennedy était un grand leader mais pas un très bon politicien. La force d'une vision positive pour l'Amérique, par son pouvoir d'inspiration sur tous les gens qui veulent désespérément voir guérir notre nation, fera plus pour l'élection de quelqu'un que n'importe quelle quantité de politicaillerie traditionnelle. La vision touchera nos cœurs.

J'ai dit à mon ami que la clé du succès de sa campagne électorale était de l'abandonner au Saint-Esprit et de demander qu'elle serve comme instrument de Sa paix. Mon ami m'a dit que ça avait l'air formidable, mais qu'il avait besoin de savoir comment le faire. Je lui ai dit qu'il ne devait rien prévoir de ce qu'il pourrait faire.

— Il suffit que tu sois disposé, lui dis-je, et le Saint-Esprit entrera où Il est invité. Tu seras brillant. Tu auras du charisme. N'essaie pas d'imaginer ton message ; demande simplement à Dieu ce qu'Il veut que tu dises. Cède-Lui le pas et laisse-Le te montrer le chemin.

Une prière silencieuse avant chaque discours et chaque apparition publique aidera mon ami à aligner ses énergies sur la vérité. Un jour, je l'accompagnai à un rassemblement politique et, dans la voiture en cours de route, il me fit part de certains jugements bien compréhensibles sur certaines personnes qui seraient présentes.

— Prie pour que tes perceptions soient guéries, lui dis-je alors que nous entrions dans l'édifice. Ton but est de nous conduire dans une société compatissante, mais tu ne peux pas donner ce que tu n'as pas. Commence par éprouver de la compassion pour les gens qui assistent à ce rassemblement. Quand ton esprit est guéri, l'effet sur les autres en sera automatique. Tu n'auras même plus à réfléchir à ce que tu diras. Les paroles parfaites seront émises au moment opportun parce que l'amour guidera ton esprit.

Voilà ce que cela signifie laisser Dieu diriger une campagne électorale.

Et il en est de même pour les affaires. Avant une réunion ou une entrevue ou une session de travail, ou avant n'importe quoi d'autre, essayez de dire cette prière :

« Mon Dieu, je T'abandonne cette situation. Qu'elle serve Tes desseins. Je demande seulement que mon cœur soit ouvert pour donner l'amour et recevoir l'amour. Puissent tous les résultats s'accomplir selon Ta volonté. Amen. »

Quoi que vous fassiez, faites-le pour Dieu. Nous sommes assez forts pour faire n'importe quel travail. Ne vous demandez pas si vous êtes prêts ou non, dit le Cours, mais soyez toujours conscients qu'Il est prêt. Ce n'est pas vous qui faites le travail mais l'esprit en vous. L'oublier amène la peur. *Un cours sur les miracles* dit que la présence de la peur est le signe le plus sûr que nous faisons confiance à notre propre force. « *Si tu mets ta confiance dans ta propre force, tu auras toute raison d'être plein d'appréhension, d'anxiété et de peur.* » Aucun de nous n'a de soi-même le pouvoir d'accomplir des miracles. Avec le pouvoir « *qui est en nous, non de nous* », il n'y a rien que nous ne puissions faire.

9. DE LA VENTE AU SERVICE

« L'amour voudrait toujours donner davantage. »

Quand le désir de vendre nous motive, nous ne nous préoccupons que de nous. Quand le désir de servir nous motive, nous nous préoccupons des autres. Les miracles nous font passer d'une mentalité de vente à une mentalité de service. Comme dans le domaine de la conscience nous ne devons garder que ce que nous donnons, une mentalité de service est une attitude beaucoup plus propice à l'abondance.

Le système de pensée qui domine notre culture est bourré de valeurs égoïstes, et se défaire de ces valeurs est beaucoup plus facile à dire qu'à faire. Le voyage vers un cœur pur peut être très déroutant. Pendant des années, nous avons peut-être travaillé pour le pouvoir, l'argent et le prestige. Et tout d'un coup nous venons d'apprendre que ces valeurs sont celles d'un monde à l'agonie. Nous ne savons plus où chercher notre motivation. Si nous ne travaillons plus pour devenir riches, pourquoi continuer à travailler ? Que sommes-nous censés faire toute la journée ? Rester assis et regarder la télévision ?

Pas du tout, mais le penser est une phase transitoire que beaucoup de gens traversent – quand les valeurs de l'ancien monde n'ont plus prise sur nous mais que les valeurs du nouveau n'ont pas encore saisi notre âme. Elles la saisiront. Il vient un temps, assez tôt dans le voyage vers Dieu, où le fait de nous rendre compte que le monde pourrait magnifiquement fonctionner si nous lui en laissions la chance, commence à nous enthousiasmer. Cela devient notre nouvelle motivation. La nouvelle n'est pas à quel point les choses vont mal. La nouvelle est à quel point elles pourraient bien aller. Et notre activité pourrait participer à l'avènement progressif du Paradis sur terre. Il n'existe pas de motivation plus puissante que de ressentir que nous sommes utilisés pour la création d'un monde où l'amour a guéri toutes les blessures.

Nos ambitions personnelles cessent. La vision d'un monde guéri nous inspire. L'inspiration réaménage nos énergies. Elle fait naître en nous un nouveau pouvoir et nous donne une nouvelle direction. Nous ne nous sentons plus comme quelqu'un qui essaie d'aller déposer le ballon de football derrière la ligne de but, en le serrant de toutes ses forces contre sa poitrine, et entouré de forces hostiles. Nous avons l'impression que des anges nous poussent dans le dos et nous ouvrent le chemin.

La pureté du cœur ne nous rendra pas pauvres. Exalter la pauvreté et prétendre qu'elle est une valeur spirituelle relève de l'ego, non de l'esprit. Une personne dont la motivation est la contribution et le service atteint un tel niveau d'autorité morale qu'une réussite à l'échelle mondiale est un résultat naturel.

Utilisez tous vos dons pour servir le monde. Si vous voulez peindre, n'attendez pas de subventions. Peignez un mur de votre ville qui vous semble morne et rébarbatif. Quoi que vous vouliez faire, donnez-le pour servir votre communauté. À mes conférences à Los Angeles, j'étais lasse d'entendre des acteurs se plaindre de n'avoir pas de travail.

— Allez dans les hôpitaux, les maisons de retraite, les institutions psychiatriques, dis-je. On jouait avant que le travail d'acteur ne soit rémunéré. Si vous voulez jouer, *jouez* !

Certaines personnes qui m'entendirent formèrent une troupe. Les Acteurs de Miracles, et c'est exactement ce qu'elles firent.

« Je ne veux pas le faire parce que cela ne me permet pas de gagner ma vie », voilà un bien piètre message à envoyer à l'univers. J'ai prononcé des conférences sur *Un cours sur les miracles* pendant au moins deux ans avant que cela ne devienne ma source de revenus. Quand j'ai commencé comme conférencière, je n'avais pas la moindre idée que cela deviendrait ma profession. Nous faisons certaines choses sans autre raison, sinon qu'elles sont exactement les choses à faire. « Je le fais parce que cela sert quelqu'un, même si je ne suis pas payé », voilà un message très élevé. Il dit à l'univers que vous êtes très sérieux. Et quand vous êtes sérieux avec l'univers, l'univers devient sérieux avec vous.

Je n'ai jamais éprouvé le besoin de faire beaucoup de publicité pour mes conférences. Je me disais que si elles étaient d'un réel intérêt pour les gens, ils en entendraient parler. Cela ne veut pas dire que la publicité soit mauvaise, pour autant que la motivation de la publicité soit d'informer les gens, et non de les manipuler. Arnold Patent a écrit que si vous avez vraiment quelque chose à dire, il y a quelqu'un qui a vraiment besoin de l'entendre. Nous n'avons pas tant besoin d'inventer un public que de polir le message que nous prévoyons de lui transmettre. Servir trois personnes est aussi important qu'en servir trois cents. Une fois que nous avons bien clarifié comment traiter un petit groupe d'adeptes, un groupe plus nombreux se développera automatiquement, si cela doit servir le monde. Notre pouvoir réside dans la conscience que nous avons du rôle que notre travail peut jouer dans la création d'un monde plus beau. Le miracle est de penser à notre carrière comme à une contribution, même petite, à la guérison de l'univers.

Le monde de l'ego est fondé sur des ressources limitées, mais le monde de Dieu ne l'est pas. Dans le monde de Dieu qui est le monde réel, plus nous donnons, plus nous possédons. Le fait que nous ayons une part du gâteau du monde ne signifie pas qu'il en reste moins pour les autres, pas plus que le fait que les autres aient leur part du gâteau ne signifie qu'il en reste moins pour nous. Nous n'avons donc pas besoin d'être en compétition, ni en affaires ni dans le reste. Notre générosité envers les autres est la clé de notre expérience positive du monde. Il y a assez de place pour que tout le monde puisse être beau. Il y a assez de place pour que tout le monde puisse réussir. Il y a assez de place pour que tout le monde devienne riche. C'est uniquement notre pensée qui empêche cette possibilité de se produire.

Les gens qui, dans quelque domaine que ce soit, ont mieux réussi que vous n'ont qu'une petite avance sur vous dans le temps. Bénissez-les et louez leurs dons, et bénissez et louez les vôtres. Le monde serait moins riche sans leur contribution, et il serait moins riche sans la vôtre. Il y a plus que de la place pour tout le monde ; en fait, il y a besoin de tout le monde.

Quand nous sommes guéris, le monde est guéri. Faire quoi que ce soit avec un autre but que l'amour signifie revivre la coupure avec Dieu, perpétuer et maintenir cette coupure. Toute personne est une cellule dans le corps de la conscience humaine. En ce moment, c'est comme si le corps du Christ souffrait d'un cancer. Dans le cancer, une cellule qui fonctionne normalement décide qu'elle ne veut plus fonctionner ni contribuer à l'ensemble. Au lieu de participer au système de soutien du sang ou du foie, la cellule s'en va et construit son propre royaume. C'est une malignité qui menace de détruire l'organisme.

Ainsi en va-t-il du corps de l'humanité. Chacun est parti faire sa propre affaire : *ma* carrière, *mon* magasin, *mon* argent. Nous avons perdu de vue notre interdépendance essentielle, et cette étourderie menace de nous détruire. La mentalité « moi » relève de l'ego. C'est croire en la séparation. C'est la maladie cosmique. Prendre ce que l'on a et le vouer au rétablissement du tout est notre salut et le salut du monde. Notre dévotion devient alors notre travail et notre travail devient notre dévotion.

Chapitre 8

Le corps

« *Le corps ne fut pas conçu par l'amour. Pourtant l'amour ne le condamne pas et peut l'utiliser de façon aimante en respectant ce que le Fils de Dieu a conçu et en utilisant pour sauver ce dernier des illusions.* »

1. LE BUT DU CORPS

« *Qu'il ait la guérison comme objectif.* »

Dans le monde des corps, nous sommes tous séparés. Dans le monde de l'esprit, nous sommes tous un. Selon le Cours nous guérissons cette séparation en passant de la conscience que nous avons d'être « *identifiés au corps* » à celle d'être « *identifiés au pur esprit* ». Cela guérit le corps et l'esprit.

Nous pensons être séparés parce que nous avons un corps alors qu'en réalité nous avons un corps parce que nous pensons être séparés. Le Cours dit que le corps est « *une minuscule barrière autour d'une petite partie d'une idée glorieuse et complète* ».

Mais cela ne veut pas dire que le corps soit mauvais. Comme tout le reste dans le monde des formes, l'esprit lui assigne soit un objectif de peur soit un objectif d'amour. L'ego se sert du corps pour maintenir l'illusion de la séparation : « *L'ego se sert du corps pour l'attaque, le plaisir et l'orgueil.* » Le Saint-Esprit se sert du corps pour guérir cette illusion : « *En ce sens le corps devient le temple de Dieu ; Sa voix y réside en dirigeant l'usage qui en est fait.* »

Le corps tire sa sainteté de sa potentialité de communiquer. Quand il est donné au Saint-Esprit, le corps devient « *une belle leçon de communion qui aura de la valeur jusqu'à ce que soit la communion* ». « *Le Saint-Esprit nous demande de lui donner nos mains, nos pieds, nos voix pour qu'ils Lui servent d'instruments afin de sauver le monde.* » Considérer que le corps est un moyen de transformer le monde, et non pas une fin en soi, est une saine perception du corps. Considérer que le corps est une fin plutôt qu'un moyen, lui assigner des objectifs égoïstes et sans amour, c'est lui imposer un fardeau pour lequel il n'a pas été conçu. C'est une pensée malade et elle produit la maladie dans le corps.

En vivant sur cette terre, nous avons appris à nous considérer comme des corps. Comparé au reste de l'univers, un corps individuel est petit et vulnérable. Alors, comme nous pensons être des corps, notre expérience de nous-mêmes est celle d'êtres petits et vulnérables. Quand nous réalisons que nous sommes beaucoup plus que des corps, que nous sommes des esprits dans l'esprit de Dieu, nous élargissons notre niveau de conscience et nous nous libérons des limitations des lois physiques ordinaires. Cette correction de notre perception, ce Rachat est notre guérison. Ce n'est pas le corps qui tombe malade, c'est l'esprit. Comme il est montré dans le Cours, la santé ou la maladie du corps « *dépend totalement de la perception qu'en a l'esprit et de l'objectif auquel l'esprit voudrait l'assigner* ». Ce n'est pas le corps qu'il faut guérir mais l'esprit, et la seule guérison est un retour à l'amour.

Notre corps est essentiellement une toile vierge sur laquelle nous projetons nos pensées. La maladie est la matérialisation de la pensée sans amour. Ceci ne veut pas dire que les personnes malades ont pensé sans amour ou que les personnes en bonne santé ont pensé avec amour. Certains grands saints ont été atteints de maladies mortelles. Le manque d'amour qui fabrique la maladie est systémique ; il est tissé dans la conscience de l'espèce. Et de nombreux facteurs déterminent quelle âme manifestera la maladie.

Si un enfant innocent meurt d'un cancer dû à la pollution, ce n'était pas nécessairement l'enfant qui pensait sans amour, mais beaucoup d'entre nous qui pendant des années ont vécu sans se préoccuper de l'environnement et ont laissé les produits chimiques toxiques le polluer. La maladie physique de l'enfant est le résultat indirect de la maladie spirituelle de quelqu'un d'autre. Nos pensées d'amour affectent des gens et des situations dont nous n'avons pas la moindre idée, et nos erreurs ont le même effet. Comme notre esprit ne s'arrête pas à la membrane extérieure de notre cerveau – comme il n'y a pas un endroit où un esprit s'arrête et où un autre commence – notre amour affecte tout le monde, et notre peur aussi.

Une perception saine du corps consiste à l'abandonner au Saint-Esprit et à lui demander qu'Il s'en serve comme d'un instrument pour exprimer l'amour dans le monde. Le Cours affirme : « *Le corps fait simplement partie de ton expérience dans le monde physique... [Il] n'est rien d'autre qu'une structure pour développer des facultés, ce qui est bien différent de ce à quoi elles servent.* » *Un cours sur les miracles* dit que « *la santé est ce qui résulte de l'abandon de toutes tentatives d'utiliser le corps sans amour* ». Utiliser le corps à toute autre fin qu'à la propagation de l'amour est une pensée malade, une pensée contraire à notre savoir naturel. Et le conflit qu'elle engendre se répercute sur notre état physique et mental.

2. LA SANTÉ ET LA GUÉRISON

> « *Le corps, alors, n'est pas la source de sa propre santé.* »

Un de mes amis m'a dit que nous n'étions pas punis pour nos péchés, mais *par* nos péchés. La maladie n'est pas le signe que Dieu nous juge mais le signe que nous nous jugeons nous-mêmes. Si nous pensons que Dieu a créé notre maladie, comment nous tourner vers Lui pour la guérir ? Comme je l'ai déjà établi, Dieu est le bien. Il ne crée que l'amour, et c'est pour cela qu'Il n'a pas créé la maladie. La maladie est une illusion. En réalité, elle n'existe pas. Elle fait partie de notre rêve terrestre, le cauchemar que nous nous sommes créé. Nous prions Dieu qu'Il nous éveille de notre rêve.

Quand l'un de nous s'éveille, le monde entier se rapproche du ciel. Quand nous demandons la guérison, nous ne demandons pas seulement la santé mais d'ôter l'idée de maladie de l'Esprit du Fils de Dieu. Comme le montre *Un cours sur les miracles* : « *Si l'esprit peut guérir le corps mais que le corps ne peut pas guérir l'esprit, alors l'esprit doit être plus fort que le corps* ». Le pardon est le plus grand guérisseur, la meilleure médecine préventive. Nous guérissons le corps en nous rappelant que le corps n'est pas qui nous sommes. Nous sommes des esprits et non des corps. Nous sommes incapables d'être malades. Nous sommes éternellement sains. Ces assertions expriment notre vérité et la vérité libère toujours.

La maladie est le signe d'une séparation d'avec Dieu et la guérison est le signe d'un retour à Lui. Le retour à Dieu est essentiellement le retour à l'amour. Le Dr Deepak Chopra, dans son livre *La Guérison ou « Quantum Healing »*, expose un fait qui illustre magnifiquement le lien entre guérison physique et amour.

> Dans les années 1970, à l'université de l'Ohio, lors d'une recherche sur les maladies cardiaques, des lapins étaient soumis à un régime à haute teneur en cholestérol, extrêmement toxique. L'objectif était d'obstruer leurs artères, reproduisant par la même occasion l'effet qu'aurait un régime semblable sur les artères humaines. Des symptômes significatifs commencèrent à se manifester dans tous les groupes de lapins, à l'exception d'un seul dans lequel – étrangement – on pouvait noter une réduction de 60 % des symptômes. Rien dans la physiologie des lapins de ce groupe ne permettait d'expliquer leur haute tolérance au régime, jusqu'à ce qu'on découvre fortuitement que l'étudiant chargé de les nourrir aimait les caresser et les cajoler. Il prenait affectueusement chaque lapin dans ses bras pen-

dant quelques minutes avant de l'alimenter ; curieusement, cela seul suffisait à permettre aux animaux de surmonter la toxicité du régime. On répéta plusieurs fois l'expérience, avec des résultats similaires, en traitant certains groupes de lapins avec amour et un groupe témoin de façon plus neutre. Le mécanisme qui provoque une telle immunité est, je le répète, totalement inconnu – il est déconcertant de penser que l'évolution a construit dans l'esprit du lapin une réponse immunitaire que déclenchent des caresses humaines.

Des recherches ont prouvé que les personnes atteintes du cancer qui fréquentent des groupes d'entraide, vivent en moyenne deux fois plus longtemps après le diagnostic que celles qui ne les fréquentent pas. Quel est ce « facteur psycho-immunitaire » dont la science connaît maintenant l'existence mais qu'elle ne sait comment identifier ? Ce facteur est l'amour, ou Dieu.

Dieu n'a pas de valeur pratique, si nous Le percevons comme un concept vague séparé du pouvoir d'expression physique. Il ne Lui est permis de percer le voile des ténèbres humaines que quand Il est exprimé sur terre, quand des êtres humains canalisent Son amour, comme l'étudiant qui caressait les lapins ou dans les groupes d'entraide où se crée un espace de compassion et de compréhension accrues.

Au cours des quelques dernières années, j'ai conseillé psychologiquement beaucoup de personnes atteintes du cancer, du sida et d'autres maladies très graves. En 1987, j'ai demandé à mon amie Louise Hay de m'aider à créer une organisation sans but lucratif pour aider les personnes malades : The Los Angeles Center for Living. En 1989, nous avons inauguré le Manhattan Center for Living dans la ville de New York. Ces centres ont pour mission de fournir gratuitement une aide non médicale aux personnes aux prises avec des maladies incurables. Sur la Côte atlantique comme sur la Côte pacifique, des miracles se sont produits quand les gens, dans la maladie et la douleur, ont invoqué le pouvoir de l'amour.

« *Ne compte pas sur le dieu de la maladie pour guérir mais seulement sur le Dieu de l'amour,* dis le Cours, *car guérir, c'est Le reconnaître.* » Dans le modèle médical occidental traditionnel, le travail de celui qui guérit consiste à attaquer la maladie. Mais si la conscience de l'attaque est le problème suprême, comment l'attaque pourrait-elle être la réponse suprême ? La tâche du travailleur en miracles n'est pas d'attaquer la maladie, mais plutôt de stimuler les forces naturelles de guérison. Nous détournons les yeux de la maladie pour regarder l'amour qui se trouve derrière. Aucune maladie n'est capable de diminuer notre capacité d'aimer.

Cela signifie-t-il que c'est une erreur de prendre des médicaments ? Absolument pas. *Un cours sur les miracles* nous rappelle que le Saint-Esprit entre dans notre vie au niveau de conscience auquel nous sommes parvenus. Beaucoup d'entre nous croient que le médecin en blouse blanche est capable de guérir avec les pilules qu'il prescrit. C'est pourquoi, dit le Cours, nous devons prendre les pilules. Mais la guérison ne vient pas des pilules. Elle vient de notre conviction.

Des études sur le cancer ont prouvé que le taux de guérison des patients qui choisissent un traitement médical traditionnel est à peu près pareil à celui de ceux qui choisissent une approche plus holistique. C'est parfaitement compréhensible parce que, dans ni l'un ni l'autre cas, la guérison n'est la conséquence de la forme de traitement. C'est l'interaction mentale et émotionnelle du patient et de son traitement qui active le pouvoir de guérison.

J'ai animé des groupes d'entraide pour personnes atteintes de maladies incurables dans lesquels la maladie, durant toute la séance, n'était mentionnée qu'en passant. Nous fréquentons un groupe d'entraide pour nous rapprocher non pas de la maladie mais du pouvoir de guérison qui est en nous. La plupart des questions auxquelles nous sommes confrontés quand nous sommes malades sont, d'une façon ou d'une autre, les mêmes que celles auxquelles nous étions confrontés quand nous étions en bonne santé, mais que nous n'avons pas traitées jusque-là. La vie continue quand nous sommes malades. Elle devient plus intense, essentiellement. Nous avons tendance à nous occuper de la maladie grosso modo de la même façon que nous nous occupons de tout le reste dans la vie. Nous devons résister à la tentation de considérer que la maladie bloque notre capacité de trouver Dieu et l'utiliser plutôt comme un tremplin à partir duquel voler dans Ses bras.

3. LA PENSÉE SAINE

« *Guérir, alors, est un moyen d'approcher de la connaissance en pensant conformément aux lois de Dieu [...]* »

Il existe en chacun de nous une force guérisseuse, une sorte de médecin divin installé dans notre esprit et en communication avec chaque cellule de notre être. Cette force est l'intelligence qui régit le système immunitaire. Sa présence est évidente chaque fois que nous nous coupons un doigt ou que nous nous cassons une jambe.

Quelle est cette « divine intelligence » et comment est-elle activée ? « *Le Rachat libère l'esprit, lui redonnant tout son pouvoir créateur.* » « Jésus est le sauveur » veut dire « L'amour guérit l'esprit ». Comment Jésus a-t-il guéri le lépreux ? En lui pardonnant. Jésus se trouvait en pleine illusion et cependant ne voyait que la vérité telle que Dieu l'avait créée. Il guérissait grâce à une perception corrigée. En face du lépreux, il ne voyait pas la lèpre. Il étendait Sa perception par-delà ce que les sens physiques révèlent jusqu'à la réalité telle que la voit la vision du Saint-Esprit. À l'intérieur du lépreux, il y a le Fils de Dieu, parfait, inaltérable, immuable. L'esprit est éternellement sain. L'esprit ne peut pas devenir malade et ne peut pas mourir.

Jésus voit du même regard que Dieu. Il a accepté pour lui-même le Rachat. Jésus n'a pas *cru* en la lèpre. Comme tous les esprits sont interreliés, en sa présence le lépreux n'y a plus cru non plus. Et c'est ainsi que le lépreux a été guéri.

Dans *Un cours sur les miracles,* Jésus qui est le symbole personnifié du Saint-Esprit dit : « *Ton esprit et le mien peuvent s'unir pour que leur éclat chasse l'ego.* » Demander au Saint-Esprit de nous guérir quand nous sommes malades équivaut à lui demander de guérir les pensées en nous qui donnent naissance à la maladie.

Il y a plusieurs années, au moment où je venais de commencer à donner des conférences sur *Un cours sur les miracles,* j'ai eu une série de trois accidents de voiture sur l'autoroute. Chaque fois, un autre véhicule a embouti le mien par l'arrière et chaque fois, j'avais abandonné l'expérience immédiatement, en me rappelant que je n'étais pas assujettie aux effets du danger terrestre. Et, dans aucun des cas, je n'ai été blessée.

Une semaine environ après le dernier accident, j'ai pris froid et j'ai eu un grave mal de gorge. Le vendredi après-midi, avec une conférence à donner sur le Cours le lendemain matin, je me sentais terriblement mal en point. J'avais rendez-vous avec mon amie Sarah pour aller prendre un verre après le travail. Comme je ne me sentais pas bien, je voulus annuler le rendez-vous et aller me coucher, mais quand j'appelai le bureau de Sarah, elle avait déjà quitté. Je n'avais pas le choix : je devais me rendre au café. En route, je concentrai mon attention sur la guérison de ma gorge. Je souhaitais désespérément voir un médecin, parce que je savais qu'un antibiotique appelé Érythromycine m'avait toujours, par le passé, réglé ce problème de gorge. Mais comme je venais d'arriver à Los Angeles, je ne connaissais encore aucun médecin. Je me tournai vers le Cours. Comment cela s'est-il produit, me demandai-je. Où ma pensée s'est-elle écartée de la vérité ? Quelle était ma perception erronée ? Je reçus la réponse dès que je posai la question et elle me frappa comme la foudre. Même si j'avais appliqué le principe pour l'accident lui-même, j'avais « cédé à la tentation » tout de suite après. Comment ? Après trois accidents, tous ceux que je connaissais étaient venus me demander comment j'allais. Ils avaient posé leurs mains sur moi, m'avaient gentiment frictionné le cou et le dos, avaient demandé si j'avais vu un médecin et m'avaient entourée de gentillesse. *Je me sentais bien de recevoir tant d'attention. Les gens m'aimaient plus parce que j'étais malade.* Au lieu de répondre tout de go « Je vais bien », mon « Je vais bien » sortait un peu plus timidement, de peur qu'ils ne cessent de me masser le cou. J'avais cédé à l'idée de ma vulnérabilité physique afin de recevoir la récompense de l'amour et de l'attention.

Je payais le prix fort pour mon « péché », c'est-à-dire ma perception sans amour. Ma perception était erronée dans le sens que je me voyais comme un corps plutôt que comme un esprit, auto-identification non pas aimante mais dépourvue d'amour. Choisir de croire que j'étais vulnérable, même un instant, m'avait rendue vulnérable. D'où mon mal de gorge.

Magnifique, pensai-je. Ça y est. « Mon Dieu, dis-je, je comprends totalement comment ceci est arrivé. Je recule mon esprit jusqu'au point de mon erreur et j'expie. Je retourne en arrière. Je demande que ma perception soit guérie et je demande d'être libérée des effets de ma pensée erronée. Amen. » Je fermai les yeux, au feu rouge, en récitant la prière, totalement persuadée quand je les rouvrirais de n'avoir plus mal à la gorge.

Je rouvris les yeux. Ma gorge faisait encore mal. Ce n'était pas supposé se passer ainsi. Plus déprimée que jamais, j'entrai dans le café où je devais rencontrer mon amie et m'assis au bar. J'avais remarqué en entrant qu'un type à l'autre bout du bar me faisait de l'œil. Il n'était pas du tout mon genre. Je lui lançai un regard, comme pour dire : « Si tu me regardes encore une seule fois, mon gars, tu es un homme mort. »

— Que puis-je vous servir ? demanda le barman.

— Du brandy, du miel et du lait, murmurai-je d'une voix rauque.

L'homme, à l'autre bout du bar, regarda le barman revenir avec ma commande.

— Qu'essayez-vous de faire ? demanda-t-il.

Je ne voulais pas lui parler. Je voulais qu'il s'en aille. Mais une fois que le Cours vous a pénétré le système, vous n'êtes plus jamais capable d'avoir des pensées de garce sans éprouver de la culpabilité. « Il est ton frère, Marianne, me dis-je en moi-même. C'est un enfant innocent de Dieu. *Sois gentille.* » Je m'adoucis.

— J'essaie de me faire un grog chaud, dis-je. J'ai un très vilain mal de gorge.

— Bon ! D'abord, ce n'est pas comme ça qu'on fait un grog chaud, et ensuite ce n'est pas ce dont vous avez besoin. Vous avez sans doute besoin de pénicilline.

— C'est vrai, dis-je. L'Érythromycine me guérirait, mais je viens de déménager à Los Angeles et je ne connais aucun médecin qui pourrait m'en prescrire.

L'homme se leva et s'approcha de moi. Il posa sa carte de crédit sur le comptoir et appela le barman.

— Venez, allons à côté, me dit-il. Je peux vous avoir de l'Érythromycine.

Je le regardai comme s'il était fou, mais je remarquai également sur sa carte de crédit « Dr ».

— Qu'est-ce qu'il y a à côté ? demandai-je.

— Une pharmacie.

Et c'était bien ça. Nous nous y rendîmes et mon nouvel ami, le docteur, me prescrivit le médicament dont j'avais besoin. Après en avoir pris un comprimé, j'étais extasiée.

— Vous ne comprenez pas, lui dis-je en sautillant pratiquement de joie. *C'est un miracle !* J'ai prié pour guérir et j'ai corrigé mes pensées, mais le Saint-Esprit n'a pas pu me guérir tout de suite parce que je ne suis pas encore assez avancée pour cela – la menace serait trop grande pour mon système de croyance. Il a donc dû intervenir à mon niveau de compréhension, et vous étiez là ; mais si je ne vous avais pas ouvert mon cœur, je n'aurais jamais été capable de recevoir le miracle parce que je n'aurais pas été ouverte !

Il me tendit sa carte.

— Voici mon numéro, ma jeune dame, dit-il. Je suis psychiatre et je n'ai pas prescrit d'antibiotique depuis vingt-cinq ans. Mais croyez-moi, vous devriez me téléphoner.

Comme je venais de le dire au bon médecin, j'avais demandé que ma mauvaise perception soit guérie

– j'avais accepté le Rachat – mais la guérison ne pouvait entrer qu'à mon niveau de réceptivité. Le Cours nous dit que le Saint-Esprit cède le pas en présence de la peur. La plupart d'entre nous, s'il fallait qu'une jambe brisée guérisse instantanément quand nous entendons le mot Jésus, trouveraient la guérison plus déprimante que la blessure. Parce que, si une telle chose est possible, le monde entier est autre chose que ce que nous pensons. Renoncer à notre compréhension limitée du monde, que nous expérimentons comme une sorte de pseudo-contrôle, est plus menaçant pour nous qu'une jambe brisée. Certaines personnes, dit *Un cours sur les miracles*, préféreraient mourir que changer leur esprit. Le Saint-Esprit trouve toujours un moyen d'exprimer Son pouvoir à travers des véhicules qui nous sont acceptables. La médecine est l'un de ces véhicules.

Les Alcooliques anonymes disent que « chaque problème qui se présente porte en lui sa propre solution ». Les crises aussi portent en elles leur solution, en ce sens qu'elles nous mettent à genoux, notre façon la plus humble de penser. Si dès le départ nous avions été à genoux – si nous avions donné au pouvoir de Dieu préséance sur le nôtre, donné à l'amour préséance sur toutes nos ambitions personnelles – alors nos problèmes ne se seraient pas développés.

Une épidémie comme le sida est une douleur collective, un douloureux tourbillon qui aspire des millions de personnes. Mais cela veut dire aussi que le sida met des millions de personnes à genoux. Dès que nous serons assez nombreux à y être, dès que l'amour atteindra une masse critique ou, comme le dit le Cours, qu'assez de personnes auront une pensée porteuse de miracle, il se produira une percée soudaine de conscience – une extase, une guérison instantanée. Ce sera comme si des millions d'entre nous étions arrêtés à un feu rouge et reconnaissions notre manque d'amour et demandions d'être guéris. Lorsqu'on découvrira enfin un remède au sida, quelques hommes de science seront honorés, mais beaucoup d'entre nous saurons que des millions et des millions de prières auront permis de le découvrir.

4. SAUVER L'ESPRIT, SAUVER LE CORPS

« On peut dire que seul le salut soigne. »

L'expérience de la maladie est un appel à vivre une vie authentiquement religieuse. En ce sens, elle est pour beaucoup de gens l'une des meilleures choses qui leur soit jamais arrivée.

Un des problèmes de la maladie est qu'on est fortement tenté de se laisser obséder par le corps au moment même où on a le plus besoin de se concentrer sur l'esprit. Il faut de la discipline spirituelle pour contourner cela. La pratique spirituelle est un exercice mental et émotionnel qui ressemble assez par ses effets à l'exercice physique. Par le travail spirituel nous cherchons à rebâtir notre musculature mentale. Nous accomplissons si peu, dit *Un cours sur les miracles*, parce que nous avons des esprits indisciplinés. Entraîner nos esprits à penser dans une perspective d'amour et de foi est le plus grand survoltage que nous puissions donner à nos systèmes immunitaires, et l'un des plus grands défis que nous puissions lancer à nos esprits.

Changer nos vies peut être difficile. Pour la personne qui souffre d'une affection physique, l'appel à changer est impératif. Là où nous avions coutume de manger des aliments qui n'étaient pas sains, il faut maintenant manger sainement. Là où nous avions coutume de fumer, de boire, de ne pas dormir assez, il faut changer ces habitudes. Et là où nos esprits avaient coutume de se précipiter instinctivement vers la peur, la paranoïa ou l'attaque, nous devons maintenant faire tout notre possible pour entraîner nos esprits à penser différemment.

Le lien corps-esprit est peut-être nouveau pour la médecine occidentale, mais il ne l'est pas pour la médecine orientale, ni pour la religion et la philosophie. Le corps possède une intelligence qui lui est propre. Comme l'écrit Deepak Chopra dans *La Guérison ou Quantum Healing* : « La vie elle-même est une intelligence galopant partout à cheval sur des substances chimiques. Nous ne devons pas commettre l'erreur de penser que le cavalier et le cheval sont la même chose. » Dans le modèle occidental traditionnel de guérison, nous essayons de faire galoper le cheval dans une direction nouvelle, sans envisager d'avoir une conversation avec le cavalier. Une conception spirituelle, holistique de la guérison inclut le traitement non seulement du corps mais également du cerveau et de l'esprit. Comme l'écrit Chopra : « Nous sommes finalement arrivés à un énorme changement dans la façon de voir le monde. Pour la première fois dans l'histoire de la science, l'esprit a un échafaudage visible sur lequel se tenir. Avant, la science déclarait que nous étions des machines physiques qui avaient appris à penser. Maintenant elle entrevoit que nous sommes des pensées qui avons appris à créer une machine physique. »

L'amour change ce que nous pensons de notre maladie. La maladie vient de la séparation, dit *Un cours sur les miracles*, et la guérison vient de l'union. Les gens, bien sûr, détestent leur cancer ou leur sida mais la dernière chose dont ait besoin une personne malade est de détester quelque chose de supplémentaire concernant elle-même. La guérison est le résultat d'une perception transformée de notre relation à la maladie, une relation dans laquelle nous réagissons au problème avec amour plutôt que par la peur. Quand un enfant montre à sa mère une coupure au doigt, elle ne dit pas : « Vilaine coupure ». Elle embrasse le doigt, le comble d'amour et active ainsi inconsciemment, instinctivement le processus de guérison. Pourquoi penser autrement dans le cas des maladies graves ? Le cancer, le sida et d'autres maladies très graves sont les manifestations physiques d'un cri psychique, et leur message n'est pas « Haismoi » mais « Aime-moi ».

Si je crie, la personne en face de moi a le choix entre deux réactions. Elle peut se mettre à crier à son tour, me hurler de la fermer, mais cela aura de bonnes chances de me faire crier encore plus. Ou bien elle peut me dire qu'elle se préoccupe de ce que je ressens, qu'elle m'aime et qu'elle est navrée que j'éprouve ce que j'éprouve, et cela aura pour effet de me calmer. Ce sont aussi les deux choix que nous avons avec les maladies graves. Attaquer la maladie n'est pas un traitement. Attaquer une maladie la fait crier davantage. Pour guérir, il faut entrer en conversation avec sa maladie, chercher à comprendre ce qu'elle essaie de dire. Le médecin cherche à comprendre l'alphabet chimique par lequel la maladie s'exprime. Le métaphysicien cherche à comprendre ce que la maladie essaie de communiquer.

On dit de Lucifer qu'il était, avant sa « chute », le plus bel ange du Paradis. Dans *La Guerre des étoiles*, il s'avère que Dark Vador était à l'origine un brave type. La maladie est l'amour changé en peur – notre propre énergie, conçue pour nous soutenir, tournée contre nous-mêmes. L'énergie ne peut se détruire. Notre travail n'est pas de tuer la maladie, mais de ramener son énergie dans le bon sens – de ramener la peur à l'amour.

La visualisation est devenue une technique populaire pour le traitement des maladies graves. Les gens visualisent souvent un soldat armé d'une carabine se préparant à détruire le virus ou les cellules malades. Mais il existe une approche plus aimante. Sous le hideux masque de Dark Vador, il y a un homme réel avec un cœur réel. On peut penser du sida, par exemple, qu'il est un « Ange en costume de Dark Vador ».

Voici quelques visualisations éclairées : imaginez le virus du sida en Dark Vador, puis ouvrez la fermeture éclair de son costume pour permettre à l'ange d'apparaître. Voyez la cellule cancéreuse ou le virus du sida dans toute leur horreur, puis voyez une lumière dorée, ou un ange, ou Jésus envelopper la cellule et la faire passer des ténèbres à la lumière. Comme je l'ai dit plus haut, un cri réagit mieux à l'amour. C'est alors qu'il se calme. C'est alors qu'il s'arrête.

J'ai utilisé une technique intéressante de rédaction de lettres dans mon travail : les gens écrivent une lettre à leur sida, à leur cancer ou à leur maladie et lui disent ce qu'ils ressentent. La lettre peut commencer ainsi, par exemple :

Cher sida,

Voici honnêtement ce que je ressens

______

______

Signé,

Ed

Puis, nous avons écrit la réponse du sida à Ed.

Cher Ed,

Voici honnêtement ce que je ressens

______

______

Signé,

Le sida

Les lettres qui suivent ont été écrites lors de l'un de mes ateliers sida :

Cher sida,

Je te détestais. J'étais troublé et effrayé d'accepter l'idée de la mort et de la maladie. Je croyais les journaux, la télé, les médecins et toute cette peur dont les autres essaient quotidiennement de me couvrir. Pourtant aujourd'hui, trois ans et demi plus tard, je me rends compte que je ne suis pas mort et, même avec tous ces problèmes médicaux, je suis plus vivant que jamais. Je suis devenu adulte grâce à ton irruption dans ma vie. Tu m'as donné une raison de vivre et, pour cela, je t'aime. Mes amis sont malades ou sont morts, mais je ne suis pas eux. Je suis moi. Et je ne me sens pas menacé ou effrayé par quelque chose qui a déjà été un ennemi, mais qui est devenu ma force.

Steve

Cher Steve,

Si vraiment je voulais t'avoir, comme ils disent, tu ne penses pas que tu serais déjà mort à l'heure qu'il est ? Je ne suis pas capable de te tuer, de te blesser ou de te rendre malade. Je n'ai pas de cerveau, pas de force brute et pas vraiment la force de faire beaucoup de tort. Je ne suis qu'un virus. Tu me donnes un pouvoir que tu devrais donner à Dieu. Je prends ce que je peux parce que, pas plus que toi, je ne veux mourir. Oui, je vis de tes peurs. Mais je meurs de ton esprit tranquille, de ta sérénité, de ton honnêteté, de ta foi et de ton désir de vivre.

Le sida

Cher sida,

J'ai tellement peur de mourir jeune. J'ai tellement peur d'aller à l'hôpital, d'avoir toutes ces aiguilles et ces choses enfoncées dans mon corps. J'ai tellement peur de souffrir. Pourquoi faut-il que tu me fasses ça, à moi et à mes amis ? Qu'avons-nous fait pour que tu t'enrages contre nous et veuilles nous faire du mal ? Si tu veux nous dire quelque chose, ne pourrais-tu pas le dire autrement ? Mes amis me manquent. Pourquoi faut-il que tu les tues ? Pourquoi faut-il que tu leur infliges de telles souffrances physiques ? Parfois, je suis si fâché contre toi, mais maintenant je ne suis pas fâché. Je suis juste triste. Je suis troublé. Je ne sais pas quoi faire pour te calmer. Jusqu'à maintenant tu m'as épargné, mais pourquoi et pour combien de temps ? Jean est tellement gentil. Pourquoi doit-il souffrir ? Si c'est de l'amour que tu veux, nous pouvons t'aimer. Si tu en doutes, regarde tout l'amour qui entoure cette maladie. S'il te plaît, réponds vite. Dis-nous ce que tu veux. J'ai la sensation que nous n'avons pas beaucoup de temps mais je suis disposé à écouter et à apprendre. Merci.

Carl

Cher Carl,

Je ne comprends pas la situation mieux que toi. Je ne te veux aucun mal ni à toi ni à tous ceux que tu aimes. J'essaie simplement d'exister, comme toi, et je le fais du mieux que je peux. Malheureusement, il s'avère que cela fait souffrir les gens. Je veux juste aimer, comme toi. Je crie, mais personne ne semble m'entendre. Peut-être si nous essayons de nous écouter l'un l'autre, de nous parler l'un l'autre, pouvons-nous trouver un moyen de coexister en paix sans nous blesser l'un l'autre. En cet instant, j'ai l'impression que tu veux juste me détruire plutôt que d'aborder ce qui est en toi et qui m'a amené ici. S'il te plaît, ne me déteste pas et n'essaie pas de me détruire. Aime-moi. Parlons, écoutons-nous l'un l'autre et essaie de vivre en paix. Merci.

Le sida

Cher VIH,

Tu as surgi en ville, il y a un peu plus de onze ans. Tout a changé depuis lors. Beaucoup sont partis à cause de toi. Ils me manquent vraiment beaucoup. Tu as causé tant de douleur et de souffrance. Au niveau conscient, personne ne te voulait. Voilà trop longtemps que j'ai personnellement affaire à toi. En 1987 et en 1988, tu m'as presque emporté. J'ai pensé que tu aimerais savoir que nous sommes en 1991 aujourd'hui, et que je suis toujours là, et toi aussi. Est-ce que le temps n'est pas venu d'arrêter toute cette « merde » et de devenir amis ? Oublions le passé et allons de l'avant ensemble. J'ai essayé de t'aimer du mieux que j'ai pu, mais parfois j'ai vraiment de la difficulté. S'il te plaît, soyons amis et faisons la paix.
Avec amour toujours,

Paul

Cher Paul,

D'accord.
Amour,

VIH

Cher sida,

J'en ai vraiment ras le bol ! Pourquoi dois-je me soucier de toi et mourir quand je n'ai que vingt-six ans ? Je veux être sûr d'être encore en vie pour le dixième anniversaire de notre sortie du collège, mais non – c'est un gros peut-être. J'en ai soupé de me faire du souci au moindre rhume ou quand je dors mal parce que je me dis que c'est peut-être la fin qui approche. Je suis fatigué de me faire du souci parce que les autres pourraient s'en rendre compte. Va-t'en de mon corps. Je ne veux pas que tu y sois ! C'est tout.

Russ

Cher Russ,

Ni toi ni moi ne savons comment nous sommes arrivés à être ensemble, mais nous sommes ici ensemble. J'aimerais m'en aller, mais cette porte ne m'est pas encore ouverte. Penses-y, je t'ai donné un point de vue sur la vie et la mort auquel la plupart des gens de ton âge n'ont même jamais pensé. Travaille avec moi, nous parviendrons à passer à travers tout ceci.

Le sida

Cher sida,

Comme tant d'autres, j'ai vécu tellement de douleurs et tellement de changements, aussi bien physiques que mentaux. Aujourd'hui, oui, une grande partie de moi est très fâchée et triste. Ça a l'air d'un énorme cauchemar. Oui, j'ai dû faire quelque chose pour causer cette maladie. Mais quelle blessure d'être puni comme ça. Je dois le dire : je n'aime pas toute la douleur à travers laquelle je suis passé avec cette maladie de fou, et je n'aime pas la souffrance mentale qu'elle m'impose. Mais je prie tous les jours.

Pierre

Cher Pierre,

Je suis dans ton corps et c'est vrai je suis un virus et c'est vrai que je t'ai occasionné d'énormes malaises. Mais je t'assure que le pouvoir de ton esprit fait une différence. Si cela n'en faisait pas, tu ne serais plus ici, tu sais. C'est vrai, j'ai changé ta vie, mais dans certains domaines pour le mieux. Ton esprit est tellement plus puissant que moi.

Le sida

Cher sida,

Je déteste l'incertitude. Mais j'éprouve de la reconnaissance pour l'aiguillon que la maladie a été dans ma vie, et dans la vie de ceux qui m'entourent. Tu m'as fait trouver la force que j'ai toujours eue et tu m'as fait voir l'amour dont sont capables ceux qui m'entourent. Tu nous as tous appris à apprécier chaque jour qui vient et tu m'as révélé ma force. Je sais que je répète sans cesse le terme de force, mais c'est vrai, le sida m'a donné de la force. Quand on découvre que ce dont on avait le plus peur dans la vie est devenu réalité et qu'on peut quand même continuer, la peur n'a plus aucune prise. Merci de m'aider à arrêter de me taper dessus et de détester ce que je n'étais pas, et de me faire aimer qui je suis.

André

Cher André,

Bienvenue.

Le sida

Cher virus du sida,

Va-t'en au diable. Tu as fait disparaître de ma famille une brillante étoile. Il me manque. Je l'aimais et je ne le lui ai jamais dit. Pourquoi nous envahis-tu dans ce qu'on a de meilleur ? Pourquoi frappes-tu de façon tellement vengeresse ? Je déteste la douleur et l'agonie que tu provoques, mais tu as réussi à faire sortir de Léo et de sa famille ce qu'ils avaient de meilleur.

Inez

Chère Inez,

Je ne fais pas sortir le pire ou le meilleur. Je suis simplement. Et la façon de vivre avec moi dépend de chacun.

Le sida

Je suggère à toute personne aux prises avec une maladie grave, la sienne ou celle d'un proche, d'envisager de commencer un journal pour « communiquer » avec la maladie. Voir la maladie comme notre propre amour qu'il faut reconquérir est une approche thérapeutique plus positive que voir la maladie comme quelque chose de hideux dont il faut se débarrasser. L'énergie est indestructible, mais on peut miraculeusement la transformer. Ce miracle naît de nos pensées, de notre propre décision de nous défaire de notre croyance en la peur et au danger, pour embrasser plutôt une vision du monde fondée sur l'espoir et l'amour. Il n'y a assurément rien à perdre. On ne risque rien d'essayer. *« Le Rachat est si doux qu'il te suffit de murmurer pour*

qu'il mette tout son pouvoir à te soutenir et à te secourir. »
Dieu fait Sa part quand nous faisons la nôtre.

5. LE CORPS DANS LES RELATIONS

« *Le corps ne te sépare pas de ton frère et si tu crois cela, c'est que tu es dément.* »

Notre identité réelle ne se trouve pas dans notre corps, mais dans notre esprit. « *le Christ en toi n'habite point un corps* », dit le Cours. Le corps des autres n'est pas non plus ce qu'ils sont réellement. Le corps est un moi illusoire qui semble nous séparer. Il est le principal outil de l'ego pour tenter de nous convaincre que nous sommes séparés les uns des autres et séparés de Dieu.

Le Cours appelle le corps « *la figure centrale dans le rêve du monde* ». Le scénario humain où les corps parlent, se déplacent, souffrent et meurent forme un voile d'irréalité devant la création de Dieu. Il cache « le visage du Christ ». Mon frère peut mentir mais il n'est pas le mensonge. Mes frères peuvent se battre mais ils restent unis dans l'amour.

« *Les esprits sont unis,* dit le Cours, *mais les corps ne le sont point.* » Le corps de lui-même n'est rien. Il ne peut pas pardonner, il ne peut pas voir et il ne peut pas communiquer. « *Si tu choisis de voir le corps, tu contempleras un monde de séparation, de choses sans rapport entre elles et d'événements qui n'ont aucun sens du tout* ».

« *Si tu te mets au même niveau que le corps, tu éprouveras toujours de la dépression* », dit le Cours. Vous éprouverez la même inquiétude si vous voulez faire équivaloir les autres à leur corps. Faire l'amour sans éprouver d'amour réel est une des façons pour le corps de fabriquer de la dépression. Nos pulsions sexuelles deviennent des toiles sur lesquelles nous accroissons notre amour ou sur lesquelles nous projetons notre peur. Quand la relation sexuelle relève du Saint-Esprit, elle est un approfondissement de la communication. Quand elle relève de l'ego, elle se substitue à la communication. Le Saint-Esprit se sert du sexe pour nous guérir ; l'ego s'en sert pour nous blesser. Parfois, nous avons pensé que faire l'amour avec quelqu'un cimenterait le lien entre nous, mais il s'est avéré que la relation a fabriqué plus d'illusions et d'inquiétude qu'il n'en existait jusque-là. C'est uniquement quand la relation sexuelle est le véhicule d'une communion spirituelle qu'il y a véritable amour et qu'elle nous unit à quelqu'un d'autre. Alors, elle est un acte sacré.

La sainteté signifie la présence d'un but d'amour et, en ce sens, le corps et ses atours peuvent être une sainte expression. Beaucoup de chercheurs spirituels ont éprouvé le besoin d'éviter tout ce qui avait rapport au corps. Mais en réalité cette position peut être aussi « ego-centrée » qu'un attachement excessif au physique. Tout ce qui sert à répandre la joie et à communiquer l'amour fait partie du plan de Dieu pour le salut.

Vers l'âge de vingt ans, je suis sortie pour la première fois avec un homme vêtu d'un costume. Jusque-là tous ceux qui étaient venus me chercher à la maison portaient tous des jeans. Quand j'ai ouvert la porte et que j'ai vu cet homme élégant, dans son costume et son beau pardessus, j'ai pensé tout de suite qu'il devait faire partie de la mafia !

Je suis sortie avec lui et toute la soirée je me suis débattue dans mes conflits intérieurs à propos de sa garde-robe. Je ne pouvais évidemment pas lui dire que ses magnifiques vêtements me rebutaient ! Il était italien et j'étais exposée pour la première fois à une sensibilité masculine européenne. J'allais me rappeler des années plus tard ce que cet homme m'avait enseigné.

Nous commençâmes à sortir ensemble. Je n'ai jamais connu quelqu'un qui faisait tant de cas de moi. Il traitait nos sorties comme de grands événements. Est-ce que je voulais voir une pièce de théâtre ou un film ? Est-ce que je voulais aller à ce restaurant-ci ou à celui-là ? Que devait-il porter ? J'étais complètement désarçonnée par l'importance qu'il semblait accorder au fait de porter une chemise bleue ou une blanche. Au début, cela m'ennuya. Avec ma mentalité des années 1960, je considérais que cela n'avait aucune importance. Mais je finis par réaliser que son principal souci était de me rendre heureuse. Sa façon de s'habiller était une manière de me plaire, un moyen de communiquer à quel point il m'aimait.

De nombreuses années après cette relation, j'étais dans un magasin de vêtements avec mon ami du moment. Il regardait deux vestons et ne pouvait décider lequel acheter. Quand je lui dis celui que je préférais, il agit presque comme si j'avais été sa mère, en voulant me prouver que mon opinion ne dicterait pas sa décision.

— Voilà la différence entre nous deux, lui dis-je. Si j'achetais des vêtements, je serais plus portée à acheter ceux que tu aimes. À quoi sert d'avoir une relation avec toi si elle ne me motive pas à essayer de te plaire, de rendre ta vie plus plaisante et à adoucir les choses pour toi ?

C'est le seul but du maquillage, des vêtements et de tout le reste dans le monde de la forme. Ils ne servent pas à séduire une autre personne mais à ajouter, sous forme de beauté et de plaisir, de la lumière au monde. Les choses tirent leur sens de la manière dont nous les utilisons pour contribuer au bonheur du monde. Les vêtements et autres effets personnels sont pareils à toute autre forme d'art. Si nous les percevons avec amour, ils peuvent accroître les vibrations et augmenter l'énergie dans le monde qui nous entoure.

Ce n'est ni du narcissisme ni de la vanité. Le narcissisme consiste à *ne pas* se soucier si le mari ou l'amant, la conjointe ou l'amante aiment ou non la toilette que l'on porte. Je suis déjà sortie avec des hommes qui me préféraient sans maquillage aussi inflexiblement que d'autres voulaient que je sois maquillée tout le temps. Le changement pour moi n'a rien eu à voir avec le genre d'hommes avec lesquels je sortais mais plutôt au fait d'être passée de « Ce qu'il veut m'est égal » à « Il m'importe beaucoup de le rendre heureux. » La première phase de la révolution sexuelle a permis aux femmes de se libérer des schémas opprimants d'asservissement à l'homme. La seconde phase nous permet de reconnaître qu'il ne sert à rien de développer l'individualité si ce n'est pas pour l'abandonner à une identité plus haute. Et la plus haute identité est notre relation aux autres. Une vie vécue uniquement pour soi n'est pas une libération mais une autre forme d'esclavage. Comme nous ne sommes pas des corps, nous n'existons pas dans l'isolement. Vivre comme si nous y existions ne peut qu'apporter de la douleur.

6. LA VANITÉ, LE POIDS ET L'ÂGE

« *Les yeux du corps ne voient que la forme.* »

Qu'est la vanité ? Quelle est cette obsession névrotique, égocentrée du poids, de la coiffure, de l'allure et du charme qui pousse les Américains à dépenser des milliards de dollars par an à s'acheter des produits qu'ils ne peuvent pas s'offrir et dont ils n'ont pas vraiment besoin, et les jeunes femmes à tomber dans de dangereux schémas de maladie pour tenter de rester minces ? Ces choses sont les résultats inévitables d'une orientation culturelle dont la réalité de l'esprit est exclue. Percevoir le corps comme une fin, et non comme un moyen, fait naître la peur. Peur de n'être pas assez bien, pas assez séduisant. Peur que les autres ne nous aiment pas. Peur de perdre dans la vie. Il n'y a pas moyen d'échapper au douloureux tourbillon sans repositionner l'identification au corps. Nous devons nous rappeler que nous ne sommes pas du tout des corps, que nous sommes l'amour qui est en nous et que cet amour seul détermine notre valeur. Quand nos esprits sont remplis de lumière, il n'y a pas de place pour les ténèbres. Quand nous comprenons vraiment qui nous sommes et ce que nous sommes, il n'y a pas de place pour la douleur et la confusion.

Quand j'étais dans la vingtaine, j'avais un problème de poids – pas suffisant pour qu'on me trouve grosse, mais suffisant pour me rendre malheureuse. J'avais cinq à sept kilos problématiques dont j'étais incapable de me débarrasser. Chaque fois que je suivais un régime, je finissais par reprendre du poids. Ce qui psychologiquement a du sens, car, quand quelqu'un vous dit de ne pas penser à la tour Eiffel, vous y pensez tout le temps. Me répéter à moi-même de ne pas penser à la nourriture avait pour seul effet d'accroître mon obsession. Jeûner est une horrible façon de perdre du poids. J'avais l'habitude de prier pour mon problème et je reçus la réponse suivante : « Mange tout ce que tu veux. » Cela me semblait complètement débile. « Si je me dis que je vais faire ça, pensai-je, alors je vais commencer à manger et je ne m'arrêterai jamais. »

— Oui, c'est ce que tu feras au début, me répondit mon conseiller interne. Tu devras d'abord compenser toute la pression que tu t'es imposée pendant des années. Et puis tu en auras assez. Tu reviendras à tes rythmes naturels. Alors, tu seras guérie.

Je me débarrassai donc de la hantise de mon poids. Je rencontrai une femme qui avait perdu énormément de poids et elle me dit qu'elle avait demandé à Dieu de le faire à sa place.

— Je n'ai pas demandé de perdre du poids, dit-elle. Je lui ai juste demandé de m'enlever ce fardeau des épaules. Cela m'était égal d'être obèse. Je lui ai dit que, s'Il voulait que je sois grosse, de faire en sorte que je me sente à l'aise d'être grosse. Je voulais juste sortir de cet enfer.

Je décidai que mon poids importait peu. Je n'étais plus capable de supporter l'horreur de l'obsession. En commençant à étudier *Un Cours sur les miracles*, je me rendis compte que mon poids importait peu. L'amour seul importait. Si j'étais capable d'exercer mon esprit à se concentrer plus sur l'amour, mes problèmes disparaîtraient d'eux-mêmes. Les religions orientales disent souvent : « Allez vers Dieu et tout ce qui n'est pas authentiquement disparaîtra de votre horizon. » À mesure que je m'impliquais dans la pratique du Cours, je cessais de penser autant à mon poids. C'était tout. Et un jour je me regardai dans le miroir et constatai que j'avais maigri.

Je réalisai que mon poids n'avait rien à voir avec mon corps, mais avec mon esprit. Les gens me terrifiaient et j'avais inconsciemment bâti un mur autour de moi-même pour me protéger. J'étais terrifiée à cause de l'amour que je ne donnais pas moi-même. L'objectif de mon ego avec mon poids était de me garder séparée. À moins de renoncer à cet objectif, je ne serais jamais capable de me défaire de mes kilos en trop. Mon subconscient ne faisait que se conformer à mes instructions. Je me préparais à mobiliser mes énergies pour traverser le mur mais, quand je permis au Christ d'entrer dans mon esprit, le mur disparut miraculeusement.

Après avoir appris dans le Cours que le corps n'est pas important, je ne comprenais pas pourquoi il faudrait que l'on fasse de l'exercice ou qu'on s'alimente bien. J'appris qu'on pense moins à son corps quand on fait de l'exercice que quand on n'en fait pas. Quand je ne fais pas d'exercice, je ne peux pas m'empêcher de penser à de grosses cuisses ou à une large taille. De façon similaire, la raison d'une saine alimentation est qu'elle contribue à nous aider à exister plus légèrement et avec plus d'énergie à l'intérieur du corps. Une alimentation plus lourde, moins saine nous lie au corps. Nous prenons soin du corps pour pouvoir mieux prendre soin de l'esprit.

Tels que nous existons aujourd'hui, un corps vieillissant reflète la lourdeur de nos pensées douloureuses et de nos soucis. En régularisant le poids de notre corps et en laissant nos esprits se défaire de la préoccupation constante des pensées du corps, vieillir devient une expérience différente. J'ai lu quelque part que la Vierge Marie, même si elle vécut jusqu'à la cinquantaine, n'avait jamais vieilli. Je peux voir pourquoi. Si nous réussissions à atteindre un état dans lequel seul l'amour et l'affection nous remplissent l'esprit, et dans lequel ni le passé ni l'avenir ne seraient un fardeau, vieillir deviendrait un processus de rajeunissement. Spirituellement, nous deviendrions plus jeunes à mesure que nous vieillirions, puisque le seul but du temps est de nous permettre d'apprendre de façon plus systématique à nous défaire de notre attachement à la forme. Alors le corps parvient à une vie parfaite, un outil en santé et objet de joie.

L'horreur de vieillir fait partie de notre névrose culturelle. Comme tout le reste, vieillir ne nous transforme que quand nous l'avons d'abord accepté. Beaucoup d'entre nous pensent que vieillir est terrible, peu attirant et peu sexy alors qu'en réalité ce sont juste des pensées que nous avons. Il suffit de se promener dans les rues de Paris pour croiser des Françaises dans la cinquantaine et dans la soixantaine dont tout l'être dégage une sexualité arrivée à maturité. Ici, nous avons tendance à croire que les femmes de cet âge sont déjà « vieilles ».

Changeons nos esprits. Rappelons-nous que plus nous vivons longtemps, plus nous avons de connaissances, et plus nous avons de connaissances plus nous sommes beaux. Nous pouvons créer activement un contexte pour l'expérience de vieillir en changeant notre point de vue sur les aînés de notre société. L'ego affirme qu'un corps diminué est une personne diminuée. Notre façon de traiter nos concitoyens plus âgés dénote la froideur et le manque d'affection de notre culture. En Chine, les aînés sont respectés et vénérés – ce qui explique en grande partie pourquoi les Chinois vivent si longtemps, productifs et en bonne santé. Nous pensons en Amérique du Nord que la jeunesse est meilleure, et donc elle l'est. Non parce qu'il s'agit d'une vérité objective mais parce que nous véhiculons cette pensée-là et la manifestons dans notre expérience collective.

Peu importe la maladie, la dépendance ou la distorsion physique, sa cause est dans l'esprit, et c'est uniquement là qu'on peut la guérir. Le plus grand pouvoir qui nous est donné, dit le Cours, est le pouvoir de changer notre esprit. Notre état physique ne détermine pas notre état émotionnel. L'expérience de paix ne vient que de l'esprit. « *La paix de l'esprit,* dit le Cours, *est clairement affaire interne.* »

7. LE SENS DE LA GUÉRISON

« N'oublie point que la guérison du Fils de Dieu est la seule raison d'être du monde. »

Quand nous pensons guérison, nous pensons habituellement à la guérison physique mais la définition de la santé que donne *Un cours sur les miracles* est la « *paix intérieure* ». Certaines personnes atteintes de maladies incurables sont en paix. D'autres en parfaite condition physique sont émotionnellement torturées.

Dans son livre *N'enseignez que l'amour*, Gerald Jampolsky expose ses principes de guérison des attitudes. Il enseigne que la paix est possible indépendamment des circonstances physiques. En abandonnant notre maladie à Dieu, nous abandonnons l'expérience dans son intégralité, en sachant que le Saint-Esprit peut se servir de tout pour apporter plus d'amour dans notre conscience.

De nombreuses personnes ont parlé de leur maladie comme d'un « appel à l'éveil ». Ceci signifie s'éveiller et expérimenter la vie – s'éveiller et bénir chaque matin, s'éveiller et apprécier ses amis et sa famille. J'ai entendu des gens atteints de maladies très graves dire que leur vie avait réellement débuté au moment de leur diagnostic. Pourquoi ? Parce que chaque fois qu'un diagnostic de maladie très grave est posé, le patient se défait en moins de cinq minutes de la plus grande partie de son bagage personnel superficiel. Pourquoi j'agis avec tant d'arrogance ? Pourquoi je fais semblant d'être dur ? Pourquoi je juge tant de personnes ? Pourquoi je n'apprécie pas tout l'amour et la beauté qui m'entourent ? Pourquoi j'évite l'élément le plus simple et le plus important de mon être, l'amour dans mon cœur ?

Se défaire de ses illusions est une guérison en soi. Il existe un noyau essentiel en chacun de nous : notre essence, notre être véritable. C'est la place de Dieu en nous. Trouver cette essence est notre retour à Dieu. C'est le but de notre vie. Et même nos expériences les plus douloureuses peuvent servir ce but.

Au fil des années, j'ai officié lors de nombreuses funérailles et de services du souvenir. Les visages douloureux de gens confrontés à une vérité crue qu'ils ne peuvent nier ni écarter est l'un des spectacles les plus émouvants qu'il m'ait été donné de voir. Quand quelqu'un que nous aimons nous a quittés, notre tristesse nous ouvre à de nouvelles possibilités de croître. Les larmes parfois adoucissent grandement.

J'ai officié récemment aux funérailles d'un jeune homme mort du sida. Ses amis l'aimaient profondément et beaucoup pleuraient pendant le service. Vers la fin de la cérémonie, certains de ses amis les plus proches se sont levés pour chanter une chanson qu'ils avaient souvent chantée avec lui. Plusieurs avaient beaucoup de mal à ne pas s'effondrer pendant qu'ils chantaient. L'immense et pur chagrin qui se reflétait sur leur visage était stupéfiant ; je ne pouvais m'empêcher de penser en les observant que ceux d'entre eux qui étaient acteurs n'avaient sans doute jamais joué aussi honnêtement.

Une autre fois, j'officiais aux funérailles d'une jeune femme brutalement assassinée. Elle était mariée et mère d'un enfant de trois ans. Je n'oublierai jamais le regard de son mari assis tristement à m'écouter dans l'église.

— Michael, lui dis-je, tu ne seras plus jamais le même, nous le savons tous. Tu as deux choix : tu peux te durcir ou tu peux t'adoucir. Tu peux conclure de tout cela que personne, pas même Dieu, ne sera plus jamais digne de confiance, ou tu peux permettre à ta douleur de tellement t'adoucir que tu deviendras un être d'une rare profondeur et d'une rare sensibilité. Tu permettras à tes larmes de faire fondre les murs qui entourent ton cœur.

Puis, je m'adressai aux femmes présentes dans la pièce.

— Ce petit garçon a perdu sa mère. Cet enfant n'a plus les bras d'une femme pour l'entourer. Ne laissez pas durer cette situation. Engagez-vous maintenant dans vos cœurs à lui rendre visite, à rendre visite à son père, à l'aider à repartir du mieux que vous pouvez, à agir en femmes responsables, comme vous l'êtes en ce moment. Prenez cette responsabilité au sérieux. Permettez que les ténèbres provoquent la croissance personnelle qui sera le moyen de les dissiper.

Assez étrangement, je dus quitter les funérailles, cette fois-là, pour célébrer un mariage à l'autre bout de la ville. Pendant la cérémonie, je remarquai que le futur marié et le jeune homme qui venait de perdre sa femme avaient le même regard. Bien sûr, le futur marié n'était pas triste, mais bien joyeux. Mais le pur, l'inébranlable amour dans ses yeux était pareil, sans aucun artifice pour le couvrir. Juste l'écoute, la nudité, l'ouverture et l'amour.

La guérison est un retour à l'amour. La maladie et la mort sont souvent de douloureuses leçons à la mesure de notre amour, mais elles sont des leçons quand même. Le couteau qui nous transperce émotionnellement le cœur est parfois nécessaire pour abattre les murs érigés autour de lui.

Un soir, à Los Angeles, pendant la période de méditation qui suivait ma conférence, je remarquai que deux de mes amis pleuraient à l'arrière de l'église. La mort imminente d'un ami commun atteint du sida les plongeait dans une douleur profonde. Cela me fit mal de les voir si tristes. Comme je m'en suis rendu compte, quand on a soi-même souffert, on peut détecter la souffrance des autres.

— Peux-tu nous enlever ce fardeau ? demandai-je à Dieu. Cela ne suffit-il pas maintenant ? N'y a-t-il pas moyen que ce soit terminé ?

Cette maladie avait déjà tant tué, causé tant d'affliction et de douleur. Puis une idée me frappa. Cette « nuit de l'âme » que j'avais personnellement vécue près de dix ans plus tôt me revint à l'esprit. Ma douleur ne m'avait-elle pas profondément transformée, n'avait-elle pas au bout du compte été positive ? Si mon âme s'était servie de cette expérience pour parvenir à une plus haute conscience de moi-même, comment pouvais-je savoir que mes deux amis ne feraient pas la même chose ? Il ne m'appartient pas de juger – d'aider, oui, de toutes les manières possibles, mais pas de douter de l'ultime sagesse de toutes choses. Le plus grand cadeau à quelqu'un qui souffre est de toujours garder à l'esprit qu'une lumière existe au bout du tunnel. Dans n'importe quelle situation, le déroulement extérieur des événements n'est que la pointe de l'iceberg. Les yeux du corps sont incapables de voir les leçons – les vrais changements, les occasions de croître. Ceux-ci restent sous la ligne de flottaison spirituelle, mais ils sont là. Et l'image qu'ils donnent du voyage de l'âme est beaucoup plus complète que ce que nos simples sens physiques peuvent percevoir. Croître n'est pas toujours obtenir ce que nous pensons vouloir. Croître, c'est toujours devenir les hommes et les femmes que nous avons la potentialité d'être. Aimants, purs, honnêtes, clairs.

Une vie plus longue n'est pas nécessairement une vie meilleure. La santé physique ne détermine pas la santé d'une vie. Essentiellement, la vie est la présence de l'amour et la mort l'absence de l'amour. La mort physique n'est pas du tout la mort réelle. Nous sommes assez grands maintenant pour nous rendre compte que la vie existe par-delà le physique. En trouvant cette vie, nous croissons et devenons ce que nous sommes : fils des hommes et fils de Dieu.

8. LA MORT ET LA RÉINCARNATION

« *Il n'y a pas de mort. Le fils de Dieu est libre.* »

Un cours sur les miracles dit que la naissance n'est pas un commencement mais une continuation, et que la mort n'est pas une fin mais une continuation. La vie se poursuit éternellement. Elle a toujours été et elle sera toujours. L'incarnation physique n'est qu'une des formes possibles de la vie.

Un cours sur les miracles fait mention des Grands Rayons, concept qui se retrouve dans d'autres enseignements métaphysiques. Les Grands Rayons sont des rayons d'énergie qui émanent de l'intérieur de chacun de nous, imperceptibles jusqu'à présent pour nos sens physiques. Nos sens physiques sont le reflet de nos systèmes de croyance actuels, et nos sens physiques se développeront à mesure que se développeront nos systèmes de croyance. Un temps viendra où nous percevrons les Grands Rayons. Certaines personnes, comme celles qui perçoivent les auras, le peuvent déjà. Bouddha, Jésus et d'autres maîtres éclairés sont souvent représentés avec un halo autour de la tête ou des rayons de lumière irradiant de leur cœur.

Ces rayons de lumière et d'énergie sont notre force de vie. Le corps n'est qu'un réceptacle temporaire. Comme nous ne nous en rendons pas encore compte, nous pensons que la mort du corps est la mort de la personne qui l'habite. Elle ne l'est pas. Il fut un temps où les hommes croyaient que la terre était plate et où l'on croyait que les bateaux qui atteignaient l'horizon tombaient hors de la terre. Un temps viendra où notre actuelle perception de la mort semblera aussi farfelue, ignare et démodée. L'esprit ne meurt pas quand le corps meurt. La mort physique, c'est comme enlever ses vêtements.

L'ego pense que la seule réalité est celle que nous pouvons percevoir physiquement. Mais de nombreuses choses dont nous connaissons l'existence ne peuvent se percevoir à l'œil nu : pas plus les atomes que les protons, les virus ou les cellules. Les hommes de science commencent à admettre l'unicité par-delà toute réalité perçue. Cette unicité est Dieu, et notre être participe de cette unicité.

L'incarnation physique, c'est comme aller à l'école. Les âmes viennent en classe pour apprendre ce qu'elles ont besoin d'apprendre. Tout cela ressemble beaucoup à être branché sur un canal à la télévision. Disons que nous sommes branchés sur le canal 4. Quand quelqu'un meurt, il n'est plus sur le 4, mais cela ne veut pas dire qu'il n'émet plus. Il est maintenant sur le canal 7 ou le 8. Les systèmes de câblo-distribution existent, que l'on possède ou non l'équipement requis pour recevoir le câble. C'est uniquement l'arrogance de l'ego qui nous amène à croire que ce que nous ne sommes pas capables de percevoir physiquement n'existe pas.

Certains ont dit avoir vu une lumière sortir du haut du crâne de personnes sur le point de mourir. Beaucoup ont également parlé de leur expérience de « mort temporaire » qui s'est produite quand ils sont temporairement sortis de leurs corps. J'ai rencontré un jour une jeune femme qui avait survécu à un très grave accident d'avion. Elle avait perdu plus de la moitié de son sang et pratiquement les deux jambes.

— Je suis morte et puis je suis revenue, m'a-t-elle dit en me décrivant son expérience. J'étais attirée. C'était très chaud, comme un fantastique amour maternel. Mais je savais que j'avais le choix. Je pensais à mon père et je savais qu'il ne pourrait supporter ma mort. Alors, j'ai lutté et je suis revenue. Je ne pleure plus jamais aux funérailles, poursuivit-elle. Je suis capable de pleurer sur ceux qui restent ici, mais je sais, par expérience, que les gens qui sont morts se trouvent dans un endroit merveilleux.

Quand nos sens physiques percevront les Grands Rayons, le corps ne semblera plus qu'une ombre placée devant le véritable moi. Quand nous entendons dire que quelqu'un est mort, cela veut dire que l'ombre a été enlevée. La mort ne sera plus perçue comme la fin d'une relation. Quand Jésus a dit : *« la mort sera le dernier ennemi »*, il voulait dire que ce serait l'ultime chose que nous percevrions comme notre ennemi. En réalité, le problème n'est pas la mort, mais ce que nous pensons qu'elle est. Nous mourrons tous. Certains prendront le train de 9 h 30, et certains celui de 10 h 07, mais nous devrons tous partir. Accepter que nos pensées guérissent concernant la signification de la mort est une pierre angulaire dans notre passage d'une orientation vers le corps à une orientation vers l'esprit.

La vie est comme un livre qui ne finit jamais. Un chapitre s'achève, mais jamais le livre. La fin d'une incarnation physique ressemble à la fin d'un chapitre, et prépare quelque part le début du suivant. J'ai entendu, un jour, un ami dire : « Mes relations avec mon père, depuis qu'il est mort n'ont fait que s'améliorer. »

Un cours sur les miracles dit que la communication ne s'arrête pas avec la destruction du corps physique. La véritable communication repose sur plus que ce qui est dit ou entendu physiquement. Quand quelqu'un est mort, il faut lui parler autrement que nous lui parlions avant. En restant ouvert à la possibilité d'une force vitale éternelle, nous amenons notre esprit à développer sa capacité de conversation transphysique.

La technique de l'écriture de lettres peut alimenter une telle communication. Il s'agit d'abord d'écrire une lettre à la personne décédée, ensuite d'écrire la réponse, la lettre que la personne décédée nous écrirait. À quoi servent de tels exercices ? Ils amènent l'esprit à accepter des possibilités plus étendues que celles que l'ego nous permet normalement d'envisager.

Des participants à mes groupes d'entraide me disent souvent qu'ils ont rêvé de personnes décédées. Quand le « mort » intervenait dans le rêve, le rêveur disait : « C'est impossible que tu sois là. Tu es mort. » Le « mort » disait alors : « Oh ! », et le rêve cessait. On lui avait refusé la permission de poursuivre.

Écrire des lettres, avoir toutes sortes d'autres conversations ou d'expériences qui accroissent notre foi en la possibilité qu'il existe une vie après la mort fait aussi reculer les limites mentales que nous nous sommes nous-mêmes imposées. Nos rêves et nos autres expériences émotionnelles se libèrent des entraves de notre refus de croire. Parfois, au décès de quelqu'un, nous nous disons : « Ce n'est pas possible. Cela semble irréel. J'ai l'impression qu'il est encore là. » Parce que, effectivement, il est là. Même si la voix de l'ego dit : « C'est simplement ton imagination » ; en vérité, la mort elle-même « est simplement notre imagination ». Dans la vérité, telle que Dieu l'a créée, la mort n'existe pas, et au plus profond du cœur nous savons que c'est vrai.

Et qu'en est-il de la réincarnation ? Je vais citer un passage du chapitre sur la réincarnation, extrait du Manuel de l'enseignant du Cours :

« Au sens absolu du mot, la réincarnation est impossible. Il n'y a ni passé ni futur, et l'idée d'une naissance dans un corps n'a aucune signification, que ce soit une fois ou plusieurs fois. La réincarnation ne peut alors être vraie en aucun sens réel... Si [le concept] est utilisé pour renforcer la reconnaissance de la nature éternelle de la vie, il est certes très utile... Comme beaucoup d'autres croyances, il peut être soumis à un usage fâcheux. À un moindre risque, ce mauvais usage engendre préoccupation, voire orgueil du passé. Au pire, il induit l'inertie dans le présent... Il y a toujours quelque risque à voir le présent en termes de passé. Il y a toujours du bon dans toute pensée qui renforce l'idée que la vie et le corps sont distincts. »

Techniquement, donc, la réincarnation n'existe pas dans le sens où nous y référons habituellement, simplement parce qu'il n'y a pas de temps linéaire. Si nous avons des vies passées ou des vies futures, elles se produisent toutes en même temps. Mais il reste utile de se rappeler que nous avons une vie distincte de l'expérience de toutes nos vies physiques. *Un cours sur les miracles* n'a pas de doctrine. Un étudiant avancé du Cours peut croire ou non en la réincarnation. « *La seule question sensée est celle de savoir si un concept est utile.* » On nous dit de demander à notre Enseignant intérieur de guider notre pensée concernant toute idée et la façon de l'utiliser dans la vie.

Dans le monde éclairé, nous continuerons d'abandonner le corps. Mais la mort s'expérimentera de façon très différente. Il est écrit dans « Le Chant de la pièce », un prolongement d'*Un cours sur les miracles* :

« Voici ce que la mort devrait être : un choix tranquille fait avec joie et un sentiment de paix, parce que le corps aura servi complaisamment à aider le Fils de Dieu le long du chemin qu'il fait vers Dieu. Nous remercions le corps alors pour tous les services qu'il nous a rendus. Mais nous sommes reconnaissants aussi de n'avoir plus besoin de parcourir un monde de limites et d'atteindre le Christ en sa forme cachée qui ne se voit

au mieux que dans la beauté de l'éclair. À présent nous pouvons le contempler sans œillères dans la lumière que nous avons réappris à contempler.

« Nous l'appelons mort mais elle est liberté. Elle ne vient pas en des formes douloureuses, flanquées sur une chair qui la refuse mais comme un doux souhait de bienvenue à la libération. Ce peut être la forme que revêt la mort en cas de guérison véritable, quand il est temps de se reposer après un travail accompli dans la joie et achevé avec joie. Maintenant nous allons dans la paix vers un air plus libre et un climat plus clément où il n'est pas difficile de voir que les dons que nous avons faits furent gardés pour nous. Car le Christ est plus clair maintenant ; Sa vision est plus soutenue en nous, Sa voix, le Verbe de Dieu, plus sûrement la nôtre.

« Ce doux passage vers une prière plus élevée, pardon clément des façons du monde, ne peut se recevoir qu'avec reconnaissance. »

J'ai lu un jour qu'une ancienne religion japonaise fêtait les morts et prenait le deuil aux naissances. Ces anciens pensaient qu'à la naissance un esprit infini était forcé de séjourner dans une enveloppe finie, alors que la mort supprimait toutes les limites et donnait la liberté de vivre la pleine étendue des possibilités que Dieu dans Sa miséricorde nous offre.

La vie est beaucoup plus que la vie du corps ; elle est une étendue infinie d'énergie, un continuum d'amour aux innombrables dimensions, une expérience psychologique et spirituelle indépendante de la forme physique. Nous avons toujours été vivants. Et nous serons toujours vivants. Mais la vie du corps est une école importante. C'est l'occasion qui nous est offerte de libérer le monde de l'enfer. « Mon Dieu, que Ta volonté soit faite, sur la terre comme au Ciel. »

Chapitre 9

Le ciel

« *Le Ciel est maintenant. Il n'est d'autre temps.* »

1. LA DÉCISION D'ÊTRE HEUREUX

« *Le Ciel est une décision que je dois prendre.* »

« *La volonté de Dieu est que nous soyons heureux* » maintenant. En demandant que la volonté de Dieu soit faite, nous ordonnons à notre esprit de se concentrer sur la beauté de la vie, de voir toutes les raisons de le célébrer plutôt que de pleurer.

Nous essayons d'habitude d'imaginer ce qui nous rendrait heureux, et puis nous essayons de faire en sorte que cela se produise. Mais le bonheur ne dépend pas des circonstances. Certaines personnes ont les meilleures raisons du monde d'être heureuses et ne le sont pas. D'autres qui ont de vrais problèmes le sont. La clé du bonheur est la décision d'être heureux.

On a beaucoup parlé, ces dernières années, de « laisser ses sentiments s'exprimer ». C'est un concept important, mais l'ego peut s'en servir à ses propres fins. La plupart du temps, quand on entend quelqu'un dire : « Exprime ce que tu ressens », cela signifie « Autorise-toi à ressentir tes sentiments négatifs », « Ressens ta douleur », « Ressens ta colère », « Ressens ta honte ». Nous avons besoin d'aide quand nous ressentons nos sentiments positifs autant que quand nous ressentons nos sentiments négatifs. L'ego résiste à l'expérimentation de l'authentique émotion de quelque nature qu'elle soit. Nous avons besoin d'aide et de permission pour ressentir notre amour, pour ressentir notre satisfaction et notre bonheur.

L'ego mène une guerre secrète contre le bonheur. Je me rappelle, quand j'étais au collège, que je me promenais avec des livres de poésie russe sous le bras, cultivant un froncement de sourcils cynique et sophistiqué, digne de ce que je pensais être ma haute intelligence. J'avais l'impression qu'il indiquait que je comprenais la condition humaine. Au bout du compte, je réalisai que mon cynisme révélait en fait que je n'y comprenais pas grand-chose parce qu'une des facettes les plus importantes de la condition humaine est notre capacité de choisir. Nous pouvons toujours choisir de percevoir différemment les choses.

Vous connaissez le vieux cliché : « Le verre est à moitié vide ou à moitié plein. » Vous pouvez vous centrer sur ce qui est mal dans la vie ou sur ce qui est bien. Vous obtiendrez toujours plus de ce sur quoi vous vous centrez, peu importe ce que c'est. La création est un prolongement de la pensée. Pensez pénurie et vous obtiendrez la pénurie. Pensez abondance et vous obtiendrez plus d'abondance.

J'entends déjà certains qui disent : « Si je fais comme si tout était magnifique, je ne suis pas honnête avec moi-même ». Notre moi négatif n'est pas notre vrai moi ; il est l'imposteur. Nous avons besoin d'être en contact avec nos sentiments négatifs, mais seulement pour pouvoir nous en défaire et ressentir l'amour qui se trouve par-delà.

Il n'est pas difficile d'avoir des sentiments positifs, de penser de façon positive. Le problème est que nous y résistons. Les pensées positives nous rendent coupables. Pour l'ego, il n'y a pas plus grand crime que de revendiquer notre héritage naturel. Si je suis riche, dit l'ego, quelqu'un d'autre doit être pauvre. Si je réussis, je risque de blesser quelqu'un. Qui suis-je pour avoir tout cela ? Je serai une menace et les gens ne m'aimeront plus. Voilà quelques-uns des arguments que l'ego distille dans notre conscience. Le Cours nous exhorte à être conscients du danger d'une croyance cachée. Beaucoup d'entre nous partagent la croyance cachée qu'il est mal d'être trop heureux.

Le dogme religieux de l'ego n'a été d'aucun secours. On a glorifié la souffrance. Les gens ont insisté sur la crucifixion plus que sur la résurrection. Mais la crucifixion sans la résurrection est un symbole vide. La crucifixion est le schéma énergétique de la peur, la manifestation de la fermeture du cœur. La résurrection est l'envers de ce schéma, rendu possible par un passage spirituel de la peur à l'amour.

Regarde la crucifixion, dit *Un cours sur les miracles*, mais « *ne t'y attarde pas* ». « Bénis soient ceux qui ne voient pas et qui ont la foi », dit Jésus. Il est facile d'avoir la foi quand les choses vont bien. Mais nous avons tous des moments dans la vie où nous devons faire du « vol aux instruments », comme le pilote qui atterrit par faible visibilité. Il sait que la terre est là, mais il est incapable de la voir. Il doit faire confiance à ses instruments de navigation. Ils dirigent l'appareil à sa place. Et il en va de même pour nous quand les choses ne sont pas ce que nous aurions aimé qu'elles soient. Nous savons que la vie est toujours en évolution et qu'elle évolue toujours vers un plus grand bien. Simplement, nous ne pouvons pas le voir. Pendant ces périodes, nous nous fions à notre radar spirituel. Il navigue pour nous. Nous avons confiance que tout se terminera bien. Par notre foi et notre confiance, nous invoquons Ses preuves.

Nous en appelons activement à la résurrection. Elle représente la décision de voir la lumière au milieu des ténèbres. Le Talmud, le livre juif de la sagesse, dit aux Juifs comment se comporter dans les moments difficiles. « Au plus noir de la nuit, dit le Talmud, fais comme si le jour était déjà levé. »

Dieu fournit une réponse immédiate à chaque problème à mesure qu'il se pose. Le temps, comme nous l'avons vu, n'est qu'une pensée. Il est le reflet physique de notre foi ou de notre absence de foi. Si nous pensons qu'il faudra du temps pour guérir une blessure, il faudra du temps. Si nous acceptons que la volonté de Dieu s'est déjà accomplie, nous connaîtrons la guérison immédiate de toutes les blessures. Pour citer le Cours : « *Seule une patience infinie produit des résultats immédiats.* » L'univers est créé pour nous aider en tout. Dieu exprime constamment Son infinie affection pour nous. Le seul problème est que nous ne soyons pas d'accord avec Lui. Nous ne nous aimons pas comme Il nous aime, et dès lors nous bloquons les miracles auxquels nous avons droit.

Le monde nous a enseigné que nous étions moins que parfaits. En fait, on nous a enseigné qu'il était insolent de penser que nous méritions le bonheur total. Et c'est là que nous sommes bloqués. Si quelque chose de bien nous arrive – l'amour, la réussite, le bonheur – nous pensons n'être pas assez « méritants » et notre esprit subconscient conclut que ce ne peut pas être pour nous. Et ainsi nous nous sabotons. Peu de personnes nous ont fait du tort autant que nous nous en sommes fait à nous-mêmes. Peu nous ont retiré les gâteries autant que nous ne nous les sommes nous-mêmes retirées. Nous avons été incapables d'accepter la joie parce qu'elle ne correspond pas à qui nous pensons être. Face à la piètre opinion qu'a l'ego de notre valeur, il y a par contraste la vérité telle que Dieu l'a créée. Il n'existe pas de lumière plus éclatante que la lumière qui brille en nous. Que nous la voyions ou pas est peu important. La lumière est là parce que Dieu l'a placée là.

Ce n'est pas seulement notre droit, mais en un certain sens notre responsabilité d'être heureux. Dieu ne nous donne pas à chacun un bonheur uniquement pour que nous le gardions pour nous. Quand Dieu nous envoie le bonheur, Il nous l'envoie pour que nous puissions nous accomplir plus pleinement en Le représentant dans le monde.

Le bonheur est le signe que nous avons accepté la volonté de Dieu. Il est beaucoup plus facile de faire la tête que de sourire. Il est facile d'être cynique. En fait, c'est une excuse pour ne pas aider le monde. Chaque fois que quelqu'un me dit : « Marianne, la faim dans le monde me déprime tellement », je lui réponds : « Est-ce que tu donnes cinq dollars par mois à une organisation qui combat la famine ? » Je pose la question parce que j'ai remarqué que les gens qui contribuent à résoudre les problèmes ne semblent pas se sentir aussi déprimés par ces problèmes que ceux qui se tiennent à l'écart et ne font rien. L'espoir naît quand on participe aux solutions porteuses d'espoir. Nous sommes heureux dans la mesure où nous avons choisi de remarquer et de créer des raisons d'être heureux. L'optimisme et le bonheur sont les résultats du travail spirituel.

Un cours sur les miracles affirme : « *L'amour procède d'un bon accueil, non du temps.* » Le ciel attend surtout que nous l'acceptions. Ce n'est pas quelque chose que nous connaîtrons « plus tard ». « Plus tard » n'est qu'une pensée. « *... parce que j'ai triomphé du monde. C'est pourquoi tu devrais te réjouir* », dit Jésus. Il s'est rendu compte, comme nous pouvons tous nous en rendre compte, que le monde n'a aucun pouvoir devant le pouvoir de Dieu. Le monde n'est pas réel. Il n'est qu'une illusion. Dieu a créé l'amour comme seule réalité, comme unique pouvoir. Et c'est ainsi.

2. NOTRE CAPACITÉ DE BRILLER

« *Tu peux tendre la main et atteindre au ciel.* »

Au regard de Dieu, nous sommes tous parfaits et nous avons une capacité illimitée d'exprimer notre éclat. Je dis « capacité illimitée » plutôt que « potentialité illimitée » parce que « potentialité » peut être un concept dangereux. Nous pouvons l'utiliser pour nous tyranniser nous-mêmes, pour vivre dans le futur plutôt que dans le présent, pour nous préparer au désespoir en comparant constamment ce que nous sommes à ce que nous pourrions être. À moins d'être des maîtres parfaits, il est par définition impossible d'atteindre à sa pleine potentialité. Notre potentialité reste toujours quelque chose que nous serons capables de vivre plus tard.

La potentialité est un concept qui peut nous lier à l'impuissance personnelle. Se centrer sur la potentialité humaine reste impossible sans se centrer sur la capacité humaine. La capacité s'exprime dans le présent. Elle est immédiate. La clé de la capacité n'est pas la capacité que nous avons en nous, mais plutôt celle que nous sommes disposés à reconnaître avoir en nous. Il ne sert à rien d'attendre de devenir parfaits dans tout ce que nous faisons ni d'attendre d'être des maîtres éclairés ou d'avoir un doctorat. Il faut nous ouvrir à ce que nous sommes capables de faire maintenant. Bien sûr, nous sommes moins bons aujourd'hui que nous le serons demain, mais comment atteindrons-nous jamais les promesses de demain si nous ne bougeons pas aujourd'hui ? Je me souviens avoir passé de nombreuses années de ma vie à me faire tellement de souci devant les nombreux choix que la vie m'offrait, que j'étais complètement paralysée. Toutes ces possibilités me paralysaient. J'étais incapable de décider quel chemin réaliserait le mieux mon « potentiel » ; ce glorieux mythe névrotique toujours interposé entre moi et tout ce que je pouvais tenter. J'avais toujours trop peur pour agir. Et la peur, bien sûr, est le pire traître du moi. La différence entre ceux qui « réalisent pleinement leur potentialité » et les autres, n'est pas la potentialité elle-même, mais l'étendue de la permission qu'ils se donnent de vivre dans le présent.

Nous sommes la génération adulte. Nous avons des corps d'adulte, des responsabilités d'adulte et des carrières d'adulte. Ce qui manque à beaucoup d'entre nous, c'est un contexte adulte, un contexte dans lequel nous nous donnons la permission de briller, de nous épanouir pleinement, de nous avancer puissamment dans le présent sans craindre de n'être pas assez bons. Attendre un avenir formidable est le meilleur moyen de s'assurer qu'il n'arrivera jamais. Un adolescent rêve de ce qui sera. Un adulte trouve joie dans l'aujourd'hui.

Un jour, ma thérapeute m'a dit que mon problème était de vouloir passer directement du point A aux points X, Y, Z. Elle m'a fait remarquer que je semblais incapable de passer du point A au point B, de placer un pied devant l'autre. Il est beaucoup plus facile de rêver au point Z que d'aller réellement au point B. Il est plus facile de répéter le discours de réception de notre premier Oscar, que de se lever et d'aller à l'école de théâtre.

Nous avons souvent peur de faire quelque chose à moins d'être sûrs d'être capables de le faire à la perfection. Mais d'innombrables répétitions sont nécessaires avant de se produire à Carnegie Hall. Je me souviens à quel point fut libératrice pour moi la lecture, il y a quelques années, d'un entretien avec Joan Baez. Elle disait que certaines des premières chansons de Bob Dylan n'étaient pas si fantastiques que ça. Nous avons tous l'image du génie jailli soudain en pleine possession de ses moyens de la tête de Zeus. J'ai demandé un jour à quelqu'un de prononcer une conférence à ma place, parce que j'avais affaire à l'extérieur de la ville. Il m'a répondu qu'il ne pensait pas être capable d'être aussi bon que moi.

— C'est sûr, dis-je. Moi, je le fais depuis des années ! Mais comment deviendras-tu un formidable conférencier, si tu ne commences pas par donner un jour une conférence ?

La raison pour laquelle, je pense, les gens d'aujourd'hui ont moins de passe-temps que ceux de la génération précédente est qu'ils ne peuvent supporter de faire quelque chose quand ils ne s'y sentent pas extraordinairement bons. Il y a plusieurs années, j'ai recommencé à prendre des leçons de piano après avoir joué assez longtemps quand j'étais enfant. Je ne suis pas Chopin, d'accord. Mais le simple fait de jouer a une telle valeur thérapeutique ! J'ai compris clairement qu'il n'était pas nécessaire d'être virtuose en tout pour être un virtuose de la vie. La virtuosité dans la vie, c'est chanter – pas nécessairement chanter juste.

La plupart d'entre nous, à un niveau ou à un autre, nous nous sentons comme des chevaux de course qui rongent leur frein au portillon. Nous nous pressons contre la barrière, espérant et priant que quelqu'un l'ouvre et nous laisse commencer la course. Nous avons tant d'énergie refoulée, tant de talent contenu. Nous savons, dans notre cœur, que nous sommes nés pour de grandes choses, et nous avons une profonde appréhension, ancrée en nous, de gâcher notre vie. Mais nous sommes la seule personne capable de nous libérer. La plupart d'entre nous le savons. Nous savons que c'est notre peur qui ferme la porte. Mais nous savons également que notre terreur d'aller de l'avant est si grande qu'il faudrait un miracle pour nous libérer.

L'ego voudrait que nous soyons nés avec un grand potentiel et que nous mourions avec un grand potentiel. Entre-temps, la souffrance s'accroît toujours. Un miracle nous libère et nous permet de vivre pleinement le présent, de manifester notre pouvoir et de proclamer notre gloire. Le Fils de Dieu s'élève au ciel quand il délaisse le passé, délaisse l'avenir et se laisse aller lui-même à être ce qu'il est aujourd'hui. « *L'enfer est ce que l'ego fait du présent.* » Le Ciel est une autre façon d'accepter l'absolu.

3. LA PRATIQUE SPIRITUELLE

« *Un esprit inexercé ne peut rien accomplir.* »

Il faut plus à l'amour que des cristaux et des arcs-en-ciel, il faut de l'entraînement et de la discipline. L'amour n'est pas qu'un doux sentiment dans une carte de souhait Unicef. L'amour est un engagement radical à vivre différemment, une réponse mentale à la vie, complètement étrangère à la pensée du monde. Le Ciel est le choix conscient de défier la voix de l'ego. Plus nous passons de temps avec le Saint-Esprit, plus nous sommes capables de nous centrer sur l'amour. *Un cours sur les miracles* dit que, si tous les matins nous passons avec Lui cinq minutes (consacrées au Livre d'exercices ou à une autre pratique sérieuse de prière ou de méditation), nous serons sûrs qu'Il prendra en charge nos formes de pensée tout au long de la journée. Nous assumons la responsabilité d'établir ce que les Alcooliques Anonymes appellent un « Contact conscient » avec Lui. Comme nous allons au gymnase pour renforcer notre musculature physique, de la même façon, nous méditons et prions pour renforcer notre musculature mentale. Le Cours dit que nous accomplissons si peu de chose parce que nous avons des esprits indisciplinés : nous nous laissons aller à réagir par le jugement, la paranoïa ou la peur plutôt que par l'amour. Le Cours dit que nous sommes bien trop indulgents envers notre esprit errant. La méditation discipline l'esprit.

Quand nous méditons, les ondes cervicales de notre esprit sont totalement différentes. Nous recevons l'information à un niveau plus profond que celui de la veille consciente. *Un cours sur les miracles* dit que le Livre d'exercices est la partie capitale du Cours parce que les exercices « *entraînent notre esprit à penser selon les directives que présente le texte* ». Ce n'est pas *ce que* nous pensons qui nous transforme mais *notre façon* de le penser. Les principes des miracles deviennent des « *habitudes mentales* » dans notre « *répertoire de solutions aux problèmes* ».

La croissance spirituelle n'est pas une complexification métaphysique mais une simplification, à mesure que les principes fondamentaux imprègnent de plus en plus profondément notre système de pensée. La méditation est le temps passé avec Dieu dans le silence et l'écoute tranquille, le temps pendant lequel le Saint-Esprit a la chance de pénétrer notre esprit et d'y opérer Sa divine alchimie. Son intervention ne change pas seulement ce que nous faisons mais transforme qui nous sommes.

Le Livre d'exercices d'*Un cours sur les miracles*, présente en une série de 365 exercices psychologiques, un programme spécifique pour abandonner un système de pensée basé sur la peur et accepter plutôt un système de pensée basé sur l'amour. À chaque jour correspond un exercice spécifique sur lequel, les yeux fermés, se concentrer pendant une période de temps déterminé.

L'introduction précise même que nous n'avons pas à aimer les exercices et nous pouvons même y être hostiles mais nous devrions juste les faire. De toute façon, notre attitude n'affecte pas leur efficacité. Si je fais de l'haltérophilie, au gymnase, il est peu important que j'aime ou déteste l'exercice. C'est d'en faire ou pas qui affecte mon corps. Il en va de même pour la méditation. Et, comme pour l'exercice physique, les effets de la méditation sont cumulatifs. Quand nous allons au gymnase faire de l'exercice pendant une heure, l'effet sur le corps n'est pas immédiatement apparent. Si nous y allons tous les jours pendant un mois, alors nous constatons un changement. Il en va de même pour la méditation. Et parfois, les autres perçoivent le changement mieux que nous. Il peut même arriver que nous ne soyons pas conscients à quel point la qualité de notre énergie, les invisibles émanations de notre esprit affectent notre environnement et les gens qui s'y trouvent. Mais les autres en sont conscients. Et ils réagissent en conséquence.

L'entraînement spirituel aide au développement de la puissance personnelle. Les gens spirituellement puissants ne font pas nécessairement beaucoup de choses, mais autour d'eux les choses se font. Gandhi a forcé les Anglais à quitter les Indes mais ce n'est pas lui qui s'est tellement démené. De puissantes forces ont déferlé autour de lui. Le président Kennedy est un autre exemple. D'un point de vue législatif, il a fait très peu, mais il a libéré chez les autres d'invisibles forces qui ont modifié la conscience d'au moins une génération d'Américains. Au niveau supérieur de notre être, nous ne *faisons* rien. Nous sommes au repos quand la puissance de Dieu est à l'œuvre à travers nous. La méditation est une relaxation profonde. La voix frénétique de l'ego, ses vaines imaginations se consument.

Nous avons tous en nous une ligne radio directement branchée sur la voix de Dieu. Le problème est que la radio est pleine d'électricité statique. Pendant les périodes de calme que nous passons avec Dieu, l'électricité statique disparaît. Nous apprenons à écouter la petite voix tranquille qui parle pour Dieu. Au ciel, c'est la seule voix que nous entendons. C'est pourquoi nous y sommes heureux.

4. VOIR LA LUMIÈRE

« Enfant de lumière, tu ne sais pas que la lumière est en toi. »

Seule la lumière en nous est réelle. Nous avons moins peur des ténèbres en nous que de la lumière. Les ténèbres sont familières. Elles sont ce que nous connaissons. *« Pourtant ni l'oubli ni l'enfer ne te sont aussi inacceptables que le Ciel. »* La lumière, la pensée qu'après tout nous pourrions être assez bons, représente une telle menace pour l'ego qu'il sort ses gros canons pour s'en défendre.

— Il a l'âme mesquine, me dit un jour quelqu'un à propos d'un ami commun.

— Non, répondis-je. Son âme est l'une des plus brillantes que j'ai jamais vue. Sa mesquinerie spirituelle n'est qu'une défense contre la lumière. S'il se laissait pénétrer de sa lumière et choisissait d'exprimer vraiment tout son amour, son ego serait submergé. Sa mesquinerie est son armure, sa protection contre la lumière.

Notre défense contre la lumière prend toujours la forme de quelque culpabilité, projetée sur nous-mêmes et sur les autres. Jusqu'au moment où nous acceptons que Dieu a une bonne opinion de nous et que l'univers est miséricordieux pour nous, même si Dieu nous aime infiniment et si l'univers nous supporte interminablement, nous faisons tout en notre pouvoir pour empêcher que ne se produisent les miracles auxquels nous avons droit. Pourquoi la haine de soi ? Comme nous l'avons déjà vu, l'ego est l'interminable besoin de l'esprit de s'attaquer soi-même. Et comment y échapper ? En acceptant que la volonté de Dieu soit la nôtre. La volonté de Dieu est que nous soyons heureux. La volonté de Dieu est que nous nous pardonnions. La volonté de Dieu est que nous trouvions notre place au ciel maintenant.

Ce n'est pas notre insolence mais notre humilité qui nous enseigne que ce que nous sommes est bien et que ce que nous avons à dire est valable. C'est notre haine de nous-mêmes qui fait qu'il nous est si difficile d'aider toujours les autres et de les éduquer, parce qu'aider les autres équivaut à nous aider nous-mêmes. Quand je parle en public je ressens une palpable différence entre les auditoires qui veulent que je réussisse et ceux qui émettent comme signal : « Ah oui ? *Prouvez-le.* » Dans le premier cas, je suis invitée à briller, alors que dans le second, on me met au défi de briller. N'y a-t-il pas assez de défis déjà dans la vie ? La gentillesse humaine pèse-t-elle si peu ?

Quand nous savons que l'amour est une ressource infinie – que tout ce qu'il faut pour tous existe en abondance et que nous ne pouvons garder que ce que nous donnons – nous cessons de dénigrer les autres et commençons à les bénir. Il y a quelques années, j'habitais avec une fille de treize ans. Un jour, je revins à la maison et elle était assise sur son lit avec cinq ou six de ses copines autour d'un poster de Christie Brinkley. Même si c'est difficile à croire, ces filles s'efforçaient de se convaincre que Christie Brinkley n'était vraiment pas si belle que ça, et si elle l'était, c'est qu'elle n'était probablement pas très intelligente. Je leur fis gentiment remarquer qu'en fait elles voulaient toutes beaucoup lui ressembler mais qu'elles s'en défendaient parce qu'elles pensaient que c'était impossible.

— C'est correct de vouloir aussi être belle, leur dis-je. En fait, c'est bon, et chacune à sa manière, vous êtes capables de l'être. La manière d'y parvenir est de bénir sa beauté, de la louer, de lui permettre d'être afin de permettre à la vôtre d'être. La beauté de Christie Brinkley n'empêche pas la vôtre. Il y a assez de beauté pour tout le monde. La beauté n'est qu'une idée. Tout le monde peut l'avoir. Si vous bénissez ce qu'elle a, vous multipliez vos chances de l'avoir aussi.

Quelqu'un qui, dans quelque domaine que ce soit, réussit ne crée que la possibilité pour d'autres de réussir aussi. Tenir à la pensée d'une finitude des ressources est une façon de tenir à l'enfer.

Nous devons apprendre à ne penser que des pensées divines. Les anges sont les pensées de Dieu et au ciel les humains pensent comme des anges. Les anges éclairent le chemin. Les anges ne gardent pas rancune, les anges ne détruisent pas, les anges ne sont pas en compétition, les anges ne resserrent pas leur cœur, les anges n'ont pas peur. Voilà pourquoi ils chantent et voilà comment ils volent. Nous ne sommes, bien sûr, que des anges déguisés.

5. LA FIN DU MONDE

« La fin du monde n'est point sa destruction mais sa transformation en ciel. »

La fin du monde tel que nous le connaissons ne serait pas une chose aussi horrible, quand on pense à toute la douleur et aux souffrances dont il est actuellement affligé. Dans les « derniers jours », nous n'aurons pas à nous évader des horreurs du monde dans des véhicules spatiaux qui nous amèneront dans le cosmos mais dans des véhicules qui nous emporteront dans l'espace intérieur. Nos esprits guéris, guidés par le Saint-Esprit, sont ces véhicules.

À quoi ressemble le ciel ? La plupart d'entre nous n'en ont eu qu'un tout petit aperçu, mais suffisant pour avoir toujours l'espoir d'y retourner. Le Cours dit qu'une « *ancienne mélodie* », dont nous nous souvenons tous, nous fait signe et nous appelle toujours au retour. Le ciel est notre maison. Nous venons du ciel. Il est notre état naturel.

Nous avons tous eu sur terre des moments célestes, d'habitude entre les seins de notre mère ou dans les bras de quelqu'un. On ressent la paix intérieure quand on renonce à toute forme de jugement. On n'éprouve pas le besoin de changer les autres et on n'éprouve pas le besoin d'être différent de ce qu'on est. On est capable de voir la totale beauté de l'autre et on sent que l'autre est capable de voir notre beauté aussi.

Pour le monde, la relation spéciale, qu'elle soit romantique ou d'un autre genre, est le seul contexte qui permette de vivre cette expérience. Et c'est là notre névrose première, notre plus douloureuse illusion. Nous continuons de chercher l'amour dans le corps mais il n'est pas dans le corps. Nous nous « *lançons dans une quête sans fin vers ce que nous ne pouvons trouver* » – une personne, une circonstance qui détienne la clé du ciel. Mais le ciel est en nous. Il n'a rien à voir finalement avec les pensées de quelqu'un d'autre et tout à voir avec ce que nous choisissons de penser nous-mêmes, pas seulement à propos d'un autre mais à propos de tout le monde. Notre seul billet pour le ciel, notre seule façon de revenir à la maison consiste à pardonner à l'humanité, à tout le monde en toutes circonstances.

Dieu est notre but. Rien d'autre que ce but ne peut nous apporter la joie. Et nous avons droit à la joie. Même si nous sommes relativement conscients de la puissance transformatrice de la douleur, nous savons très peu de la puissance transformatrice de la joie, parce que nous savons très peu de la joie.

Parler de la joie n'est pas simpliste. Personne ne dit que c'est facile ; nous affirmons simplement que la joie est notre but. Comme on l'a déjà vu, on n'accède pas au ciel sans avoir connu l'enfer – pas sa réalité ultime, mais la réalité qu'il a pour nous pendant que nous restons dans cette illusion. Cette illusion est très puissante. *Un cours sur les miracles* ne propose pas, pour parvenir à la lumière, le rejet émotionnel et la suppression des ténèbres. Le Cours est un processus psychothérapeutique qui porte les ténèbres à la lumière – et non l'inverse. Dans un monde éclairé, la psychothérapie, guidée par le Saint-Esprit, aura certainement sa place. D'après le Cours : « *Personne ne peut échapper aux illusions à moins de les regarder, car ne pas les regarder, c'est les maintenir.* » Les bas-côtés du chemin qui conduit au ciel sont infestés de démons, exactement comme le château des contes de fées est entouré de dragons.

Un Cours sur les miracles dit : « *Qu'est-ce que guérir sinon le fait d'enlever toute entrave à la connaissance ? Comment dissiper les illusions autrement qu'en les regardant en face, sans chercher à les maintenir ?* » Le travail vers l'illumination implique souvent une activation pénible et peu reluisante du pire dont nous sommes capables, et qui se donne pleinement à voir aux autres et à nous-mêmes, de façon à ce que nous puissions en toute connaissance de cause choisir de nous défaire de nos ténèbres personnelles. Mais sans engagement à la lumière, sans intention consciente d'aller vers le ciel, nous restons amoureux des ténèbres, trop séduits par leur complexité.

Certains modèles psychothérapeutiques traditionnels illustrent bien cette tentation d'« *analyser les ténèbres pour atteindre à la lumière* ». Utilisée par l'ego, la psychothérapie devient l'outil d'une interminable analyse de l'ego : mission de blâmer, concentration sur le passé. Utilisée par le Saint-Esprit, la psychothérapie est quête de lumière. Elle est une interaction sacrée dans laquelle deux êtres, consciemment ou inconsciemment, invitent le Saint-Esprit à entrer dans leur relation et à transformer les perceptions douloureuses en connaissance de l'amour. La seule raison pour laquelle nous avons tous tant besoin de thérapie est que nous avons perdu le contact essentiel avec le sens de l'amitié. Toute vraie relation, comme toute vraie religion, est une forme de psychothérapie. Les psychothérapeutes du Saint-Esprit, professionnels ou non, ne demandent que le Rachat pour eux-mêmes, que leurs propres perceptions guéries puissent éclairer les autres.

Dans le monde à venir, les couples recourront de plus en plus fréquemment à la psychothérapie, non pour régler des situations de crise, mais comme procédure d'entretien. À une certaine époque, la plupart des gens considéraient que la thérapie était réservée aux « fous ». Maintenant on se rend compte qu'elle est un excellent outil pour rester sain. Et c'est ainsi que les couples, dans leur cheminement deux par deux vers les bras de Dieu, viendront soumettre la valeur de leurs pensées et de leurs sentiments à une évaluation formelle, constante et logique.

Il y a beaucoup d'agitation, juste devant la porte du ciel – agitation illusoire, bien sûr, mais qu'il faut transformer de l'intérieur. La seule signification de tout événement qui se déroule dans le monde de la forme est qu'il nous pousse à essayer d'atteindre la porte, ou bien nous amène à tourner le dos au ciel. Debout devant la porte, sans avoir décidé quelle direction prendre, poussés vers l'amour mais tellement habitués à la peur, nous devons nous rendre compte de la responsabilité sacrée qui nous incombe. « *Ainsi tu t'achemines vers le Ciel ou l'enfer mais pas tout seul.* » Nous choisissons pour tous, et pour de nombreuses années à venir.

Les décisions que nous prenons aujourd'hui, individuellement ou collectivement, détermineront si la planète ira au ciel ou en enfer. Une chose est sûre : nous sommes la génération de la transition. Les choix essentiels nous incombent. Les générations futures sauront qui nous avons été. Elles penseront à nous souvent. Elles nous maudiront ou nous béniront.

6. LA PORTE DU CIEL

> « *Ne pense pas que la voie qui mène aux portes du ciel soit difficile.* »

Nous sommes immobiles devant la porte du ciel. Dans nos esprits, nous en sommes partis il y a des millions d'années. Aujourd'hui, nous revenons à la maison.

Nous sommes la génération du Fils prodigue. Nous avons quitté la maison et maintenant il y a de la fébrilité dans l'air parce que nous sommes revenus. Nous avons tout fait pour violer l'amour, l'amour des autres et de nous-mêmes, avant qu'une vie de plénitude ne commence à nous attirer. Ce n'est pas notre honte mais notre force. Il y a certains seuils que nous n'avons plus à franchir, non pas qu'une fausse morale nous l'interdise, mais parce que nous les avons déjà franchis et que nous savons qu'ils ne mènent nulle part. Étrangement, ceci nous donne une sorte d'autorité morale. Nous parlons d'expérience. Nous avons vu les ténèbres. Nous sommes prêts à aller plus loin. Nous sommes attirés par la lumière. Quand ses disciples demandaient à Bhagwan Shree Rajneesh : « Pourquoi est-il écrit "Dieu aime les pécheurs" ? », il répondait : « Parce que ce sont des gens intéressants. »

Nous sommes une génération intéressante, mais nous ne nous en rendons pas compte. J'ai eu peur pour le monde la première fois que j'ai réalisé quelle époque décisive nous vivions. Les décisions qui se prendront sur cette planète au cours des vingt prochaines années détermineront si l'humanité survivra plus longtemps ou non. Le destin du monde est laissé entre nos mains. Oh, non ! Pas nous, ai-je pensé. N'importe qui mais pas nous. Nous sommes des enfants gâtés, en pleine faillite morale. Mais quand j'y ai regardé de plus près, ce que j'ai vu m'a surprise. Nous ne sommes pas méchants. Nous sommes blessés. Et nos blessures sont nos chances de guérir.

Devant la porte du ciel, le mot à la mode est « guérison », et il façonne nos désirs. Le saint retour est dans l'air aujourd'hui, malgré la douleur et les conflits. Un nombre suffisant de personnes s'en sont donné le mandat, consciemment ou inconsciemment, pour que l'on sente déjà une prudente excitation, l'espoir du ciel. Dans tous les domaines, il y a au moins quelques vagues indices d'une plus grande responsabilité.

Avant notre réveil, « *le Saint-Esprit transforme en rêves heureux nos rêves d'amertume* ». Voici quelques réflexions concernant quelques rêves heureux qui pourraient vraisemblablement amener le monde entier un peu plus près du ciel.

Pour que notre culture ait une chance de se guérir et de repartir à neuf, il faut qu'il y ait un pardon massif, collectif du passé. Certains des individus les meilleurs et les plus intelligents que l'Amérique puisse offrir sont rejetés parce qu'on ne leur permet pas de se débarrasser de leur passé. Comme il est triste pour l'Amérique que tous ceux qui, dans le passé, ont consommé trop de drogues, eu trop d'aventures sexuelles, par exemple, soient trop effrayés pour se lancer en politique par peur qu'on les crucifie pour leurs histoires personnelles. L'important dans notre passé n'est pas ce qui s'est produit, mais ce que nous avons fait de ce qui s'est produit. Si nous le choisissons, tout peut contribuer à ce que nous devenions plus compatissants.

La question importante n'est jamais ce que nous avons fait hier mais ce que nous en avons appris, et ce que nous faisons aujourd'hui. Personne ne peut conseiller un alcoolique qui veut arrêter de boire mieux qu'un autre alcoolique qui a cessé de boire depuis plus longtemps. Personne ne peut conseiller une personne dans l'affliction mieux que quelqu'un qui a déjà été dans l'affliction. Personne ne peut aider mieux que quelqu'un qui a déjà souffert le même tourment.

Richard Nixon ne m'a jamais particulièrement intéressée jusqu'au jour où je l'ai vu à la télévision quelques années après son départ de la Maison-Blanche. Cet homme, ai-je pensé, a subi la plus totale humiliation, mais personne d'autre que lui n'en porte la responsabilité. La seule façon de survivre à une expérience aussi écrasante est de tomber à genoux et de se jeter dans les bras de Dieu. Quand je l'ai vu à l'écran, j'ai su que c'est ce qu'il avait fait. J'ai vu dans son visage une douceur que je n'avais jamais vue. *Maintenant* cet homme est intéressant, ai-je pensé. Il semble avoir tâté des flammes de la purification. Il a plus à nous offrir maintenant que jamais. Maintenant, j'aurais confiance en lui pour me parler à partir d'un espace plus authentique.

Juste devant la porte du ciel, on n'a jamais peur de s'excuser. Comme ce serait merveilleux pour l'Amérique si, dans nos cœurs et à la face du monde, nous faisions amende honorable pour avoir violé nos principes les plus sacrés dans la manière dont nous avons traité certaines nations, comme le Vietnam, par exemple. Nous sommes un grand pays et, comme toutes les nations, nous avons commis des erreurs. Notre grandeur ne réside pas dans notre puissance militaire mais dans nos vérités internes sacrées. Une grande nation, comme un grand individu, admet ses erreurs, se repent de ses erreurs et demande à Dieu et aux hommes une chance de repartir à neuf. Ceci ne nous rendrait pas plus faibles aux yeux du reste du monde. Ceci nous rendrait plus humbles et honnêtes, deux qualités sans lesquelles il n'y a pas de grandeur.

Et ne serait-ce pas merveilleux – Abraham Lincoln a pavé le chemin – si nous étions capables de simplement présenter nos excuses une seule et solennelle fois à tous les Noirs américains ? « Au nom de nos ancêtres, nous nous excusons de vous avoir arrachés à votre pays natal et de vous avoir amenés ici comme esclaves. Nous connaissons la douleur subie par des générations de braves gens suite à cette épouvantable violation de vos droits. Nous vous demandons de nous pardonner. Permettez que nous recommencions à neuf. » Puis, le moins que l'on pourrait faire serait d'édifier un mémorial permanent aux esclaves américains. Les Américains blancs en ont un besoin intérieur plus grand que les Noirs. Il sera plus facile aux Afro-américains de nous pardonner quand nous leur demanderons le pardon. Toutes ces choses s'appliquent aussi, bien sûr, aux Indiens d'Amérique. Jusqu'à ce Rachat, il y a peu de chance que se produise une guérison miraculeuse de nos tensions raciales.

Les défilés de nos soldats rentrés au pays après la Guerre du Golfe ont été, d'après moi, une tentative de rectifier le traitement ingrat qu'ont dû subir les vétérans du Vietnam. Je souhaite seulement qu'il y ait des défilés de nos professeurs, de nos hommes de science et de nos autres trésors nationaux.

Parlant de trésors nationaux, les enfants sont notre plus importante ressource. Pour une fraction du prix que coûte le maintien d'un criminel pendant un an en prison, nous pourrions offrir à un enfant d'un milieu défavorisé une infinité d'occasions de s'instruire et de développer sa personnalité, ce qui l'empêcherait de tomber systématiquement dans un désespoir sans fin. On diminuerait ainsi graduellement la tentation d'expérimenter les drogues, la délinquance et les autres chemins qui mènent à un comportement criminel. La quantité d'énergie, de temps, d'argent à consacrer à nos enfants n'est jamais trop grande. Ils sont nos anges, notre avenir. Si nous nous arrangeons pour qu'ils échouent, c'est nous qui échouons.

Il y a beaucoup à faire, une fois que nous permettons à notre motivation de transformer le monde, de dynamiser notre âme et d'exprimer clairement nos convictions. Nous devons avoir foi en Dieu et foi en nous-mêmes. Tout ce qu'Il veut, Il est capable de nous le faire savoir ; et tout ce qu'Il veut que nous fassions, Il est capable de nous montrer comment le faire. Chaque nation a des blessures à guérir. Chaque cœur a le pouvoir de les guérir.

7. NOËL

« Le signe de Noël est une étoile, une lumière dans les ténèbres. »

Noël est un symbole de changement. La signification de Noël est la naissance d'un nouveau moi, materné par notre humanité et paterné par Dieu. Marie symbolise le principe féminin en nous tous, qui se laisse imprégner par l'esprit. Sa fonction est de dire oui, je veux, je reçois. Je ne ferai pas avorter le processus, j'accepte humblement ma sainte fonction. L'enfant né de cette conception mystique est le Christ en chacun de nous.

Les anges ont réveillé Marie au milieu de la nuit et lui ont dit de les rencontrer sur le toit. « Le milieu de la nuit » symbolise nos ténèbres, notre confusion, notre désespoir. « Viens sur le toit » veut dire : « Éteins la télévision, dégrise-toi, lis de meilleurs livres, médite et prie ». Les anges sont les pensées de Dieu. Pour pouvoir les entendre, il faut une atmosphère mentale pure.

La plupart d'entre nous ont déjà entendu les anges leur demander de monter sur le toit. Sinon nous ne lirions pas de livres comme celui-ci. Ce qui arrive à ce stade, c'est qu'on nous donne l'occasion et qu'on nous lance le défi d'accepter l'esprit de Dieu, de permettre à Sa semence de pénétrer notre corps mystique. Nous serons Sa sécurité et Sa protection. Nous permettrons, si nous sommes d'accord, à notre cœur d'être un utérus pour l'enfant Christ, un havre dans lequel Il peut croître, se développer et se préparer à Sa naissance terrestre. Dieu a choisi que Son Fils naisse de chacun de nous.

« Il n'y a plus de place ici », a dit l'aubergiste à Joseph. L'« auberge » est notre intellect. Il y a peu de place là, sinon aucune, pour les choses de l'esprit. Mais cela n'a pas d'importance parce que Dieu n'en a pas besoin. Il n'a besoin que d'une petite place dans la crèche, juste d'un peu de bonne volonté de notre part pour qu'Il naisse sur terre. Là, « entourés d'animaux », à l'unisson de notre moi humain naturel, nous donnons naissance à Celui qui gouverne l'univers.

Les bergers dans les campagnes voient, avant tout le monde, « l'étoile de Noël ». Les bergers sont ceux qui gardent les troupeaux, qui prennent soin, protègent et guérissent les enfants de la terre. Bien sûr, ils sont les premiers à voir le signe d'espoir, parce que ce sont eux qui y pourvoient. Ils ont transformé leur vie en un champ fertile en miracles. Ils ont vu l'étoile et l'ont suivie. Ils ont été conduits à voir Jésus dans les bras de l'homme.

Et les rois terrestres se rassemblent pour Lui rendre hommage. La raison en est que le pouvoir du monde n'est rien devant *« le pouvoir qu'a l'innocence. Le lion s'étend près de l'agneau »* ; notre force et notre innocence sont en harmonie. Notre douceur et notre pouvoir ne sont pas en contradiction.

Un chant de Noël dit : « Longtemps, le monde est resté dans le péché et dans l'erreur jusqu'à ce qu'Il apparaisse et que l'âme sente sa valeur. » Avec la naissance du Christ, non seulement une fois chaque année, mais à tout moment, nous nous permettons de revêtir le divin manteau du Fils de Dieu, d'être plus que ce que nous étions l'instant d'avant. Nous élargissons la conscience que nous avons de nous-mêmes et notre identité. *« Le fils de l'homme se reconnaît et ce faisant devient le Fils de Dieu.* »

Et en conséquence le monde est sauvé, ramené, guéri et rétabli dans sa plénitude. Le rêve de la mort prend fin quand on reçoit la vision de la vie réelle. Jésus dans notre cœur est la vérité gravée dessus, « l'alpha et l'oméga », là où nous avons commencé et là où nous retournerons. Même s'Il prend un autre nom, même s'Il prend un autre visage, Il est par essence la vérité de qui nous sommes. Nos vies assemblées forment le corps mystique du Christ. Revendiquer notre place dans ce corps, c'est revenir à la maison, retrouver de nouveau la bonne relation à Dieu, les uns aux autres et à nous-mêmes.

8. PÂQUES

> « *Tout son pouvoir irrésistible se trouve dans le fait que Pâques représente ce que tu veux être.* »

Noël et Pâques sont les deux supports des attitudes dans une conception éclairée du monde. En partant d'un point de vue éclairé sur Noël, nous comprenons qu'il est en notre pouvoir, à travers Dieu, de donner naissance à un Moi divin. En partant d'un point de vue éclairé sur Pâques, nous comprenons que ce Moi a le pouvoir de l'univers, un pouvoir devant lequel la mort elle-même n'a pas de pouvoir réel.

« *La résurrection est le symbole de la joie.* » Elle est le grand « Ah, ah ! » – le signe que nous comprenons totalement que l'absence d'amour, en nous et dans les autres, ne nous affecte pas. Accepter la résurrection, c'est réaliser que nous n'avons plus à attendre pour considérer que nous sommes guéris et entiers.

Je bavardais avec mon amie Barbara. Elle avait subi récemment un triple choc émotif : son père était mourant, elle s'était séparée de l'homme avec qui elle vivait depuis sept ans et venait de s'embarquer dans une liaison plutôt passionnée avec un cas classique de « Peter Pan ». Nous discutions des principes de la résurrection et de notre désir du ciel. Elle me fit remarquer : « J'imagine qu'il me suffit d'être confiante. Dieu a un plan et les choses finiront par aller mieux quand elles devront aller mieux. »

Désireuse de comprendre le mieux possible les principes d'*Un cours sur les miracles*, je lui dis que, théoriquement, comme le temps n'existe pas, il n'est pas pertinent de se dire que Dieu nous sauvera « plus tard ». Le message de la résurrection est que la crucifixion n'a jamais eu lieu, sinon dans notre esprit. Avoir une conscience christique, ce n'est pas penser que les blessures provoquées par la mort de son père guériront, ni qu'à la longue la rupture avec son ami lui semblera moins pénible, ou que sa nouvelle aventure se transformera un jour en amitié. La conscience christique est la compréhension que le ciel est ici et maintenant : son père ne mourra pas quand il mourra, le changement de forme dans une relation à long terme ne signifie absolument rien parce que l'amour lui-même est immuable, et le départ de Peter Pan ne signifie rien parce que le lien qui unit Peter Pan et Barbara est éternel. La tristesse de Barbara ne repose pas sur les faits, mais sur une fiction. C'est son interprétation des événements et les événements eux-mêmes qui gardent son cœur enchaîné. Le Ciel est la transformation de ces événements dans son esprit. Ensuite, le monde physique suit. « *La résurrection est notre éveil d'un rêve, notre retour à un esprit juste et donc notre délivrance de l'enfer.* »

Barbara, dès lors, se réjouit. Elle et moi avons ri comme des petits enfants après nous être autorisées à passer nos vies en revue, les relations, les circonstances, les événements qui sont devenus les croix que nous avons eues à porter. Nous avons admis l'empressement avec lequel nous nous sommes enfoncé les clous dans les mains et les pieds, nous accrochant à une interprétation terrestre des choses alors que le choix de faire autrement nous aurait libérées et rendues heureuses. Nous avons prié pour être capables de nous rappeler plus systématiquement que seul l'amour est réel. Nous avons vu, même si ce n'était que pour quelques instants, l'inutilité de notre désespoir. Nous avons eu, à ce moment-là, un aperçu du ciel et nous avons prié pour pouvoir l'entrevoir plus souvent.

Voici un extrait de *Un cours sur les miracles* :

« *Le voyage vers la croix devrait être le dernier "voyage inutile". Ne t'y attarde pas, mais repousse-le plutôt comme un fait accompli. Si tu peux l'accepter comme ton dernier voyage inutile, tu seras libre aussi de t'unir à ma résurrection. De fait, tu gaspilles ta vie jusqu'à ce que tu le fasses. Elle rejoue simplement la séparation, la perte de pouvoir, les futiles tentations de réparation de l'ego et finalement la crucifixion du corps, ou la mort. Ces répétitions n'ont de fin qu'en y renonçant volontairement.*
Ne fais pas l'erreur pathétique de "te cramponner à la vieille croix rugueuse". Le seul message de la crucifixion est que tu peux triompher de la croix. Jusque-là tu es libre de te crucifier aussi souvent que tu le choisiras. Cela n'est pas l'évangile que j'avais l'intention de t'offrir. Nous avons un autre voyage à entreprendre et, si tu veux, lis ces leçons attentivement, elles t'aideront à t'y préparer. »

À la fin du Livre d'exercices, il est dit que « *ce Cours est un commencement, non une fin* ». Le chemin spirituel n'est pas la maison, il est le chemin vers la maison. La maison est en nous, et à chaque instant nous choisissons de nous y reposer ou de nous battre contre l'expérience. Notre réelle terreur, dit le Cours, c'est la rédemption.

Mais il existe en nous Quelqu'un qui sait la vérité, qui a reçu de Dieu le travail d'être plus malin que l'ego, plus malin que notre haine de nous-mêmes. Le Christ n'attaque pas notre ego ; Il le transcende. Et « *Il est en nous à tout moment, en toute circonstance. Il est à notre gauche, à notre droite, devant nous et derrière nous, au-dessus de nous et au-dessous de nous. Il répond pleinement à notre moindre invitation.* »

Nous L'invitons par nos prières, Lui qui est déjà là. Nous parlons à Dieu avec nos prières. Il répond avec Ses miracles. L'interminable chaîne de communication entre l'amant et l'aimé, entre Dieu et l'homme est le plus beau chant, le plus doux poème. C'est l'art le plus élevé et l'amour le plus passionné.

Mon Dieu,

Je te donne ce jour, le fruit de mon travail et les désirs de mon cœur. Je place entre Tes mains toutes les questions et je charge Tes épaules de tous les fardeaux. Je prie pour mes frères et pour moi. Puissions-nous retourner à l'amour. Puissent nos esprits guérir. Que tout soit béni. Puissions-nous trouver le chemin qui nous ramène à la maison, de la douleur à la paix, de la peur à l'amour, de l'enfer au Ciel.
Que Ton règne arrive, que Ta volonté soit faite sur la terre comme au Ciel.
Car le Royaume T'appartient, le Pouvoir et la Gloire T'appartiennent.
Dans les siècles des siècles.
Amen.

TABLE DES MATIÈRES

7383

Composition
PCA

Achevé d'imprimer en Slovaquie
par NOVOPRINT SLK
le 20 septembre 2016

1er dépôt légal dans la collection : novembre 2004
EAN 9782290025710
L21EPEN000180C006

ÉDITIONS J'AI LU
87, quai Panhard-et-Levassor, 75013 Paris

Diffusion France et étranger : Flammarion